ALTIN KİTAPLAR
YAYINEVİ

ISBN 975 - 405 - 499 - 1
94-34-y-0131-300

Yayın Hakları (c) DIETRICH GRONAU
ONK AJANSI
ALTIN KİTAPLAR YAYINEVİ
Kapak ŞAHİN KARAKOÇ
Baskı ALTIN KİTAPLAR BASIMEVİ
1. BASIM / EKİM 1994
2. BASIM / KASIM 1994

Celâl Ferdi Gökçay Sk. Nebioğlu İşhanı
Cağaloğlu - İstanbul
Tel: 522 40 45 - 526 80 12
511 51 00 - 511 32 26
Faks: 526 80 11

Dietrich Gronau

MUSTAFA KEMAL ATATÜRK VE CUMHURİYETİN DOĞUŞU

Prof. Dr. TOKTAMIŞ ATEŞ'in Önsözü ve Notları İle

(2.BASIM)

TÜRKÇESİ:

Gülderen Koralp Pamir

SUNUŞ

Dietrich Gronau'nun "Mustafa Kemal Atatürk ve Cumhuriyetin Doğuşu" başlıklı çalışması, ne bir tarih kitabı, ne de bir edebi eser. Ama çok zevkle okunan bir biyografi.

Günümüz dünyasında Türkiye, neredeyse dört bir yandan baskı altında. Kitapta da ilginç örneklerini göreceğiniz "Avrupalı Önyargısı", en haklı olduğumuz davalarda ve konularda bile, bizi zorluyor. İşte böyle bir iklim içinde Dietrich Gronau, hem Türkiye'yi, hem Türkleri ve hem de Atatürk'ü çok seven bir insan ve araştırmacı olarak kaleme almış bu kitabı.

Gronau, Atatürk'e karşı büyük bir sevgi içinde. Kitabının arka kapağında başlıyor bu sevgi, hayranlık: "...Genç Cumhuriyeti birkaç on yılın içinde Batı'ya açan reformlarını gerçekleştirmekte gösterdiği başarının tarihte bir eşi daha yoktur..."

Aynı hayranlığın somut ifadesini, kapak içi tanıtım yazısında da görmekteyiz: "...Enerjisi ve hedefine ulaşmaktaki azmi ile Osmanlı İmparatorluğu'nun çöküşünü herkülvari bir işe dönüştürmeyi başardı..."

Gronau'da kimi yerli yazarlarımızda bile zor rastlanan bir heyecanın izlerini bulmak da mümkün: "...Anadolu halkının en ağır şartlarda büyük kayıplar vererek gerçekleştirdiği Kurtuluş Savaşı, Mustafa Kemal'in 10 Eylül 1922'de İzmir'e girmesi ile görkemli bir sona ulaştı. Şehrin sakinleri bir yandan ağlayıp, bir yandan gülerek Gazi'nin arabasının çevresini aldılar, ayaklarının dibine kırmızı beyaz güller ve karanfiller attılar. Bu gri üniformalı Kahraman'a yanaşabilenler ellerini, yanaşamayanlar arabasının karoserini öptüler. Aynı sevinç gösterileri diğer askerlere de yapıldı. Kadınlar, erkekler ve çocuklar askerlere çi-

çekler verdiler, herkes onlara dokunmak istiyordu. Süvarilerin atlarına sarılanlar dahi oldu..."

Ancak zevkle okunan bu güzel kitap, bir "tarih kitabı" değil. Ciddi sayılabilecek kimi isim ve tarih hataları var. Örneğin Mustafa Kemal, I. Dünya Savaşı yıllarında "Anafartalar Kahramanı" olarak ün kazanmıştı. Ama Gronau, sürekli olarak "Gelibolu Kahramanından" söz ediyor. Ya da bizde "Kuva-ı Milliyeci" ve "Müdafaa-i Hukukçu" olarak isimlendirilen Kemalist grubu, "Ulusal Fraksiyon" olarak isimlendirmiş. Bunları ve benzer bazı hususları olduğu gibi bıraktım.

Ancak kimi önemli tarih ve isim hataları vardı ki, bunları "Redaktörün Notu" olarak birer dipnotla düzeltmeye çalıştım. Bu düzeltmeler sırasında, yazarın kendi özgün düşüncesinin ve yaklaşımının ürünü olan "yorumlarına" saygıyla yaklaştım. Ama yanlış bilgiden kaynaklanan yorumlarını düzeltme yolunu seçtim.

Dietrich Gronau hem Türkleri ve hem de Atatürk'ü çok seviyor. Ama buna rağmen Avrupalıların kimi önyargılarından kendini kurtaramıyor. Özellikle Ermeni sorunu konusunda bunu hissetmemek mümkün değil. Bu tür yaklaşımları konusunda da herhangi bir not düşmek gereğini duymadım.

"Mustafa Kemal Atatürk ve Cumhuriyetin Doğuşu" Almanya'da Fischer Verlag tarafından yayınlanmış. Çok ünlü ve popüler bir yayınevi olan Fischer'in kitapları genellikle çok satılır ve okunur. Umarım bu kitap da çok satılan ve okunan kitaplardan biri olsun ve Almanlara Türkleri biraz daha yakından tanıma ve değerlendirme fırsatı versin.

Kitabı Türkçeye çeviren Gülderen Koralp Pamir de, sanıyorum benim okurken duyduğum zevk ve heyecanı, çeviri yaparken yaşamış..

Toktamış Ateş
İstanbul, Ağustos 1994

Selanik'de Doğum ve Gençlik Yılları (1881-1889)

Yaşamı ile yeni Türkiye'nin oluşumu arasında sıkı bir bağ olan Mustafa Kemal'in doğumu 1880 ile 1881 yılları arasındaki soğuk bir kış gününe rastlar. O zamanlar Osmanlı İmparatorluğu'nda kullanılan, miladi takvime göre 622 yılında başlayan (Müslümanların Mekke'den Medine'ye göçü) ve güneş yılından on bir gün daha kısa olan ay yılını veren hicri takvimle Mustafa 1296 yılında dünyaya gelmiştir. Annesi, Zübeyde yaşamının sonlarına doğru, dördüncü çocuğunu Selanik'de kışın en soğuk günleri sayılan "buzlu kırklarda" dünyaya getirdiğini söylemişti. (*)

Zübeyde'nin ataları 18. yüzyılda Güneydoğu Anadolu'dan, o zamanlar Osmanlı eyaletleri olan Makedonya ile Arnavutluk arasındaki verimli ovalardan birine göç etmişlerdi. Çok yoksul sayılmamakla birlikte, toplumun en varsıllarından oldukları da söylenemezdi. Özellikle dindar oldukları bilinen bu ailenin üyelerinden pek çoğu Hac görevini yerine getirmiş ve hacı olmuştu. Yetmişli yılların ortalarına doğru evlendiğinde, Zübeyde ancak on altısında vardı. Sosyal düzeyi açısından pek de kaçırılmaması gereken bir fırsat olmamakla birlikte kendisinden yirmi yaş büyük olan ve maddi olanakları fazla geniş sayılmayan eşi gümrük memuru Ali Rıza Bey'in gözünde sarı saçları, mavi gözleri ve açık renk teni ile ideal kadın güzelliğinin temsilcisiydi. Bugün bile Türk erkek toplumunda aynı güzellik kavramının geçerli olduğu söylenebilir.

(*) Mustafa Kemal'in doğumgünü belli değildir. Daha sonraları kendisi, doğumgününün "19 Mayıs" olduğunu söyleyecektir. Aslında Mustafa Kemal'in doğumgününün belli olmaması, ilginç bir husustur. Zira Mustafa Kemal'in "halktan biri", "sokaktaki insanlardan biri" olduğunu gösterir. Zaten yaşamı boyunca kendisi de bunu zaman zaman dile getirecektir.

Ali Rıza Bey'in kökeni İzmir'in güneyindeki Aydın'dı. Yani aile aslen Anadoluluydu ama uzun yıllardan beri Selanik'de ikâmet ediyordu. 19. yüzyılın sonlarına doğru Osmanlı Devleti'ni dört bir yandan etkileyen, Avrupa'daki politik gücün oluşturduğu dalgalanmaya hem kendisi, hem de diğer aile üyeleri tehlikeli bir şekilde yakınlaşmışlardı: Aileyi çok ilgilendirecek olan ilk olay Hıristiyan bir genç kızın yüksek ruhani otoritenin önünde İslam dinine geçtiğini açıklamak üzere bir köy imamının eşliğinde ve 5 Mayıs 1876 tarihinde, 1878'deki Berlin Kongresine dek Osmanlı yönetimi altında bulunan Bulgaristan'dan trenle Selanik'e gelmesiyle başladı. Gizlice kızını izlemiş olan annesi daha istasyonda Hıristiyan Yunanlılardan kızının din değiştirmesini önlemelerini rica etti. Anında Müslüman bir karşıt grup oluşturuldu ama, bu grup bile kızın şiddetle karşı koymasına karşın Amerikan Konsolosluğuna götürülmesini engelleyemedi. Türkler ertesi sabah yeniden diplomatik bölgede toplandılar ve yabancıların kendi iç işlerine karışmasını nefretle kınadılar. Atmosferin en gergin olduğu anda Fransız ve Alman konsoloslarının da tesadüfen oradan geçeceği tuttu. Toplanmış olan halk onları tanıdı, camilerden birine kadar kovaladı ve orada linç etti.

Fransız ve Alman hükümetleri bu olaya tepkilerini göstermek için savaş gemilerini hemen Selanik'e yolladılar ve katillerin cezalandırılmasını istediler. Babıâli, Avrupalı güçlere karşı imtiyazlar vermeye zorlandığından dolayı yerel Osmanlı makamları, olayda parmağı olup olmadığını bilmedikleri halde hemen bir dizi insanı ipe çekti. Amaçları huzursuzluk çıkaranları ve kışkırtıcıları tutuklayabilmekti. Ali Rıza Bey'in babası da kraldan çok kralcı polisin kurbanlarından biri olmaktan korktuğu için Makedonya dağlarına kaçtı ve 1883'e, yani ölene dek yedi yıl dağlarda saklandı.

Aileyi doğrudan olmasa bile yine de etkileyen ikinci toplumsal olayın boyutları ise çok daha geniştir. 1876 yılının sonlarına doğru Ali Rıza Bey orduya katıldı ve birkaç ay sonra 24 Nisan 1877'de Rusya'nın Osmanlı Devleti'ne açtığı savaşta yer almak için gönüllülerden oluşan bir birliğe başvurdu. Çarın geniş kapsamlı hedeflerinin arasında Balkanlar'da Güney-Slav İmparatorluğu kurmak

Orta Akdeniz'e açılmak ve Hıristiyan geleneklerine uyarak eski Bizans'ı yani İstanbul'u "Çarsgrad" yapmak da vardı. Rus ordusunun bir yandan Bulgaristan'a, diğer yandan Anadolu'nun doğusuna girmesi ve İslam halkına kitle katliamı uygulaması İngiltere'nin Sultan'ı kontrol altına almak ve Yakındoğuda üstünlük kurmak istemesine yol açtı. (*) İki rakip taraf, diğer Avrupa güçlerinin baskısı altında önce 1878 yılında Ayastefanos'da (bugünkü İstanbul'un bir semti olan Yeşilköy) bir antlaşma imzaladılar. Batı'da Bulgaristan, Bosna-Hersek ve Kıbrıs'ı, Doğu Anadolu'da Kars'ı ve Karadeniz kıyısındaki Batum'u Osmanlılardan koparttılar. (**) Rus-Türk savaşı bitmeden önce Selanik'deki genç karısı Zübeyde'nin yanına geri dönen Ali Rıza'nın yüreğinde pek çok Türk gibi güçsüz bir Padişah'a güçsüzce boyun eğmenin burukluğu vardı.

Savaşa katılmadan önceki işi olan gümrük memurluğuna geri dönen Ali Rıza'nın burukluğunu, eski işinin kendisini bekliyor olması bile düzeltememişti. Gümrük istasyonu Selanik'in yüz yirmi kilometre güneybatısında, Olimp Dağının eteklerinde, Yunanistan'la o zamanki sınırı oluşturan ormanlık bir bölgedeydi. Kaçakçılık yapan, ormanda yangın çıkaran eşkiyalar ve silahlı çetelerle her gün çatışma halinde olmak ya da baskın yapmak çok yıpratıcıydı; geceler ise bu yorgun erkeğe ne rahatlık, ne de huzur getiriyordu. Kızı Fatma'nın ölümünden sonra hâlâ ilk çocuğunun yasını tutan Zübeyde, iki ve üç yaşlarındaki oğulları Ömer ve Ahmet'le birlikte kocasının Paşaköprüsü'ndeki bu inziva yaşamına katılmak zorunda kalmıştı. Yollar yetersiz ve aynı zamanda güvenliksiz olduğu için genç kadın gümrük istasyonunun ya-

---

(*) İngiltere'nin Osmanlı İmparatorluğu ile ilgili politikasının, sadece "kitle katliamı", ya da "Sultan'ı kontrol etme arzusuna" bağlanması çok yetersiz olur. İngiltere'nin 19. yüzyıl boyunca politikası, Rusya'nın güneye inmesi ve Hindistan yolunu tehdit etmesini engellemek istemesi olarak karşımıza çıkar. Ve İngiltere bu nedenle "hasta adam" olarak isimlendirilen Osmanlı İmparatorluğu'nu diri tutmaya çalışmış ve "Rusya'nın önünde bir engel olarak" Osmanlı İmparatorluğu'nun bütünlüğünü savunmuştur. Zaten 1877 "93 Harbi" sonrasında İngiltere bu politikasını bırakacak ve bölgede oluşacak küçük devletlerle politika yürütmeyi planlamaya başlayacaktır.

(**) Yazarımız burada Ayastefanos ve Berlin Konferanslarını biraz özet olarak ele almış. Berlin Konferansı, Ayastefanos Konferansının kararları Rusya'nın çok lehine olduğu için toplanmış ve özellikle Bulgaristan konusunda büyük ölçüde değişimler yapmıştır.

kınlarındaki barınaklara giden yük gemileri ile ıssız sınır bölgesine ulaşabildi..

Paşaköprüsü hem Zübeyde'ye, hem de Ali Rıza'ya mutsuzluk getirdi. Kısa süre içinde iki oğulları da hastalanıp öldüler; halbuki iyileşmeleri için zamanın tıp bilgisi ve ilaçları yeterliydi ama, gümrük istasyonunda gerekli tıbbi malzeme yoktu. Artık Ali Rıza'nın tek bir düşüncesi vardı. Durumu düzeltebilecek başka bir iş aramak.

Bu kez şans onun ve Zübeyde'nin yüzüne Selanikli bir odun tüccarının kimliğinde gülmüşe benziyordu. Cafer Efendi, Ali Rıza'ya Olimp Dağı ormanlarından elde ettiği odunların nakliye ve satışını kontrol etme görevi verdi. Zamanının büyük bir kısmı iş nedeni ile yine evden uzakta geçmekle birlikte Ali Rıza Efendi'nin maddi olanakları biraz olsun düzelmiş ve hatta Selanik'de, ilk katında iki cumbası olan, pembe aşı boyalı bir ev almayı bile başarmıştı. Bu ev, günümüz Türkiye'sinde dahi "Pembe boyalı ev" olarak bilinir, çünkü Cumhuriyetin kurucusu Mustafa Kemal Atatürk o evde dünyaya gelmiştir. Doğum halindeki Zübeyde ile yalnızca evde bulunan bir akraba kadının ilgilenmesi bile, kendi yasaları içinde gelişen efsane oluşumunu engellememiştir.

Mustafa, Roma Kralı Galerius'un zafer takının yakınlarındaki pembe evde büyüyedursun - ilk aylarda, yine Osmanlı eyaleti olan Kuzey Afrikalı bir sütanne tarafından emzirildi - babası şartları gitgide ağırlaşan odun ticaretini sürdürmek için sınırdan sınıra koşuyordu. Milliyetçi Yunan grupları (*) sahil ötesinden de olmak kaydıyla, odun nakliyatını önlemek için ellerinden geleni yapıyorlardı. Öyle ki sonunda Osmanlı makamları bu çetelerden kurtulmak için zaman zaman ormanları yakmayı bile göze aldılar. Ali Rıza Bey çoğunlukla canını zor kurtardığı bu olayları sık sık evde de anlatıyordu.

Üç çocuğunu da yitirmiş olan Zübeyde yeni evi ve tüm ilgisini üstünde yoğunlaştırdığı küçük Mustafa sayesinde artık yavaş yavaş kendisini toplamaya başlamıştı. Daha sonra dünyaya getirdiği iki kızından yalnızca ikincisi olan Makbule hayatta kalabildi. Bu küçük aileden, ağabeyinden sonra bile hayatta kalan tek kişi o oldu ve ağabeyi ardında

---

(*) "Milliyetçi Yunan grupları" yerine, genellikle "çeteler" adını kullanıyoruz.

bıraktığı vasiyetnamesi ile onu ne denli düşündüğünü kanıtladı. Kaderin kendisine indirdiği ağır silleler Zübeyde'nin dindarlığını daha da arttırmış ve mahalle komşuları arasında ünü "molla" olarak yayılmıştı. Kadın erkek ayrımına sıkı sıkıya uyarak, mahalledeki kadın komşularını isteyerek ve düzenli olarak ziyaret etmekle birlikte, zaman zaman kimseye bir şey söylemeden, aniden kalkıp gitmesi tıpkı sarı saçları ve mavi gözleri gibi oğluna miras bıraktığı kimi zaman ateşli, kimi zaman içedönük kişiliğine bağlanabilir.

19. yüzyılın sonlarına doğru Selanik'de geçerli olan ruhani atmosfer Boğaziçi'ndeki payitahttakinden daha serbest ve daha açıktı. Avrupalı gözlemcilerin yorumlarına göre şaşkınlık uyandıracak derecede Batılı bir ambiansı olan şehir yedi yıl Venediklilerin kontrolu altında kaldıktan sonra 1430 yılında II. Murat tarafından fethedilmişti. Yeni gelen Türkler pek çok kiliseyi camiye çevirmiş, yamaçlara kırmızı kiremitli, cumbalı ve sanatsal oymalarla süslü demir kafesli evler inşa etmişler, özel ya da topluma açık hamamlar yapmışlar, kenti bahçeler ve çeşmelerle donatmışlardı. Venedik-Osmanlı savaşından sağ sağlim çıkmış olan kentin Yunan asıllı halkı ise 1912 ve 1913 Balkan Savaşları ile 1917 yılındaki büyük yangını dahi atlatmış olan Vlatadon Manastırının bulunduğu, daha az hasar görmüş dış mahallelere geri çekilmişlerdi.

1480 ve 1520 yılları arasında padişahlar, başta I. Selim olmak üzere Selanik'i İspanya ve Portekiz'den kaçmak zorunda kalan Yahudilere açtılar. Onlara Sicilya, Güney İtalya ve Provans'dan gelen Yahudiler de katıldı. Yerleştikleri semtler ise özellikle liman ve çevresi oldu. (*)

Avrupa'dan Balkanlar'a geçen ve Osmanlı toplumunun bazı çevrelerine uzanan milliyetçilik fikri kendini belli edene dek Hıristiyanlar ve Museviler, İslamlarla iç içe hem de zoraki olarak değil, tam tersine bir Osmanlının sahip olduğu tüm haklara sahip olarak yaşamış, hatta devlet kademelerinin en yüksek noktasına kadar yükselebilmişlerdi. 17. yüzyılda Selanik'de 56 Musevi, 48 Müslüman ve 16 Hıristiyan mahallesi vardı. 1880 yılında yetmiş bin kent sakininin hemen hemen yarısı Yahu-

---

(*) İspanyol Yahudilerini Osmanlı İmparatorluğu'na davet ederek onlara "din ve vicdan" serbestisini tanıyan ilk Padişah, Sultan II. Beyazıd olmuştur.

diydi. Onları on beş binlik nüfusla Müslümanlar ve daha sonra da Hıristiyanlar (Yunanlılar, Ermeniler ve Balkan ülkelerinden gelen göçmenler) izliyordu. Bu liman kenti yüksek refah düzeyini daha çok Sephardim Cemaatine (İberik yarımadasından sürülen Yahudiler), onların dış ülkelerle olan yoğun ilişkilerine ve başarılı bir ticaret için en geçerli koşul olan yabancı dillere yatkın olmalarına borçluydu.

Kentin daha çok Batılı bir stile sahip olmasının ve Selanik'de Avrupai fikirlerin başgöstermesinin diğer bir nedeni de ancak çok sayıda İstanbul'da ve tek tük olarak Osmanlı İmparatorluğu'nun diğer kentlerinde bulunan yeni açılmış okullardı. Din dersleri veren medreselerin çokluğuna ve 19. yüzyıl boyunca oluşmuş olan Şünni - Müslüman toplumun direnişlerine karşın bu okullar yine de belirli bir varlık gösterebilmişlerdir. Batı oryantasyonlu bu tip okullar, gitgide zayıflamakta olan Osmanlı Devleti'ni Avrupa ile aynı bilim düzeyine taşımak, yeniden güçlendirmek ve rekabete hazır hale getirmek amacı ile 1839'da ilk Osmanlı reform programı sayılan Tanzimat-ı Hayriye Fermanı'nı kaleme alan Sultan I. Abdülmecit'in Hatt-ı Şerif'i ile kurulmuştur. Daha sonra Tanzimat dönemini açacak olan bu Padişah kararnamesi bir iyiniyet gösterisi olmaktan öteye, Fransız örneğine göre insanlık ve vatandaşlık haklarının kabulü ile eğitim ve öğretimde Batı tarzı sistemlere geçileceği sözünü veriyordu.

Ulaşılmak istenen modern eğitim sistemindeki birliğe ve buna bağlı olarak etkinliğinin artmasına en önemli engeli, tatbikat yaparak öğrenme olgusunun hiçbir şekilde geliştirilmemiş olması ile yerel otoriteye bırakılmış, yerel olanaklarla kurulmuş ve yönetilmiş okullar oluşturuyordu. Sonuç önceden programlanmıştı sanki: Kısmen devlet makamları, kısmen Müslüman olmayan dini cemaatler tarafından 15. yüzyılın sonlarına doğru oluşturulmuş "millet" otonomisi ile sınırlı olarak, kısmen de yabancı organizasyonlarca yaşama geçirilmiş ve kontrol altında tutulmuş çok sayıda Batılı okul. (*) Devlete ait eğitim kurumları ancak 1876'dan 1908'e kadar süren uzun bir yönetim döneminin ardından, imparatorluğa destek vermek üzere kendi okulla-

---

(*) "Millet" kavramı, 18. yüzyılın sonlarında ortaya çıkacak bir kavramdır. 15. yüzyıl Osmanlı İmparatorluğu'nda "milletten" söz edilemez.

rında eğitilmiş adamları tarafından talihin garip bir cilvesi ile tahttan indirilen II. Abdülhamit'in otokratik idaresi zamanında aşama kaydetti ve gelişmeler gösterdi. Padişah 1879'da şöyle buyurdu: "Toplumsal eğitimin geleceğe yönelik organizasyonunda başgösterecek olan eksiklik ve açıklar derhal kapatılacak ve giderilecektir." Dört yıl sonra şu önlemler alınmış bulunuyordu: Sultan, 1866'dan beri ülke ekonomisini teşvik etmek için alınan ve üçte birinin devlet okullarına aktarıldığı özel vergiyi yükseltti.

Devlet iki aşamada yeni okul kurma işine hız verdi. II. Abdülhamit'in tahta çıkış yıldönümünü kutlamak amacıyla, eski Osmanlı yüksek okulunun modern bir üniversiteye dönüştürülme sürecinin başlangıcına kadar, 12 Ağustos 1900 yılında daha ilerde fakültelere dönüştürülecek olan ilk enstitüler kuruldu. Ve böylece sivil çevrelerde kamu yönetimi, hukuk, tıp, veteriner, tarım ve sanat dallarında eğitim veren özel okullar; askeri alanda ise harp okulları açıldı. Her iki dalın temelinde de ilk, orta ve yüksek öğrenim süreçleri yer alıyordu. Yüksek not ortalaması ile okulu bitirenler sonradan meslek okulu, üniversite (1900'e kadar Osmanlı Yüksek Okulu) ya da askeri akademiye geçebiliyorlardı.

Osmanlı İmparatorluğu'nun sınırları içindeki Müslüman olmayan toplumların (Millet) (*) ve kapitülasyonlarla koruma altına alınmış yabancıların bağımsızlığının -zamanın Avrupa'sındaki anti-Türk propagandaya karşın- hangi boyutlarda olduğu 1880 ile 1900 yılları arasında kendilerine ait okulların sayısından çok iyi anlaşılmaktadır. Yunan-Ortodoksların 4390 okulu (ilk, orta ve yüksek okul), Yunan-Katoliklerin 60 okulu, Bulgarların 693 okulu, Gregoryen Ermenilerin 653 okulu, Protestan Ermenilerin 198 okulu, Musevilerin 331, Sırpların 85 ve Eflaklıların 63 okulu vardı. Genellikle misyonerler tarafından yönetilen ve tek görevleri yalnızca Batıyı Doğuya, Hıristiyanlığı İslama karşı kışkırtmak olmayan yabancılara ait okulların sayısı ise başlı başına bir devlete yetecek kadardı: Amerika Birleşik Devletleri tarafından 131 okul kurulmuştu ki, binaları Boğaz'ın Bebek sırtlarında yükselen Robert Kolej isimli olanı bugün İstanbul'un en önemli üniversite-

---

(*) Yazarımız "millet" kavramını burada da yanlış kullanıyor.

lerinden birini oluşturmaktadır. Bunun yanısıra 127 Fransız, 60 İngiliz, 22 Alman ve 22 İtalyan, 11 Avusturya ve 7 Rus okulu mevcuttu.

1887 yılında Mustafa'nın okula başlama çağı gelince annesi ve babası hangi tip okula gideceği konusunda anlaşamadılar. Zübeyde'ye göre geleneksel din okulu yani Medrese (*) yeterliyken, gümrük memurluğu ve ticaretle uğraştığı dönemlerde zamanı yakalamayı öğrenmiş olan babası Ali Rıza, oğlunun Batı tarzında bir eğitim görmesini arzuluyordu. 1922 yılında yapılan bir konuşma sırasında Mustafa Kemal bu tartışmaya şöyle değinmiştir: "Sonunda babam çok zekice bir çözüm buldu. Önce anlı şanlı bir törenle mahalle okuluna başladım. Birkaç gün sonra ise oradan ayrıldım ve Şemsi Efendi'nin okuluna kaydoldum."

Medreseye başlayan her çocuğa uygulanan "anlı şanlı tören"i Mustafa Kemal ilerde konuşmasına bir parça da mizah katarak şöyle tasvir edecektir: "Okula başlayacağım sabah annem bana büyük bir özenle beyaz bir elbise giydirdi ve sırmalı bir şalı türban şeklinde başıma doladı. Elimde ise yaldızlı bir sopa vardı. Sonra evimizin yeşil perdeli kapısında peşinde diğer öğrencileri ile birlikte Hoca Efendi göründü. Dua ettikten sonra annemin, babamın ve öğretmenimin önünde eğildim, parmak uçlarımı göğsüme ve alnıma dokundurarak temenna ettikten sonra hepsinin ellerini öptüm. Ardından neşe içindeki arkadaşlarımın arasında kentin sokaklarından geçerek, caminin yanındaki okula gittik. İçeri girdikten sonra hep bir ağızdan, koro halinde bir dua daha okuduk. Nihayet Hoca Efendi elimden tuttu ve beni bomboş, kubbeli bir odaya götürerek, Kur'an kitabını önüme koydu."

Aydın ve ateşli bir pedagog olan Şemsi Efendi meslek yaşamına özel öğretmenlik yaparak başlamıştı ve İslam nüfusunun sünni çevrelerinden kaynaklanan önyargılara ve düşmanlıklara karşı devletin resmi bir önlem alma politikası olmadığından, direnirken bir hayli zorlanıyordu. Mustafa Kemal'den birkaç yıl önce Şemsi Efendi'den ders almış olan Osmanlı paşası Pasinler, Şemsi Efendi'nin gösterdiği dirayeti ve sonunda kendisini devlete nasıl kabul ettirip, destek aldığını 1938'de şöyle anlatır: "Okula yazıldıktan bir ya da iki ay sonra

(*) *Burada "medrese" ile kastedilen "mahalle mektebi" olacak.*

bir gün sokağı bir insan kalabalığı doldurdu ve adeta isyan çıktı. İleri geri konuşmalar ve lanet çığlıkları ile birlikte binanın kapısı yıkıldı ve insanlar içeriye hücum ettiler. Böyle bir olayı er geç yaşayacağını hesap etmiş olan öğretmenimiz pencereden atlayarak komşu bahçeye kaçtı. Saldırganlar toplumun çeşitli kesimlerinden gelen kırk ya da elli erkekti. Sınıfa dalan bu adamlar bizleri dışarı kovaladıktan sonra sıraları, öğretmenin iskemlesini ve kara tahtayı kırıp döküp, camları yerlere indirdiler. Hepimiz evlerimize kaçıp saklandık. Neden böyle yapmışlardı? Şemsi Efendi öğrencilerine dinsizlerin yöntemleri ile ders veriyordu. Çocuklara oyun oynama olanağı sağlıyor, beden hareketleri yaptırıyordu. Bu olaydan sonra Şemdi Efendi'nin öğrencilerinin sayısında azalma oldu. Yalnızca subay ve memur çocukları olarak bizler yirmi kişi kalmıştık. Şemsi Efendi birkaç gün sonra derslere yeniden başladı. Bu kez kendi evinin üst katında, geniş bir odayı dersaneye çevirmişti ve biz öğrenciler evde çalışanlar tarafından sınıfımıza götürülüyorduk. Öğretmen sanki hiçbir şey olmamış gibi işine devam ediyordu. Direncinden, hırsından ya da daha doğru bir anlatımla öğretme sevgisinden bir nebze olsun kaybetmemiş, hatta tam tersine öğretme aşkı bu olay karşısında daha da büyümüştü. Bir gün burada da ilkine benzer başka bir olay oldu. Adamlar öğrencileri tehditlerle ve ite kaka dışarı kovaladılar. Şemdi Efendi saklanarak tehlikeyi savuşturdu. Sıralar ve tahta "şeytan işi bunlar" naraları altında kırılıp döküldü. Ama bu kez binaya bir şey olmadı.

Şemsi Efendi'nin bana daha sonraları anlattığına göre, yol ortasında önünün kesildiği ve dayak yediği de çok olmuş. Adamlar ona küfür etmişler ve bıçakla saldırmışlardı. Ya Selanik'i terkedecek ya da derslere son verecekti ama, o bunların hiçbirisini yapmadı. Ve üçüncü kez mesleğini sürdürmeyi denedi. Artık akşamları gizlice evlerimize geliyor ve bizlere ders veriyordu. Bu yöntemle son yirmi öğrencisini, her birimizin yanında beş ya da on dakika kalarak, ödevler verip, çalışmalarımızı kontrol ederek eğitmeyi başardı.

Bir gün Şemsi Efendi benim de aralarında bulunduğum beş ya da altı öğrenciyi Selanik'deki tek devlet okuluna götürdü. Birkaç öğretmenin, kentin ve eyalet yönetiminin ileri gelenlerinden bazılarının bulunduğu bir sınıfa hep birlikte girdik. Sonra içeriye bu okulun beş öğrencisi alındı. Mümeyizler hepimize gazete okuttular, matematik, geometri ve yazı dersinden sınava çektiler. Hepsinde de çok iyiydik. Tıpkı duvardaki harita konusunda yaptıkları sınavda olduğu gibi. Kısacası bizlerden bir sınıf büyük olmalarına karşın, okulun kendi öğrencilerinden çok daha başarılıydık. Bizim yararımıza sonuçlanan bu karşılaştırmanın bitiminde prosedürün işletilmesine karar verildi. Alışılmışın dışındaki iradesi, cesareti ve kararlılığının meyvelerini toplayan Şemsi Efendi sonunda orada oturan yüksek zevatın güvenini kazandı. Okulu, devletin koruma şemsiyesi altına alındı."

Mustafa Kemal'in Şemsi Efendi'nin yanında eğitim görmesi kısa sürdü. Odun ticaretini bırakan babası elindeki parayı tuz ticaretine yatırarak batırdı ve uzun süren bir hastalık döneminden sonra 1888 yılında bağırsak tüberkülozundan öldü. Yaşamının sonuna doğru içkiye başlamış olmasının en önemli nedeni mesleki kariyerindeki değişkenlikler ve olumsuzluklardır. Hastalığın başgöstermesinden kısa bir süre önce devlet memurluğuna yeniden girmek için yaptığı başvuru da reddedilmişti zaten.

Zübeyde kocasının ölümünden sonra maddi zorluk çekmeye başlayınca çocukları ile birlikte Selanik'in otuz kilometre uzağındaki akrabalarına ait bir çiftliğe sığındı. Mustafa ve kızkardeşi Makbule koyunları gütmek ya da fasulye tarlalarına dadanan kuşları kovalamak gibi işlerde çiftlik sahibine yardım etmek zorunda kaldılar. Küçük Mustafa, Şemsi Efendi'nin içinde uyandırdığı öğrenme gereksinmesini Makedonya eyaleti içinde kalan bu bölgede karşılama olanağı bulamıyordu. Önce Rum bir papaza, sonra bir hocaya yollandı, özel bir öğretmenden ve eğitim görmüş bir komşu kadından dersler aldı ama, çocuğun içindeki direnme duygusu her seferinde dersleri zamanından önce bitirmesine yol açıyordu. Sonunda Zübeyde insiyatifi ele aldı. Oğlu yeniden doğru dürüst bir okula gidebilsin diye Mustafa'yı ve Makbule'yi Selanik'e geri yolladı.

Ateşli yapısı, aşırı alıngan ve duyarlı kişiliği, yetim Mustafa'nın sonunda kabul edildiği devlet okulunda işini bir hayli zorlaştırdı. Sınıf arkadaşları arasında tek başına kalmıştı, yaşıtlarının oynadığı oyunlara pek katılmıyor, katılsa bile hiç kazanamıyordu. Ona bir keresinde birdirbir oynamayı önerdiklerinde kabul etmemiş ve eğdiği sırtının üstünden değil de, dimdik ayakta dururken başının üstünden atlamalarını teklif etmişti. Bu davranışlarının sonucunda, arkadaşlarının üstüne hücum etmesinde şaşılacak bir şey yoktu tabii.

Çocukların arasında yine dövüş çıktığı günlerden birinde Arapça öğretmeni aniden sınıfa girdi. Öğrencileri arasında kaypak karakteri yüzünden Kaymak Hafız diye bilinen hoca Mustafa'yı yakaladı, onu sınıfın huzurunu bozmakla suçladı ve sırtından kan gelene dek tüm arkadaşlarının gözleri önünde dövdü. Bu haksızlık ve aşağılayıcı davranış karşısında Mustafa'nın gururu öylesine büyük bir yara aldı ki, çocuk bir daha o okula gitmeyi reddetti. Bu kararını anlayışla kabul eden tek kişi ise bu arada yeniden Selanik'e dönmüş olan annesi değil, babaannesi oldu.

Askeri okula gitmek isteyen on iki yaşındaki çocuğun bu arzusu önceleri askeri eğitimin zor ve zahmetli olması yüzünden yerine getirilmedi. Halbuki Mustafa uzun zamandan beri komşulardan birinin askeri okulda okuyan oğlunun modern üniformasına büyük bir hayranlık besliyordu. Şalvar ve kuşaktan oluşan geleneksel Türk kıyafetinin tersine askeri üniformada Batılı anlamda gelişmeyi ve yüksek otoriteyi çağrıştıran bir şeyler vardı. Mustafa bu öğrencinin babası olan binbaşıya derdini anlattı. Subay, onu can kulağı ile dinledikten sonra askeri okula giriş sınavı için hazırlanmasına yardım edeceğine dair söz verdi. Planlarını annesine hiç belli etmeyen Mustafa gizlice, binbaşının yardımı ile ders çalıştı ve sınavı verdikten sonra gerçeği açıklayarak, onu bir oldu bittiye getirdi.

Zübeyde birkaç uykusuz gece geçirmedi değil, oğlunun aylar boyu imparatorluğun uzak sınır boylarında kalmasından ve o zamanlar her Osmanlı askeri için geçerli olan tehlikeli bir yaşam sürmesinden endişe ediyordu. Yine de bu korkularını içine gömdü ve aile reisi olarak gerekli kâğıtları imzaladı. Gördüğü bir rüya içindeki son tereddüt kalıntılarını da silip atmıştı. Oğlunu bir minarenin en tepesinde, altın bir plakanın üstünde otururken görmüş, minareye doğru bağırınca bir sesin şöyle dediğini duymuştu: “Oğluna askeri okula gitmek için izin verirsen bulunduğu yerde kalacaktır, eğer izin vermezsen aşağıya düşecektir." Belki bir vizyon, belki ana yüreğinin sevgi tezahürü olan bu düşü Mustafa Kemal yıllar sonra annesine anımsatırken, babasının o daha bebekken beşiğinin yanındaki duvara bir kılıç astığını da ekleyerek şöyle diyecekti : "Ben asker doğmuşum, asker öleceğim."

Selanik'deki askeri ortaokul Mustafa'yı 1893 -1895 yılları arasında askeri liseye hazırladı. Mustafa özellikle aritmetik dersinde öylesine iyiydi ki, öğretmenleri ona etüt saatleri sırasında sınıf arkadaşları için ödev soruları hazırlama görevi vermişlerdi. Adaşı olan matematik öğretmeni Mustafa Bey, insanlar ikisini birbirine karıştırmasınlar diye ona ayrıca Kemal adını da verdi. Bu anekdotun diğer bir versiyonunda, sınıf öğrencilerinden bir başka Mustafa ile karıştırılmasının önlenmesi açısından adının başına Kemal ismi takıldığı da anlatılır. Her ne olursa olsun, çok daha sonraları "Paşa ve Gazi" sıfatları ile 1934'den sonra aldığı Atatürk soyadı daima çifte ismini yani Mustafa Kemal'i tamamlamıştır.

Bu okulda askeri derslerin yanısıra matematik ve tarih, ekonomi ve felsefe de öğretiliyordu. Derslerin dışında Mustafa Kemal'in diğer öğrencilere karşı takındığı mesafeli tutum hep aynı kaldı ama tabii ki itiş kakışmalar ve dövüşler son buldu, hiç kuşkusuz disiplin ve fazilet işareti olan üniformalarının lekesiz bir onura sahip olması gerektiğinden. Pek çok öğrencinin babası da zaten subay olduğundan, oğulları askeri okulun katı kurallarına uyum sağlamakta pek zorlanmamışlardı. Neticede günün birinde emir veren onlar olacaklardı, huzursuzluk ve düzensizlik çıkaran değil.

İçinde yanan gençlik ateşinin hırsıyla sosyal kökenine karşı daha da duyarlı olan askeri okul öğrencisi Mustafa'nın ev yaşamı ise altüst durumdaydı. Ali Rıza Bey'den kalan kısıtlı emekli maaşı ile iki çocuğunu geçindirmekte zorlanan annesi bir kez daha evlendi. Bu, daha çok bir mantık evliliğiydi. Zübeyde için önemli olan maddi durumunun düzelmesi, yine onun gibi dul olan yeni eşi Ragıp (Soyadı kanunu Türkiye Cumhuriyetinde 1934'de uygulamaya konulduğu için yalnızca ismi bilinmektedir) içinse ilk evliliğinden olan çocukları için yeni bir vatan bulmaktı. Selanik'e yeni yerleşmiş olan Ragıp devlete ait tütün monopolünde memur olarak çalışıyordu. Zübeyde, Müslüman âdetlerine göre pek alışılmamış bir şey sayılmakla birlikte tam da skandal anlamına gelmeyen bir davranışta bulundu ve yeni kocasının evine taşınacak yerde, onu kendi evine aldı.

Bu kez oldu bitti ile karşı karşıya gelen Mustafa oldu, düşkırıklığı ve öfkeden ne yapacağını bilemedi. Hem oğul sevgisi açısından, hem de yeni statüsü nedeni ile Mustafa çifte darbe yediğine inanıyordu, halbuki annesinin yaptığı bu ikinci evlilikte bunların dışında uygunsuz hiçbir şey yoktu. Aşırı tepkisine yol açan en güçlü motif hiç kuşkusuz annesine olan derin bağlılığıydı çünkü üvey babası Osmanlı toplumunda saygın bir yere sahip, şerefli bir devlet memuruydu. Mustafa o heyecan içinde öç almayı aklına koyup, iki suçluyu öldürmek amacı ile bir silah buldu ama bu eylemi neyse ki yerine getirme olanağını yakalayamadı. Öfkesinin dorukta olduğu anda ne Zübeyde, ne de Ragıp evde değillerdi. On üç yaşındaki delikanlının kızgınlığı ne uysallığa, ne de anlayışa dönüştü, tam tersine yerini soğukkanlılıkla alınmış vazgeçilmez bir karara bıraktı. Gizlice eşyalarını topladı ve uzak akrabalarından birinin yanına taşındı. Bundan sonra Selanik'de geçirdiği on iki ay boyunca da annesini tek bir kez bile ziyaret etmedi.

Açık renk teni, saman sarısı saçları ve koyu mavi gözleri ile yakışıklı bir delikanlı görünümünü alan Mustafa Kemal'in içinde, askeri okulun ikinci yılında yepyeni duygular başgösterdi. Okul üniforması ile olağanüstü şık olan bu genç erkek, subay kızları olan Emine ile Müjgan'ın hayranlık dolu bakışlarına hedef oluyor ve tabii ki kızlardan biri ya da diğeri ile o da evlenmek istiyordu ama bu niyetini kızların babalarına açıklayamayacak denli de ürkekti.

1895 yılının sonbaharında Selanik'deki askeri okuldan mezun oldu. Öğretmenleri, her ikisi de yatılı olan İstanbul'daki askeri liseye değil de, Manastır'daki okula başvurmasını önerdiler. Gitmeden önce subaylığa terfi etmiş olan üvey ağabeyi Süreyya ile vedalaştı -Zübeyde ve Ragıp'la karşılaşmamaya hâlâ kararlıydı- ve ona dostça bazı önerilerde bulunarak, asla başkalarının kendisini dövmesine, hakaret etmesine ve erkeklik onuruna dokunmasına izin vermemesini söyledi, özellikle son durumda kendini savunması için bir bıçak bile armağan ederken bu aleti kesinlikle gereksiz ve haksız yere kullanmamasını da tembih etti.

Bir dağ zincirinin çevrelediği yüksek bir yayla olan Manastır 19. yüzyılın sonlarında Osmanlı İmparatorluğu'nun elinde kalmış son Avrupa eyaletlerinden Arnavutluk ile Makedonya'nın stratejik merkeziydi (Coğrafi konumuna göre Avrupa'da olan Trakya, eski Osmanlı başkenti Edirne ile birlikte o zamanki imparatorluğun çekirdeği sayılır). Balkanlar'da yaşanan ve ulusal bağımsızlık hareketlerinin, dinsel fanatizmin ve Avrupa kökenli büyük güçlerin neden olduğu huzursuzluklar Hıristiyanların, Müslümanların, Bulgar Slavlarının, Arnavutların ve Türklerin yaşadıkları kentlerden ve köylerden Manastır'daki kışlalara kadar yayılmış ve bu kışlalarda yaşayan askerler sürekli teyakkuz durumunda bekletilmeye başlanmıştı.

Kabartmalarla bezenmiş, görkemli bir yapı olan askeri lise şehrin kenarında, bir dağ zirvesine karşı yükseliyordu. Orada yaşayan Rumlar kış aylarında karla örtülen kubbelerinden dolayı binaya "Pelister" yani güvercin ismini takmışlardı. Askeri okul öğrencileri bir zamanların güçlü ve büyük Osmanlı İmparatorluğu'nun geleceği hakkında gece yarılarına kadar tartışıyorlar ama, pek azı günün birinde ulular ulusu Padişah'ın yönetiminden ayrılabileceğini, İslami Devletleri ya da tüm Türk halklarını biraraya getiren İngilizvari bir meşruti monarşinin kurulabileceğini dile getirmeye cesaret edebiliyordu. Cumhuriyet yönetim şeklini ise hiçbirinin hayal etmesi olası bile değildi. Okul arkadaşlarından bazıları Cumhurbaşkanlığı dönemine değin Mustafa Kemal'in en yakın, en sadık dostları olma özelliğini korudular. Nuri (Conker), Salih (Bozok) ve Ali Fethi (Okyar)'yi Mustafa Kemal, Selanik'den tanıyordu ve bu dostlar sadık birer can yoldaşı olarak onu, basamaklarını tek tek tırmandığı yaşam çizgisinin hiçbir evresinde asla yalnız bırakmadılar. İyi bir aileden gelen, annesi ile babası tarafından Batı ruhu ile yetiştirilmiş, kültürlü bir genç olan Fethi, o zamanlar aydın ve iyi eğitim görmüş kişilerin dili olan Fransızcayı tüm sınıf arkadaşlarından daha iyi konuşurdu. Mustafa Kemal bu çekici ve ileri fikirli "Avrupalı"ya hayrandı ve onun Fransızca bilgisine gıpta ederdi. Selanik'de geçirdiği tatil günlerinde -bu arada annesi ile barışmış ve üvey babasını o da onaylamıştı- özel dersler alarak, bu açığını kapattı. Fethi sayesinde daha sonraları Rousseau, Voltaire, Auguste Comte ve Montesquieu gibi filozofların eserlerini tanıdı. Temsilcilerinin, demokratik bir devletin eşit haklara sahip vatandaşlarından çok aydın eğiticiler olduğu, katı ama adil bir devlet düzenine ait görüşleri içeren bu eserlerden bir hayli etkilendi. Bu filozofların eserleri bugün hâlâ başkent Ankara'nın Çankaya semtindeki Atatürk'e ait özel köşkte durmaktadır. (*)

Bir başka okul arkadaşı, ilerde Jöntürklerin sözcülerinden biri olacak olan Ömer (Naci), Mustafa Kemal'e şiir sanatının dilini tanıttı. Ama öğretmenlerinden biri eğitimini aksatacak şekilde gerçekçilikten uzaklaşmaması için onu uyarınca, kendi dizelerini yazmaktan vazgeçti. Bu konuda 1922'de şöyle demiştir: "İyi yazma arzusu içimde hep yaşamıştır." (**) "Ulusal Toplum" (Ethnike Hetaira)'un Atina tarafından desteklenen yeraltı faaliyetlerinin sonucunda 3 Şubat 1897 tarihinde Yunanistan ile Osmanlı Devleti arasında savaş başgösterdi. Girit'teki padişahlık yönetimini sarsmak isteyen adalı Rum çetecileri ayaklandılar. II. Abdülhamit'in aşağı tükürsem sakal, yukarı tükürsem bıyık örneğinde olduğu gibi davranması sonucu -Osmanlı askerlerinin Girit'ten derhal geri çekilmesi halkın Müslüman kesiminin Hıristiyan-milliyetçi fanatikler tarafından katliamı anlamına geldiğinden; buna karşın askerin güçlendirilmesi halinde Avrupa bunu agresif bir tutum olarak yorumlayacağından- Danimarkalı bir prens olan Kral I. Georg ve Başbakan Elefterios Venizelos idaresi altındaki Rum yönetimi bu zayıflıktan derhal yararlandı ve ordusuna bir Osmanlı eyaleti olan Makedonya'yı istila emri verdi. Alman danışman Baron von der Goltz tarafından modernize edilen ve güçlendirilen Osmanlı ordusu bu saldırıyı başarılı bir şekilde durdurmakla kalmadı, bir de üstelik Tesalya içlerinde ilerleyerek, Volos'a kadar uzandı. (***)

(*) "Çankaya" Atatürk'ün "özel köşk"ü değildir. Atatürk'ün okumuş olduğu kitaplar; kısmen Anıtkabir Müzesinde ve kısmen de Türk Inkılap Tarihi Enstitüsü Kitaplığında korunmakta ve sergilenmektedir. Kenarlarına kendi el yazısıyla notlar düşülen bu kitaplar, Mustafa Kemal'in "düşünce oluşumunun" izlenmesi bakımından çok ilginç bir kaynak niteliğindedir.

(**) Etniki Eterya Cemiyeti Yunan "megola ideası"nı gerçekleştirmek için Yunanistan dışında kurulan bir cemiyettir.

(***) Osmanlı-Yunan Savaşı, biraz farklı yorumlanmaktadır. Her ne kadar savaş Girit sorunundan çıkmışsa da, savaş açan taraf Osmanlı İmparatorluğu'dur ve Yunan saldırısının durdurulması ve karşı saldırıya geçilmesi biçiminde cereyan etmemiş; savaşın her iki cephesinde de Osmanlıların mutlak bir üstünlüğü ile başlamış ve sonuçlanmıştır.

Askeri güçlerini 1882 yılında işgal etmiş olduğu Mısır'da yoğunlaştırmış olan İngiltere ve Uzakdoğuda Japonya ile yaptığı anlaşma sonucunda askerlerini Kore'ye sevketmekte olan Rusya 5 Mayıs'ta bu duruma müdahele etti ve bir ateşkes anlaşması talep etti. Bunun üstüne Padişah askerlerini Makedonya'ya geri çekti ve Girit'in özerk bir statü kazanmasını onayladı. Ada şeklen hâlâ Osmanlı hakimiyeti altındaydı ama pratik olarak bağlaşık devletler tarafından oluşturulan bir yüksek komiserlik, Hıristiyan bir vali ve bir Rum subayı tarafından kontrol altında tutulacaktı. Bu yeni yönetim şekli adanın Müslüman halkını haklı olarak korkuttu ve insanlar Anadolu'ya kaçmaya başladılar. Yunanistan böylece askeri bir yenilgi alırken -savaş tazminatı olarak Padişah'a belirli bir para ödenmesi gerekmişti- diğer yandan da diplomatik bir zafer elde etmiş oluyordu ki bu da, Girit'in 1912 yılında nihai olarak Yunanistan tarafından ilhak edilmesine yol açtı. Savaşın diğer sonuçlarına gelince; Yunan ordusunun düzeltilmesi için harcanan ekstra çaba ve Makedonya'da hem Osmanlı işgaline, hem de Rusya'nın korumasında güneye akın eden Bulgarlara karşı yeraltı faaliyetlerinin yoğunlaşması sayılabilir.

Yunan-Türk savaşı başlar başlamaz Mustafa Kemal bir arkadaşı ile birlikte gönüllü olarak Osmanlı birliklerine katılmak üzereydi ki, okul idaresi onları tam zamanında yakaladı ve birer subay adayı olarak böyle bir angajman için daha öğrenecekleri çok şey olduğu konusunda uyardı. Tesalya'ya giden askerlerin veda törenine katılmak isteyen Mustafa Kemal tatili sırasında Ömer (Naci) ile birlikte sürekli istasyona giderdi. Akşamları birer Avrupa eyaleti olan Makedonya ile Trakya'nın henüz Rumeli adını taşıdığı günlerden kalma türküler söylerlerdi. 1912 ve 1913 Balkan savaşlarında Osmanlı Devleti'nin yitirdiği topraklarda kalan vatanına ait bu türküleri Mustafa Kemal devlet başkanı olduğu günlerde dahi kendi dost çevresinde hep dinledi ve söyledi.

Mustafa Kemal, Selanik'de geçirdiği tatilini yalnızca vatanperver düşüncelerine ayırmadı. Liman kentinin gayrimüslim semtlerinde genç erkekleri cezbedici pek çok hoş şey vardı. Arkadaşları ile birlikte sık sık Rumların işlettiği sahil kafelerine gitti -"Olympos", "Kristal" ya da "Yonyo" gibi- buralarda içkinin yanısıra meze de verildiğinden ayrıca yemek için para ödemeye gerek kalmazdı. Gelir düzeyi biraz daha yüksek olanlar içinse kentin ucunda, İtalyan, Arap, Ermeni ve Yahudi güzellerinin bir orkestra eşliğinde şarkı söyleyip, dans ettiği "Cafe Chantant"lar vardı. Avrupa'da o zamanlar moda olan polka, vals gibi dansları Mustafa Kemal, Manastır'daki Fransızca öğretmeni tarafından yönetilen dans sınıfında öğrenmişti ama, her genç Müslüman erkeği gibi damsız olarak. Selanik'in Avrupai semtlerinde bu eksikliği belirli bir para karşılığında gidermek olasıydı.

Mustafa Kemal 1899 yılının Mart ayı başlarında yüksek notlar alarak okul bitirme sınavlarını verdi ve aynı yılın 13 Mart'ında İstanbul' daki askeri akademinin (*) piyade sınıfına girdi. Kara Harp Okulunda bu tarih hâlâ akıllardan silinmemiştir. Her 13 Mart'ta, öğrenci yoklaması yapılırken Mustafa Kemal Atatürk'ün adı söylenir ve tüm okul koro halinde "Burada, kalbimizde" diye yanıt verir.

O güne değin mutlu tesadüfler ve engellerle aynı oranda desteklenen ve kösteklenen Mustafa Kemal'in yükselişi artık başlıyordu. Fazlaca içe kapanık yaşam tarzını biraz olsun yumuşatmaya çalışan Manastırlı okul arkadaşları bir gün ona kendilerinden sakladığı hangi gizli hedefleri olduğunu sormuşlar ve gurur dolu şöyle bir yanıt almışlardı: "Ben günün birinde birisi olacağım." Henüz belirgin hedefler içermeyen bir hırsa sahip genç bir erkeğin sabırsız iç kıpırtılarını gösteren öngörülü bir yanıt.

(*) Kara Harp Okulu

İstanbul'da Padişahın Sarayı

Son Bizans kalesi olan Konstantinopolis'in II. Mehmet tarafından 1453 yılında fethedilmesinden sonra Avrupa kıtasının doğu ucuna yerleşmiş olan bu kent Osmanlı sultanlarının başkenti oldu. Birbiri ile rekabet halindeki pek çok Türk boyu 11. yüzyılda Orta Asya'dan kalkıp, Bizans İmparatorluğu sınırlarına dahil olan Anadolu'ya gelerek denize kıyısı olan bölgelere yayıldılar. Kültürel açıdan varlık gösterebilmiş en önemli ilk Türk devleti 12. ve 13. yüzyıllarda Selçuklular tarafından Kayseri ve Konya'da kuruldu. Eskişehir'in kuzeyindeki Söğüt kasabasına yerleşmiş olan Türk boylarından bir diğeri ise 1300 yılları dolaylarında pahişahları Osman'ın (1281-1326) hükümdarlığı altında güçlenmeye başladı. Osmanlı hanedanı bir yüzyılın içinde dini, politik ve askeri güçlerini aynı potada eriterek büyük bir imparatorluk kurmayı başardı. İstanbul Boğazından Trakya'ya, Çanakkale Boğazından Gelibolu'ya geçilmesi, imparatorluğun kaderini zaten daha baştan belirlemiş oldu. Sürekli büyüyüp gelişen Osmanlı İmparatorluğu Avrupa için büyük bir tehlike oluştururken, 17. yüzyılın sonlarından itibaren bu çok uluslu devlet için Avrupa bir tehdit unsuru haline geldi. Dış ve iç huzursuzluklar ve bunların sonuçları Osmanlı sultanlarının toprak ve güç kaybetmesine yol açarken, diğer yandan da Anadolu'da çekirdek bir Türk Devleti'nin oluşumuna katkıda bulundu. Türkiye Cumhuriyeti hem Doğu'dan, hem Batı'dan kendisine intikal eden çifte miras ile bugüne değin sağladığı politik, beyinsel ve kültürel dengeyi Asya kökenli atalarına ve onların Avrupa'ya ulaşmak amacıyla pek de risksiz sayılmayacak bir biçimde Boğazları aşmasına borçludur.

Mustafa Kemal 1899 yılında Askeri Akademiye başladığı sıralarda II. Abdülhamit tam yirmi üç yıllık bir padişah ve halifeydi. (Osmanlı sultanları Mısır'ı fethettikleri 1517 tarihinden beri aynı zamanda halifelik unvanını da taşımaya başlamışlardı). En büyük muhalif grubu oluşturan Genç Osmanlılar ve daha ileriki zamanların Jöntürkleri, otokratik idare şeklini, zaten iki yıllık olan parlamentoyu 1878 yılında feshederek daha da güçlendirmiş olan Padişah'tan nefret ediyorlardı. Buna karşın tutucular Padişah'a sıkı bir bağlılık gösteriyorlardı çünkü gitgide artan toprak ve otorite kaybına karşın onun Osmanlı İmparatorluğu'nu hâlâ kurtarabileceği görüşündeydiler. Avrupa'da ise politikacılar onun kurnaz bir diplomat, moralistler ise korkunç bir despot olduğunu düşünmekteydiler. Tarihçilerin gözünde ise II. Abdülhamit hiç tartışmasız yetenekli bir hükümdardır çünkü o, bir imparatorluğun tam anlamı ile çöküşünü ya da bağımsızlığını yitirişini otuz dört yıl boyunca dış politika taktikleri ve Tanzimat Döneminde başlatılan reformlardan bazılarının devamını getirerek engellemeyi başarmış bir padişahtır. (*)

1453 yılında yaşadığı isim değişikliğine karşın Avrupalılar tarafından (Osmanlıların bir bölümü tarafından da) hâlâ Konstantinopolis diye anılan İstanbul, Arapçada "mutluluk yuvası" anlamına gelen "Dersaadet" adını taşıma özelliğini çoktan beri yitirmiş durumdaydı. Devlet bütçesinin sürekli açık verdiği nereden bakarsanız bakın belli oluyordu. Avrupa bankalarından alınan kredileri geri ödemek ve yenilerinden kaçınmak amacıyla Genç Osmanlılar tarafından 1876'da kurulan ilk meclis, Padişahlık yönetiminden maddi durumun, doğal kaynakların işletilmesi ve ticaretin canlandırılması yolu ile ekonomi ve endüstrinin düzeltilmesine gidilmesini talep etmişti. II. Abdülhamit 1878 parlamentosunu (1908 yılına kadar) feshettikten sonra halktan toplanan vergileri yükseltti, özellikle saray çevresi, İçişleri Bakanlığı, askeriye, polis ve jurnalcilik kurumu tarafından oburca tüketilen yeni krediler aldı. Kredi faizleri astronomik boyutlara vardığında Padişah (1881), tıpkı halefi Abdülaziz'in (1875) yaptığı gibi devletin iflasını açıklamak ve İngiltere, Fransa, Almanya, Avusturya-Macaristan ve Osmanlı Galata Bankasının temsilcilerinden kurulan bir borç komisyonunun oluşmasını onaylamak zorunda kaldı. Komisyon kredi faizlerini amorti etmek üzere, normalinde Maliye Bakanlığının kasalarına girme-

---

(*) Sultan 2. Abdülhamit'in niteliği, yakın tarihimizin en tartışmalı konularından biridir. Her ne kadar günümüz Türkiye'sinde kimileri, "Abdülhamit zamanında Türkiye kimseye bir karış toprak vermedi" iddiasını ileri sürerlerse de, bunun doğru olmadığı açıktır. Ayrıca bu dönemin bir "baskı" dönemi olduğuna da kuşku duyulmaması gerekir.
Fakat tüm bunlar bir yana aynı dönem, "eğitim" alanında en önemli atılımların yapıldığı bir dönem olma özelliğini korur.

si gereken vergileri kendisine aktarma yetkisine sahipti. Osmanlı borçlarının geri ödenmesi zorunluluğu 1923 Lozan Antlaşmasının en önemli koşullarından birini oluşturmuş ve on yıllar boyunca genç Türkiye Cumhuriyetini bir hayli zorlamıştır.

Devletin mali durumunun hiç de hoş olmamasının izleri en iyi Marmara Denizi, Haliç ve Bizans surlarının çevrelediği, Trakya'ya ait çekirdek bölgeden anlaşılıyordu. Sultan Abdülaziz'in 1853 yılında Boğaz kıyısındaki Dolmabahçe Sarayına taşınmasından sonra Padişahlığın merkezi olma özelliğini yitiren Topkapı Sarayı bile bakımsızlıktan dökülüyordu. Mangal ateşinden fırlayan bir kıvılcım, genellikle tahtadan yapılmış evlerden oluşan koca bir mahallenin bir anda yanarak kül olmasına yol açıyor ve bu yangınlar kentin görünümünü bozuyordu. Maddi olanakların yetersizliğinden evlerin yenilenmesi pek sözkonusu olamadığı için felaketzedeler çareyi çoğunlukla akrabalarının yanına sığınmakta buluyorlardı.

Yüzyılın sonlarına doğru varlıklı aileler daha çok eski kentin dışındaki Batı stili inşa edilmiş villalarda ya da Boğaz'ın doğu kıyısındaki, tahta oymalarla süslü yalılarda otururlardı. Ortaçağdan kalma Galata Kulesi ile Pera çevresindeki geleneksel yabancı kökenli yurttaşların oturduğu semtler 20. yüzyılın başlarında geliştirilmiş, yirmili ve otuzlu yıllarda Beyoğlu, ileri düzeye getirilmeye çalışılan modern ticaretin metropolü halini almıştı. II. Abdülhamit döneminden kalan ünlü Pera Palas Avrupalı turistleri, diplomatları ve Padişah'ın konuklarını ağırlamaya başlamıştı. Mustafa Kemal de 1919 yılında “Bandırma” vapuru ile Samsun'a doğru o tarihi yolculuğuna çıkmadan önce oradaki bir suitte birkaç kez geceledi. (*)

II. Abdülhamit ve saray erkânının yaşamı dış görünüm açısından son derece lükstü, hastalık derecesinde izlenme korkusunun pençesinde kıvranan Padişah'ın çevresindeki bu parıltı aslında içteki durumun dışarıya sezdirilmek istenmemesinden kaynaklanıyordu. Osmanlı tahtında oturan bir hükümdarın sürekli suikast korkusu içinde

(*) Mustafa Kemal, Pera Palas Otelinde zaman zaman kalmıştır. Fakat Samsun'a annesi ve kızkardeşi ile birlikte oturduğu Akaretler (Beşiktaş)'deki evden gittiği bilinmektedir.

yaşamasının nedenlerinden biri de duyduğu güvensizliktir. Kendilerini tahtlarından alaşağı edecek entrikalardan korunmak için taç giyinmiş sultanların Harem'de dünyaya gelmiş erkek kardeşlerini öldürtmeleri 17. yüzyıla ait bir uygulama olarak artık geçmişte kalmıştı belki ama, yine de hükümdarlara -Osmanlı veraset yasalarına göre en büyük oğuldan önce ölmüş Sultan'ın erkek kardeşi tahta çıkabilir-karşı cinayet girişimlerinde bulunulması her zaman için sözkonusu olabilirdi. (*) II. Abdülhamit'in bugüne değin tam anlamı ile gün ışığına çıkarılamamış gizli hileler sonucunda tahta çıktığı 1876 yılında, saray duvarlarının ardında yaşayan olaylar gerçek bir seyirlik malzemesi sayılırlar.

Alman tarihinde nasıl I. Wilhelm'in yaşlılıktan, oğul III. Frierich'in gırtlak kanserinden öldükleri ve böylece tahta çıkma sırasının torun II. Wilhelm'e geldiği "Üç İmparator" yılı (1888) varsa, Osmanlı tarihinin de "Üç Padişah" yılı (1876) vardır. Olaylar pek de adil bir düzende gelişmediği için olsa gerek, Türk tarihçileri fazlaca uyum sergilemeyen bu tanımlamadan kaçınmayı yeğlemişlerdir. 1865 yılında gizli bir ittifak kuran ve hedefleri Padişah'ı uzun zaman önce söz verdiği meşruti idareye zorlamak olan, Batı kafalı bir grup aydın olan Genç Osmanlılar 30 Mayıs 1876 yılında bir hükümet darbesi yaptılar. En yetenekli üyelerinden biri olan reformist politikacı Mithat Paşa, Savaş Bakanı ve Sadrazam ile birlikte Şeyhülislam'ı, ülkeyi yöneten Sultan Abdülaziz'in devlet işlerine karşı duyarsız olması ve sarayın fazlaca müsrif davranması nedeniyle imparatorluğun geleceği için büyük engel oluşturduğu konusunda ikna ettiler. Tahta onun yerine umut vaat eden en büyük yeğeni veliaht Murat'ın geçmesi daha uygun olurdu. İslam hukukunda en büyük otoriteye sahip olan Şeyhülislam'ın şeriat yasalarına göre fetva vererek Sultan'ı tahtından indirme yetkisi vardı.

Halkın arasında başgösteren hoşnutsuzluk da bu planın işlerliği açısından pek yararlı oldu. Bir yıl önce devletin iflas ettiği açıklanmış ve Mayıs başında Selanik'de İslam dinine geçmek isteyen genç Bulgar kızının yol açtığı olaylar sırasında Alman ve Fransız konsoloslarının

---

(*) Osmanlı veraset yasaları zaman zaman değişikliğe uğramıştır. Kuruluş döneminde, ölen padişahın yerine aile içinden "en liyakatli" insan tahta çıkarken, Sultan 2. Mehmet "Bizans hanedan yasasını" almış ve ölen padişahın yerine, en büyük erkek evladının tahta geçmesi ve diğer erkek kardeşlerini öldürtmesi ilkesi geçerli olmuştur. Taht kavgalarına engel olmak amacıyla böyle bir yasanın alındığı açıktır. Daha sonra bu yasa yürürlükten kalkacak ve ölen padişahın yerine "aile içindeki en yaşlı erkek"in geçmesi ilkesi kabul edilecektir.

öldürülmesi Avrupalı büyük güçleri yeniden imparatorluğun iç işlerine karışma konumuna getirmişti. Murat, Genç Osmanlılar arasında bilgili ve Batı kültürü almış bir şehzade olarak kabul ediliyordu. Kendisinden iki yaş küçük kardeşi Abdülhamit ile birlikte, Avrupa yolculuğuna çıkan ilk Osmanlı Padişahı olan amcası Abdülaziz'e 1867 yılında Paris, Londra ve Viyana'da eşlik etmişlerdi. Babası Abdülmecit'in 1861 yılında ölmesinden sonra Murat, İstanbul'da sıkı gözetim altında yaşamak zorunda bırakıldı çünkü amcası, 30 Mayıs olayının başına gelmesinden oldu bitti korkmuştu. Sabahın erken saatinde Abdülaziz'e Şeyhülislam'ın azilnamesi okunurken, darbecileri destekleyen donanmaya ait gemiler İstanbul Boğazında demir attılar, Askeri Akademi komutanı ve reformların destekleyicisi Süleyman Paşa komutasındaki iki tabur asker Dolmabahçe Sarayını kuşattı. Sultan'ın Topkapı Sarayına getirildiği saatlerde ise hiçbir şeyden haberi olmayan otuz altı yaşındaki Şehzade'ye V. Murat adı ile Osmanlı tahtına çıktığı ve "Allah'ın yeryüzündeki gölgesi" (Halifeliğin başka bir tanımı) olduğu bildirildi.

V. Murat'ın tahta çıkması nedeni ile 2 Haziran'da imzaladığı, Mithat Paşa, Sadrazam ve Savaş Bakanı tarafından kaleme alınan Hatt-ı Humayun'u -bir tür hükümet bildirisi- Babıâli'ye itimatnamesini sunmuş olan Alman elçisi şöyle anlatır: "Yeni Padişah'ın bugün öğleden sonra açıkladığı Hatt-ı Humayun, Babıâli'de tüm Türk üst makamları tarafından sevinçle karşılanmıştır. Sultan, Allah'ın lütfu ve genel arzu üzerine atalarından kalan tahta çıktığını ve bakanlıkları onayladığını açıklamıştır. Bakanların görevi huzuru yeniden temin etmek, hem içte hem de dışta başgösteren zorlukların üstesinden gelmek olacaktır. Yönetimin çeşitli dallarında uygulanacak reformlar için hazırlanacak öneriler kendi iznine tabi olacaktır, tebasının eşitliği ve özgürlüğü de yine kendi güvencesi altına alınmıştır. Gelecekte devlet bütçesinin aşılması için gereken tüm önlemler alınacaktır.

Yeni Padişah zor durumda olan devletin finans kaynaklarına yardım amacı ile bir milyon iki yüz elli bin lira tutarındaki hazine-i hassasını üç yüz bin lira azalttığını, bugüne değin Padişah'ın özel mülkiyetinde bulunan madenlerden, fabrikalardan ve diğer yerlerden elde ettiği gelirlerden de vazgeçtiğini bildirmiştir.

Meşruti yönetim şekline geçileceği beklentisi içinde olan Türk Toplumu bu Hatt-ı Humayun ile düşkırıklığına uğramıştır; tahtta yapılan bu değişiklikten sorumlu olan Başvezir, Savaş Bakanı ve Mithat Paşa'nın imtiyazlar konusunda anlaşamadıkları ve ilerde gereksinime göre değiştirilebilecek esneklikte bir üslupla yetinmek zorunda kaldıkları iddia edilmiştir.

Hatt-ı Humayun'un okunmasından iki gün sonra meydana gelen bir olayla V. Murat'ın zaten zayıf olan sinirleri -iddia edildiğine göre tahtın varisi olarak beklemekle geçen uzun yıllar sırasında Şehzade can sıkıntısını konyak ve şampanya ile gidermeye çalışmış ve bu sırada sağlığını iyice yitirmişti- basit bir resmi kâğıt dahi imzalayamayacak denli bozuldu. Osmanlı sultanlarının ve şehzadelerinin içinde her daim yaşayan sürekli korku duygusu Abdülaziz'in intiharından sonra V. Murat'ta da başgösterdi. Alman elçisi 5 Haziran tarihinde Berlin'e şu mektubu yolladı: "Tahttan indirilen Padişah dün sabah saat ona doğru bir makasla bilek damarlarını keserek hayatını kaybetmiştir. İki gün önce, götürüldüğü Topkapı Sarayından kendi arzusu ile Dolmabahçe Sarayının yanındaki Çırağan Sarayına getirilmiştir. O andan itibaren Padişah'daki akli denge yitimi daha da belirgin bir hal almış, Sarayın askerler tarafından bombalandığını iddia ederek peşinde olan katillerden kaçmak için en kuytu köşelere saklanmaya başlamıştır. Pencereden atlayarak yaşamına son verme girişiminde bulunmuş ama, son dakikada odaya giren uşağı tarafından kurtarılmıştır. Dün sabah ise bir el aynası ve küçük bir makas istemiştir. Yanında bulunan annesi ile en büyük oğlunun annesine onu yalnız bırakmalarını söyledikten sonra odasının kapısını kilitlemiştir. Belli bir süre geçtiği halde dışarı çıkmayıp, seslenmelere yanıt da vermeyince oda kapısı kırılmış ve Sultan Abdülaziz'in yerde baygın yatan bedeni ile karşılaşılmıştır; bilek damarlarından akan kanın artık sızıntıya dönüştüğü Padişah birkaç dakika içinde can vermiştir.

Çağrılan doktorlar ceset üzerinde otopsi yaptıktan sonra intihar konusunda görüş birliğine varmışlardır. Cenaze dün öğleden sonra Padişahlara uygulanan bir törenle, büyük ve sessiz bir kalabalık arasında kaldırılmış ve Sultan Mahmut türbesine defnedilmiştir.

Açık söylemek gerekirse siz Ekselanslarından (Bismarck'ın yardımcısı Bernhard Ernst von Bülow; oğlu Bernhard 1900 yılında başbakan oldu) gerçeğin saklanması taraftarı değilim; yukarda anlattığım ölüm şekli resmi devlet açıklaması olmakla birlikte pek az kişi tarafından inanılır olarak kabul edilmiştir. Büyük çoğunluk Sultan Abdülaziz'in bir cinayete kurban gittiğini düşünmekte ve son taht değişikliğine yol açan kişilerle cinayet arasında yakın bir bağ olduğuna inanmaktadır. Sultan Abdülaziz'in annesinin ve birinci karısının üzüntüden kendilerini pencereden atmaları sonucu ağır yaralanmaları gerçeği, cinayet kanısını sarsacak nitelikte değildir. Buralı bir doktor derin samimiyet içinde olduğu Yunan elçisine, cesetten elde edilen bulguların, intiharın sözkonusu olmadığına işaret ettiğini ifşa etmiştir. Ekselansları, bu girift olay hakkında kesin bir sonuca varmaktan kaçınmamı anlayışla karşılayacaklardır.

Tutucu çevrelerden yayılan bir söylentiye göre Mithat Paşa ve seraskeri Hüseyin Avni, V. Murat'ın ruhi durumundaki bozukluğu ileri sürerek tahtını geri almaya kalkışmasın diye Abdülaziz'i öldürtmüşlerdi. 15 Haziran'da meydana gelen başka bir olayla bu söylentiler daha da yoğunlaştı. Abdülaziz'in akrabalarından Çerkes Hasan, o gün bakanlar kurulu toplantısının yapıldığı Mithat Paşa'nın evine saldırdı. Silahlı saldırgan Dışişleri Bakanı Raşit Paşa'yı ve yine orada bulunan Hüseyin Avni'yi vurdu, pek çok kişiyi yaraladı. Dışişleri Bakanı kabinenin en tutucu kişilerinden olarak bilindiği için reform karşıtları tarafından ortalığa, bu saldırının ardında da meşruti idare planlarını ne olursa olsun gerçekleştirmek amacında olan Mithat Paşa'nın yattığı söylentisi yayıldı. Resmi açıklama ise Sultan'ın katili olduğu varsayılan Hüseyin Avni'ye bir öç alma saldırısı yapıldığı yolundaydı. Suikastçi yargılandı ve idam edildi.

Balkanlar'da çıkan isyanlar, askeri harcamaların yoğunluğu nedeni ile Osmanlı Maliyesini dış borçlanmalara ve vergilerin arttırılmasına zorlarken, selefine yapılan suikastten dolayı ruhsal dengesi iyice sarsılmış olan V. Murat enikonu devre dışı bırakılmış durumdaydı. Padişahlık katında yeniden bir değişikliğe gidilmesi yolunda çıkan sesler artmakla birlikte, durum bu kez bir hayli zordu. Tüm dünyanın gözleri önünde Padişah'a saldırıda bulunmak sözkonusu bile olamazdı çünkü Osmanlı tarihinde bu yöntemle hükümdar değişikliği yapıldığı görülmüş şey değildi, öte yandan V. Murat ancak birkaç haftadır iktidarda olduğu için topluma, Abdülaziz gibi onun da yeteneksiz bir hükümdar olduğunu kanıtlamak olanak dışıydı.

Sonunda bir sonraki veliaht Şehzade Abdülhamit, ağabeyi gerçekten hasta ise iktidar değişikliğini onaylayacağını belirtti. Sarayın dışında yapılan gizli bir görüşme sırasında Mithat Paşa'ya hükümdar olursa meşrutiyeti ilan edeceğini, kabineyi oluşturan bakanların doğrultusunda davranacağını ve hükümetin en güvendiği adamlarını saray bakanlıklarına getireceğini bildirdi. Bunlara karşın talep ettiği tek şey ise bir doktorlar kurulunun ağabeyinin sağlığının gerçekten kötü olduğunu onaylamasıydı. Bunun üzerine Mithat Paşa Şeyhülislam'ı ikna etti ve o da İstanbullu doktorların V. Murat'ı muayene etmelerinden sonra tahtın devredilmesi için fetva vermeye hazır olduğunu açıkladı. Şeyhülislam'ın verdiği fetvaya göre Sultan, ruhen hasta olduğu için padişahlık yapma yeteneğinden yoksundu. 31 Ağustos 1876'da kabine V. Murat'ın tahtından indirilmesi kararını onayladı. 1 Eylül'de bakanlar yeni Padişah II. Abdülhamit'in tahta çıkmasını kutladılar ve 1876 yılının üçüncü Sultan'ını geleneksel şekilde selamladılar: "Padişahım çok yaşa..."

Hakimiyeti ele geçiren II. Abdülhamit bu konuda herhangi bir kuşkuya yer vermemek amacı ile, amcası Abdülaziz'in 1874 yılında Dolmabahçe Sarayının yanına aynı görkemlilikte yaptırdığı Çırağan Sarayına taşınan V. Murat'ın, bir de İngiltere Kraliçesi Victoria'yı muayene eden tanınmış Viyanalı Profesör Leidesdorf tarafından kontrol edilmesini istedi. Doktor, Murat'ın hastalığının kesinlikle şifa bulmaz sayılmadığı sonucuna vardı. Hasta bir süre iyi bakılır ve dinlenirse yeniden iyileşebilirdi. Hükümdar olarak çıktığı tahttan ne pahasına olursa olsun vazgeçmeyi bir an için bile düşünmeyen Abdülhamit, Profesör Leidesdorf'un ülkesine geri dönmesinden sonra ağabeyini bir tutuklu gibi Çırağan Sarayının dairelerinden birine kapattı, dış dünya ile olan ilişkisini kökünden kesti, en yakın akrabalarının bile onu görmesini yasakladı. Sonra da her hafta yayınladığı sağlık bülteni ile bu yüce kişinin pençesinde olduğu hastalığın gitgide ağırlaştığını duyurmaya başladı. Murat yanlısı birkaç Genç Osmanlı yıllar sonra artık sağlığına kavuştuğuna inandıkları sabık Padişah'ı kurtarmak için saraya girmeyi denediler ama, daha bahçede gözcüler tarafından yakalanıp, Abdülhamit'in emri ile oldukları yerde vurularak öldürüldüler. Murat 29 Ağustos 1904 tarihinde, olumsuz koşullar altında ama doğal bir ölümle yaşama veda etti.

II. Abdülhamit'in tahta çıkışından üç gün önce Alman elçi Avrupa hükümetlerine yeni Sultan'ın karakter tahlilini yaparken, bu hükümranlığın tam otuz üç yıl süreceğini hiç kimse bilemezdi: "Genel olarak çok az bilinen, Başvezir ve bakanların kendi ifadelerine göre hiç tanımadıkları Abdülhamit hakkında, onunla irtibata geçmiş ender kişilerden olumlu izlenimler edindiğimi söyleyebilirim. Ciddi ve sağlıklı bir erkek olan yeni Padişah ekonomik ve ölçülü bir yaşam sürme eğilimindedir. Alman gazetelerini tercüme ettiren Padişah'ın Almanlara karşı ayrı bir sevgisi vardır. Sultan Abdülaziz'e eşlik ettiği Avrupa gezisinde ziyaret ettikleri Koblenz'in anılarında her zaman apayrı bir yeri olmuştur. Osmanlı İmparatorluğu'nun kriz durumunda olduğunu açık ve net bir şekilde kavramış olup, reformların gerekliliğine de inanmıştır, özellikle adalet düzeninin yeniden oluşturulmasından yanadır. Ne yandaşlarının, ne de karşıtlarının tam olarak ne istediklerini bilmedikleri meşruti idareye yakınlık duyduğu söylenemez. Annesi ölmüş olduğu için, yönetimi sırasında Valide Sultan'ın etkili olabileceği düşünülmemekte ve bu da yeni Padişah'a olumlu puan kazandırmaktadır. (Sultanların anneleri devlet işlerinde oğullarının en önemli danışmanları sayıldıkları gibi, hükümdarın haremindeki en yüksek otoriter güç de yine onlardır). Ağabeyi Sultan Murat'ın hükümranlığı ve hastalığı sırasında yansız bir tavır takınan Sultan Abdülhamit hemen tahta çıkmaya hevesli görünmekten de ayrıca kaçınmıştır."

Elçinin mektubunda değindiği, Padişah'ın Almanya sempatisi birkaç yıl sonra Berlin'den geniş kapsamlı bir askeri danışmanlık talep ettiğinde daha da belirgin hale geldi. Bu yoğun sevginin ardında gizlenen gerçek niyet, Alman İmparatorluğu'nu Avrupa büyük güçlerine karşı son koz olarak öne sürmekti. Abdülhamit, İmparator II. Wilhem ile cilveleşmeye başlamadan önce en çok nefret ettiği kişi olan Mithat Paşa'yı bertaraf etti çünkü Paşa onun tahta nasıl çıktığını yakından bilen, bu konuda ona yardımcı olmuş bir kişiydi. Mithat Paşa, Padişah'ın en çok korktuğu kişiydi de aynı zamanda, çünkü meşruti idare ile gücünün önemli bölümünü elinden alacağından çekiniyordu.

Mithat Paşa'nın önce kendisini güvenlikte hissetmesini sağlamak amacıyla Abdülhamit 19 Aralık 1876'da onu Sadrazam yaptı. O kış Tanzimat Devrinde vaat edilen insan hakları ve devletin yeniden yapılanması gibi birtakım yenilikleri içeren meşrutiyet üzerinde yapılan çalışmalar sonuçlandırıldı. Aynı sıralarda yapılan İstanbul Konferansına katılan Avrupalı büyük güçlerin ve değişik Balkan bölgelerinin temsilcilerinin amacı Hıristiyan halkın korunması bahanesinin ardına sığınarak, Sultan'dan yeni tavizler kopartmaktı. Beklentiler arasında özerklik tanınması yani gerçek anlamı ile toprak verilmesi de vardı, bi de yeni Padişah'ın reform yapmayı gerçekten istediğini kanıtlaması gerekiyordu. Avrupa'da enerjik ve yetenekli bir reformist politikacı olarak ün kazanmış olan Mithat Paşa, yeni formüle edilmiş olan meşrutiyetten becerikli bir şekilde yararlanarak, meşrutiyetin Batı örneğinde olduğu gibi sağlam ve adil bir devlet ve toplumsal düzen getireceğine işaret ederek başka taleplerin karşılanmayacağını açıkladı. Konferans 20 Ocak 1877'de meşruti idare şekli ile gafil avlanan Avrupalı delegelerin hoşnutsuzluğuyla kapanınca, Abdülhamit, Mithat Paşa'yı delegelere çok katı davranmak ve kışkırtmakla suçladı. Mali planlama konusunda aralarında başgösteren fikir ayrılığını bahane eden Abdülhamit 5 Şubat 1877 tarihinde, yani göreve geldikten hemen hemen iki ay sonra Mithat Paşa'yı sadrazamlıktan azletti.

Mithat Paşa, Sultan'dan öç almaya kalkışmasın diye Paris'e sürgüne yollandı. Bir yıl sonra ise Abdülhamit'in övgü dolu bir mektubu ve para armağanları ile yeniden İstanbul'a çağrıldı. Suriye'ye genel vali tayin edildikten sonra orada yaptığı çok başarılı reform çalışmaları sonucunda İzmir valiliğine getirildi. Abdülhamit elindeki fırsatlardan alabildiğine yararlanıyordu. 19 Mart 1877'de ilk kez toplanan ve 14 Şubat 1878'de Sultan tarafından yeniden dağıtılan parlamento -meclis üyeleri kendilerini bir anda hapisanede bulmuşlardı- bundan böyle kayıtsız şartsız bir saray otoritesi için engel sayılamazdı. Esas gücünü taktiksel nedenlerden dolayı açık ve net bir biçimde yazılmış olan anayasadan alan Abdülhamit, devletin sıkıntı içinde olduğu bahanesini ileri sürerek, parlamentoyu dağıtmıştı. Sözleri ve eylemleri ile Avrupa'nın büyük sempatisini kazanmış olan reformist sabık Sadrazam, potansiyel muhalif olarak tek başına kalmıştı.

1883 yılının başlarında -olaydan tam yedi yıl sonra- ortaya aniden çıkan iki adam, tahtından indirilen Sultan Abdülaziz'in intihar etmediğini, tam tersine bir cinayete kurban gittiğini kanıtlayabileceklerini açıkladı. Avrupa gazetelerinde çıkan haberlere göre cinayet komplosunu düzenleyen kişi, yani olayın elebaşısı o zamanki sadrazamdan başkası değildi. Suriye valiliğinden geri çekildiğinden beri Abdülhamit'in kendini yok etmek istediğinin bilincinde olan Mithat Paşa tutuklanmadan önce vilayet sarayından kaçmayı başardı ve İzmir'deki Fransız Konsolosluğuna sığındı. Babıâli ile ilişkisini bozmaya hiç niyetli olmayan Fransız hükümeti konsolosuna, kaçağın Osmanlı makamlarına geri verilmesini emretti. Mithat Paşa ve birkaç taraftarı o iki tanığın verdiği ifadeler sonucu 29 Haziran 1883'de İstanbul'da ölüme mahkûm edildiler. Britanya hükümeti bu kararı şiddetle protesto edince, Padişah merhamete gelerek ölüm kararını ömür boyu hapse çevirdi ve Mithat Paşa'yı Mekke yakınlarındaki Taif Hapisanesine yolladı. Dönemin en yetenekli reformist politikacılarından biri olan Mithat Paşa Taif Hapisanesindeki hücresinde, 1884 yılında boğularak öldürüldü.

II. Abdülhamit böylece kendisini eleştiren parlamento ile başlangıçta verdiği ama hiç tutmadığı sözlerine tanık olan can düşmanlarından kurtulmuş oldu. Muhaliflerinin kişisel zayıflıklarından ve taktik hatalarından yararlanarak ve her türlü hileli yola başvurarak yürüttüğü kayıtsız şartsız hükümranlığına karşın başarısız olmasının nedenlerinden biri zamanın değişen şartlarına göre Avrupa nasyonalizminin ve emperyalizminin Osmanlı İmparatorluğu'nu hedef alması iken, diğeri de Sultan'ın hastalık boyutlarındaki sürekli izlenme korkusunun onu sık sık yanlış kararlar almaya itmesidir. Örneğin kendi atadığı kabinenin Rus savaş gemilerinin tehdidinden korunmaları amacıyla donanmaya vermek istediği paraları, başka kanallara aktarmıştır çünkü amcası Abdülaziz'in tahtından indirilişine, Dolmabahçe Sarayının önünde demirleyerek destek vermiş olan Osmanlı Donanmasına, yani kendi deniz kuvvetlerine karşı içinde güçlü bir korku vardı. İkametgâhı olan Yıldız Sarayını yarım daire şeklinde çevreleyen kışlaları dolduran ve yalnızca Sultan'a sadık Müslüman Arnavut muhafız askerlerin silahları bile başlı başına Osmanlı Ordusunun yeniden ayakları üzerinde dikilmesini sağlayacak denli çok ve çeşitliydi.

Genç Osmanlılar, destekledikleri parlamentonun dağıtılması ve en önemli temsilcileri olan Mithat Paşa'nın devre dışı bırakılması ile esaslı bir darbe yedikten sonra, Jöntürkler adı altında 1889 yılında yeni bir gizli organizasyon oluşturuldu ve bu karşıt grup 1892 yılında Sultan'a başarısız bir suikast girişiminde bulundu. Bu arada Padişah bir zamanlar atalarının kurduğu güçlü Osmanlı Devleti'ni Avrupalıların ölümcül darbelerine karşı da korumak durumundaydı. Avrupalılar, Hıristiyan azınlıkların ulusal bağımsızlığından ve korunmasından dem vururken, iflas halindeki Osmanlı İmparatorluğu'nu kendi aralarında pay etmek için stratejik ve ekonomik pazarlıklara da girişiyorlardı. Farklı görüşlerin en karakteristik örneği, ulusal, dinsel ve emperyalist argümanların birbirine harmanladığı bir tarzda ele alınan "Ermeni sorunu"ydu.

Bağımsız krallığının Romalıları, Bizanslıları, İranlıları ve Arapları mağlup ettiği Ermeniler, 16. yüzyılın başlarından beri Rumlarla birlikte Osmanlı İmparatorluğu'nun egemenliği altındaki en önemli Hıristiyan azınlıklardan biriydi. Saygın tüccarlar, memurlar ya da sanatçılar olarak Türk kentlerinde ya da çiftçi olarak Doğu Anadolu'da yaşarlar, dini ve kültürel özerkliklerine sahip olarak, sultanların hiç ilişmediği gayrimüslim halk gruplarını (Millet) oluştururlardı. Ermenilerin arasındaki çelişkinin nedeni, başkanlığını İstanbul'da oturan Patriğin yaptığı katı hiyerarşik toplumsal yapıda aranmalıdır. 19. yüzyıla değin başgösteren huzursuzluklar Katoliklik ya da Protestanlık meselesiyle ilgiliydi. Milliyetçilik akımının başlamasından sonra otoriter Patrikhane sistemini eleştirenler, özellikle de aydınlar Ermeni Devletinin yeniden oluşturulmasını hedef edinen politik gruplar oluşturdular. Hedeflerine ulaşmak için kısmen Genç Osmanlılarla, kısmen de bağımsızlık savaşları için destek almayı umdukları Rus yönetimi ile ittifak yaptılar.

1877 ile 1878 yılları arasında yapılan ve Kars ile Batum şehirlerinin işgalinin dışında Çar için pek kazançlı olduğu söylenemeyen Rus-Türk savaşından sonra St. Petersburglu parlamenterler Ermeni sorununu kurcalamaya ve bu yoldan Osmanlı İmparatorluğu'na ulaşmaya çalıştılar. Özgürlük savaşçılarını eylemlerinde yüreklendirerek, İstanbul ve Doğu Anadolu'nun Müslüman köylerindeki terörist faaliyetleri desteklediler. II. Abdülhamit'in kendi yaşamında duyduğu kaygılar yoğun bir korkuya dönüştüğünden, aldığı askeri önlemlerin ve yaptığı müdahalelerin ölçüsü kaçtı, 1895 ile 1896 yılları arasında organize bir katliamla 100.000'den fazla Ermeni yok edildi. (*) Bu fanatik

---

(*) Her ne kadar Dietrich Gronau, Türkleri ve Türkiye'yi seven bir yazarsa da, bazı konulardaki Avrupalı önyargılardan kendini tümüyle kurtarması mümkün olmamaktadır. Osmanlıların Ermenilerle ilgili olarak "organize bir katliam" asla sözkonusu değildir. Her iki taraf da karşılıklı büyük acılar ve sıkıntılar çekmişler ve çok kan akıtmışlardır.

kitle katliamının zirveye tırmandığı anda İngiltere Başbakanı Lord Salisbury devreye girip, 1894'de Çar olan II. Nikola'ya bir İngiliz filosunu İstanbul'a yollayarak Sultan'ı Ermenilerin bağımsızlık isteklerine boyun eğmeye zorlamasını önerdi. İngiltere'nin yolladığı donanmaya ait filo ile İstanbul ve Çanakkale boğazları ve buna bağlı olarak Karadeniz'i kontrol altına alacağından korkan Çar ve danışmanları bu öneriyi derhal ve hiç tartışmadan reddettiler.

Tek yanlı bilgilendirilen ve Hıristiyan-Ermeni kıyımında suçu yalnızca "barbar" Türklere yükleyen Avrupa toplumunun bu olaya gösterdiği moralist tepki İngiltere'nin arabuluculuk önerisinin reddedilmesinden hemen sonra yoğunluğunu kaybetti, Ermeni sorununa gösterilen ilgi azaldı ve Rusya bile önceleri, yani I. Dünya Savaşının başlangıcına kadar, geri planda durmayı uygun buldu. Ulusal devrim isteklerinden vazgeçmeyen Ermeni aydınları ve varlıklı tüccarları Mısır'a, İran'a, Avrupa'ya ve Amerika Birleşik Devletleri'ne göçtüler. Milliyetçi fikirlere o zamanlar yabancı kalan normal Ermeni halkı ise eski yaşamını aynen sürdürmeye devam etti. Taraflı bir gözle yayınlanan "Ermeni soykırımı" ile ilgili haberler Abdülhamit'e "Kızıl Sultan" denmesine yol açtığı gibi, Osmanlı Türklerinin arasına Hıristiyan azınlıklara karşı bir düşmanlık tohumu da saçmış olmakla birlikte, geçmişteki olumlu deneyimlerin etkisi 1895 ile 1906 yılları arasında Ermeni halkında bir nüfus artması şeklinde kendisini gösterdi.

Osmanlı İmparatorluğu'nun kaderi, ulusal bağımsızlıklarını elde etmek için bazı azınlık gruplarının çıkardıkları isyanlardan çok Almanya ile yaptığı ittifaktan daha fazla etkilenmiş, Türkler bu ittifak yüzünden I. Dünya Savaşına sürüklenmiş ve 1920'de imzalanan Sevr Antlaşması ile imparatorluk hemen hemen tümüyle tasfiye olmuştur. Abdülhamit'in aldığı bu kararın üç çarpıcı nedeni vardır. Eski dönemlerde imparatorluk Prusya ile iyi ilişkiler içinde olmuş -I. Wilhelm Frederik, Sultan'a dört astrolog yollamıştır- Büyük Frederik 1760 yılında Babıâli'ye bir savunma ittifakı önermiş, Sultan II. Mahmut (1808-1839) Prusya Kralından askeri danışmanlar istemiş, Helmuth von Moltkes'in yönetimi altında 1835 ile 1839 yılları arasında çeşitli Osmanlı görevlerini üstlenen bu danışmanlar III. Selim zamanında öngörülen askeri reformu gerçekleştirmek için pek çok yararlı çalışmalar yapmışlardır. İkinci neden politik bir karakter taşımaktadır. 1871 yılında kurulan Alman İmparatorluğu, Rusya'yı sıkıştırmak açısından uygun bir partnerdir çünkü Bismarck St. Petersburg'daki Çar ile iyi ilişkiler kurmuştur. Diğer yandan Almanya sahip oldukları sömürgelerle Osmanlı İmparatorluğu için bir tehdit unsuru haline gelen büyük Avrupa güçlerinden biri değildir. Üçüncü neden Almanya'nın endüstriyel gücü ile yakından ilgilidir. Daha 1873 yılında Abdülaziz, Krupp firmasından beş yüz top almıştır. Almanya için de Babıâli ile sıkı ilişki kurmak, hem Rusya'ya karşı tampon olarak kullanmak, hem demiryolu yapımı gibi dev projelerden pay kapmak, hem de ihracatı arttırmak açısından oldukça önemlidir.

II. Abdülhamit'in İmparator I. Wilhelm'den talep ettiği ilk askeri misyon Bismarc'ın da desteği ile 1882 yılında İstanbul'a geldi. Albay Otto August Johannes Kaehler isimli misyon başkanı, Osmanlı İmparatorluğu'ndaki durumun felaketi karşısında pek başarılı olamadı. Reform karşıtlarının ve askeri donanım ile eğitimin geliştirilmesini ancak görünüşte isteyerek, kendisini reform yanlısı bir Padişah gibi göstermeye çalışan ama gizliden gizliye Jöntürklerin etkisi altında kalan subayların silahlanarak isyan çıkaracaklarından korkan ve bu nedenle yapılan her yeniliğe karşı çıkan Abdülhamit'in entrikaları misyonun çalışmalarını etkiledi. Bir yıl sonra, yine Sultan'ın ricaları ile o zamanlar binbaşı olan, ilerdeki yıllarda ise mareşal rütbesi alan Colmar von der Goltz'un yönetiminde ikinci bir askeri misyon yollandı. Misyonun görevi askeri okulları yeni baştan organize etmek ve orduyu modernleştirmekti. Mareşal, anılarında ilk deneyimlerinden şöyle söz eder: "Yollanmamız sözkonusu olduğunda Almanya, Abdülhamit'in ordunun gerçekten modernize edilmesini istediğine inanmıştı. Ama işin aslı öyle değildi! Birincisi, Efendimiz Türkiye'deki her şeyin tıpkı Almanya'daki gibi olmasını istiyordu. Bu nedenle tıpkı Abdülaziz'in eğlence amacı ile kaplan, aslan, timsah getirilmesi gibi o da biz Almanları getirtmişti. Efendimiz canı sıkıldığı anda ordu ile ilgili sayısız reform projelerinden birini önüne alır ve Alman reformcularla oturumlar yapardı. Bu da onu bir süre oyalardı. Ardından reform planları yeniden bir kenara atılırdı. Bizler temelde "Saray şaklabanlarından" başka bir şey değildik. Saraydaki en büyük rakibim karnından konuşan, amuda kalkarak yürüyen ve takla atan bir cüceydi ve ben onun yaptıklarını bile yapamıyordum."

Vor der Goltz'un, Padişah, bakanlar ve Osmanlı subayları ile Albay Kaehler'den çok daha iyi ilişkiler kurması adamın üne kavuşmasına neden olmuş ama yaptığı işte aynı başarıyı elde edememişti. Eski alışkanlıklar, ayrıcalıklar ve karşılaştığı her düzeyden direnişler, gösterdiği tüm çabaları sonuçsuz bırakmıştı. Burada bulunuşunun anlamsızlığından kuşku duymadığından her üç yılda bir ülkesine geri dönmek için izin isteyip durdu ama ona kişisel olarak büyük saygı duyan Padişah 1893 yılına kadar bu izni vermedi. Anlaşmanın yenilenmesi gereken zamanlardan birinde Abdülhamit von der Goltz'dan Yıldız Sarayını ve çevresindeki heyelan belirtileri gösteren bir tepeye kurulmuş olan parkı teftiş etmesini istedi. Sultan'ın hile ve entrikalarını iyi bilen konuk, bu davetin ardındaki amacı derhal anladı: "Heyelan konusunda uzmanlığımın takdir edilmesi oldukça eğlenceli ama bu tam anlamı ile Sultan'a has bir politika. Bu görevi bana vermekle kişiliğime ve fikirlerime nasıl değer verdiğini göstermek isterken, bir yandan da bana gururumun okşandığını hissettirmeye çalışıyor. Abdülhamit aslında bana armağan vermek için fırsat yakalamanın peşinde, sonra bu armağanın karşılığını benden nasıl olsa isteyecek. Kişisel ve resmi meselelerin birbirine karıştırılması buradaki mesleki faaliyetleri inanılmaz ölçüde zorlaştırıyor. Bir Doğuluya böyle yöntemlerin geçersizliğini anlatabilmek olası değil. Bana armağan edilen, pırlantalarla süslü sigara kutusu şu anlama geliyor: 'Terbiyeli ol; vedalaşma isteğinden vazgeç ve anlaşmanı uzat.' Ben ise salt tabaka koleksiyonu yapmak tehlikesi ile karşı karşıya kalmamak için belli bir süre sonra yeniden ülkeme geri dönme arzumu dile getireceğim."

Alman subayların varlığı ve askeri ataşelerden birinin yüzünden Sultan'ın gözünde diğer Avrupa ülkelerinin askeri ataşelerini kızdırmak Sultan'ın en sevdiği alışkanlıklardan biri haline geldi. Alman hükümeti de aynı şekilde düzenli olarak Osmanlı subaylarını Berlin'e davet ediyor ve onlara askerlerin eğitimlerine ve manevralara gözlemci olarak katılmaları için olanak tanıyordu. Askeri nezaketten öteye geçmeyen bu değiş tokuş I. Dünya Savaşının patlaması ile birlikte Jöntürk Savaş Bakanı Enver Paşa'nın önemli komutanlıklardan birkaçına Alman subayları -yine von der Goltz, sonra Otto Liman von Sanders ve Erich von Falkenhayn -ataması ile daha bir ciddiyet kazandı.

Osmanlı İmparatorluğu ekonomik alanda, beklenildiği gibi, önemli bir silah donanımı müşterisi olarak gelişme gösterdi. Demiryolu inşaatı alanında verilen imtiyazlar ile, en önemli rakipleri İngiltere'ye göre Alman Bankası ve Alman firmaları epey öne geçtiler. 1888 ile 1892 yılları arasında Marmara Denizi kıyısındaki İzmit körfezinden Ankara'ya kadar olan Anadolu demiryolu hattını ve I. Dünya Savaşına dek Bağdat'tan Konya'nın doğusundaki Toros'lara kadar uzanan tren yolunu Alman mühendisler kurdu. Alman ekonomisinin en ünlü temsilcisi üç kez İstanbul'a gelmiş olan II. Wilhelm'dir; 1889'da, imparator olarak taç giydikten bir yıl sonra; 1898'de Kudüs'e yaptığı tiyatrovari ziyaretle bağlantılı olarak ve 1917'de Alman ordusunun başkomutanı olarak, müttefiki Türklerin, savaşın sona ermesinden hemen önce vicdanlarına seslenmek için.

İki imparatorluğun karşılıklı dostluk içeren ilişkilerini daha da pekiştiren ilk iki ziyaretin gerçek amacı aslında Almanya'nın güç gösterisinde bulunmak istemesidir. Paris'te yayımlanan "Figaro" gazetesi bu konuyu zehir zemberek bir yazı ile işlemiştir: "Alman İmparatoru, büyük Almanya için etkileyici ve becerikli bir seyyah işadamıdır." Ve iş gezgini anlamına gelen "commis-voyageur" sözcüğü de bu yazıdan türemiştir. Suikast korkusundan toplumun karşısına pek çıkmayan ve kendisini yalnızca cuma namazları için saray arazisinin dışındaki camiye giderken halkına gösteren Abdülhamit 1898 yılında gerçekleşen bu önemli ziyaret yüzünden korkusunu yendi ve imparatorluk çiftini Dolmabahçe Sarayının İstanbul Boğazına bakan merdivenlerinde karşılamak üzere Yıldız Sarayından dışarıya çıktı.

Bu ziyaret pek çok şeyin değişmesine neden oldu. Abdülhamit, imparatorun gizlice İngiltere ile de işbirliği yaparak, kendisiyle çift taraflı bir oyun oynadığına her zamankinden daha fazla kanaat getirdi. İnsanlara duyduğu güvensizliğin daha da şiddetlendiği ve çevresi için çekilmesi çok zor olan isteri nöbetlerinden birine daha yakalanan Padişah sekreterine imparator için Kudüs'te yapılacak karşılama töreni hazırlıklarının durdurulmasını emretti. Sultan'ın hükümdar olduğu topraklarda dönekler asla başarılı olamazdı. Efendisinin tehlikeli istikrarsızlığını iyi tanıyan sekreteri, bu emrin uygulanmasını güç bela önledi.

İmparatora gelince, İstanbul'da geçirdiği şaşaalı günler sırasında Türk askeri hakkında kişisel gözlemler yapma olanağını buldu. İmpatorun bu konuda söylediklerini kendi kulakları ile duyan bir Avusturyalı subay Viyana'ya şunları bildirdi: "Birlikler, yeni üniformaları ve süvari donanımları ile gayet iyi görünüyorlardı; topçular ve özellikle süvariler ise takım taklavatlarındaki yetersizliği saklayamadılar. Alman İmparatorunun aradaki dostluk anlaşmasına karşın sert bir tutumla, iç ilişkiler kadar ordu konusunda da hislerine kapılmaması çok dikkatimi çekti. Örneğin iç ilişkiler konusunda imparator, büyükelçisine hiç çekinmeden reform uygulaması yerine birkaç yüz Osmanlı paşasının asılmasının daha doğru olacağını söyleyiverdi. Orduya gelince, imparator yalnızca insan materyalinin iyi olduğunu söyledi, buna karşın çevresindeki Almanlara hitaben Türk ordusunun eğitimini ve özellikle subay kadrolarını yerden yere vurdu.

Üç yıl sonra, 1901'de, veliaht prens Wilhelm ve erkek kardeşi Eite Friedrich yaz tatili için kiralanan İngiliz yatı "Safir"le İstanbul önlerine geldiler. Veliaht prens anılarında II. Abdülhamit ile karşılaşmasını şöyle anlatır: "Çok yakınlık gösterdi, bize babaca yaklaştı diyebilirim. Ve Sultan'ın portresini şöyle çizer: "Limana vardıktan kısa bir süre sonra Padişah'ın en sevdiği oğlu bizi Sultan'ın adına karşıladı, öğleye doğru bir eskort bizi, Sultan'ın ve devlet erkânının bulunduğu Yıldız Köşküne götürdü.

Yıldız Sarayı topraklarının üstündeki çok güzel bir köşke getirildik. Odalarımıza yerleştikten yarım saat sonra Sultan'ın kendisi geldi. Sul tan dizginlerini elinde tuttuğu çevik atların çektiği minik bir araba ile gelirken, dev bir kalabalık, şişman paşalar da dahil olmak üzere arabanın ardından koşuyorlardı. Sultan atları dörtnala koşturduğu ve ardındaki maiyeti ille de ona yetişmek istedikleri için yüksek zevat köşke vardığında bitkin bir haldeydi.

Ülkesinin geleneklerine göre Sultan yalnızca Türkçe konuşmak zorundaydı; bu da onunla sohbet etmeyi gerçekten zorlaştırıyordu çünkü arada teati edilen her cümlenin anında tercüme edilmesi gerekiyordu. Aslında konuştuğumuz Fransızcayı mükemmelen anladığı için neşeli bir öykü anlattığım sırada çevirmen sözcükleri ciddi bir yüz ifadesi ile Türkçeye çevirmeden önce, yaşlı adamın içten kahkahalar atması çok hoşuma gitti.

Akşam şerefimize büyük bir ziyafet verilecekti. Bu şölenin nerede yapılacağını ise hiç kimse bilmiyordu çünkü Sultan'ın suikaste uğrama korkusu o denli büyüktü ki, bu tip toplantıların yerini ve zamanını önceden kimseye söylememek gibi bir önlem alma alışkanlığı vardı. Saray maişetçisine emirlerini son dakikada vererek, her zaman karışıklığa neden olurdu. Ziyafet büyük salonlardan birinde verildi.

Sultan ve ben sonsuz uzunluktaki bir masanın dar bir kenarında yan yana oturduk. Aralarında kardeşimin de bulunduğu diğer konuklar Padişah'ın sağına ve soluna doğru dizelendiler. Sultan'ın görünümü dindar bir Müslüman olarak yemeğe ve içmeye fazlaca düşkün olduğunu ele veriyordu. Ulu evsahibimin çok kalın ve üstüne hiç de iyi oturmamış bir üniforma giydiğini farkettim ve ancak yaptığı ani bir hareketin sonucunda anladım ki, üniformasının altına çelik yelek giymiş. Yemek sırasında Almanya'ya ait her şeyle yakından ilgilendi ve diğer konularda da aynı şekilde bilgili olduğunu gösterdi. Konuşma, donanmanın sorunları, son kutup araştırmaları, Alman kitap piyasasında yeni çıkan kitaplar ve özellikle de askeri sorunlar üzerine yoğunlaştı.

Misafirliğimizin son gününde bize özel dairesinde, özel bir yemek verdi. Yalnızca benim çevrem Alman büyükelçisi ve en sevdiği oğlu bu yemeğe katıldılar. Müzik dinlemeyi çok seven Sultan benden, kemanla bir şeyler çalmamı rica etti. Şehzade bana piyano ile eşlik etti ve ikimiz birlikte "Cavalleria rusticana"dan bir parça ile Schumann'ın "Rüyalar" ını çaldık. Sonra gerçek bir aile sahnesi yaşandı. Yaşlı adama sürpriz yapmak istedim ve Hekim Binbaşı Wildenmann ile birlikte Türk milli marşını çalmayı denedim. Küçük konserimiz bittikten sonra Padişah bana sarıldı, küçük bir el işareti yaptı ve bir yaver elinde bir yastıkla içeri girdi. Yastığın üstünde duran altın ve gümüş sanat ve bilim madalyalarını Osmanlı hükümdarı kendi elleri ile göğsüme taktı." (*)

(*) Osmanlı İmparatorluğu'nun 19. yüzyılın son çeyreğinde Almanya ile yakınlaşması, kitapta yeterince ele alınmamaktadır. Daha önceki bir notumuzda da değindiğimiz üzere; İngiltere, Osmanlı İmparatorluğu'nu Rusya karşısında desteklemekten vazgeçince, Türkiye için tek alternatif kalmıştı: Almanya. İngiltere'nin Rusya'ya yakınlaşmasının nedeni de Almanya idi. Zira Almanya oluşturduğu açık deniz donanması ile, İngiltere'nin denizlerdeki "mutlak egemenliğini" kırmak amacındaydı. Almanya'nın "Doğu Politikasından" müthiş rahatsız olan Rusya da, Almanya'ya karşı bir müttefik aramaktaydı. İşte böylece İngiltere ve Rusya birbirlerine yakınlaşınca, Osmanlı İmparatorluğu için tek seçenek, Almanya ile yakınlaşmak kalmıştı.

İstanbul'da Subaylık Eğitimi Şam'da İlk Görev (1899 - 1907)

Askeri Akademi öğrencisi Mustafa Kemal için İstanbul'da yaşam Osmanlı İmparatorluğu'nun başkentine ilk kez gelen her genç erkek için olduğu gibi heyecanlı ve serüvenliydi. Subay adayı olarak daha baştan Halife-Sultan'ın ve Sarayın gözdesi olan bir kesimden sayıldığından dolayı "Dersaadet" te gezip dolaşmasının hiçbir sakıncası yoktu. Daha ilerde politikaya ilgi göstermeye başlayınca, Sultan'ın özellikle güvendiği pek çok üst düzey şahsiyet gibi o da gizli ajanlardan oluşan bir ağa takılacaktı. II. Abdülhamit ülkesinin ve eyaletlerin dört bir köşesinden haber toplatır ve "ünlü jurnallerini" akşamları Arthur Conan Doyle'un dedektiflik öyküleri ile birlikte okumayı asla ihmal etmezdi. Padişah'ın hafiyeleri okullar da dahil olmak üzere her yere girip çıkarlardı. Harbiye'deki Askeri Akademiyi kuran ve bir süre de yöneticiliğini üstlenen Colmar von der Goltz, öğretmenleri ve öğrencileri birbirlerini jurnal etmeye zorlayan ve bu yöntemle karşılıklı bir güvensizlik ortamı yaratan ajanları sayısız kez Sultan'a şikâyet etmişti.

Abdülhamit'in hükümranlığı döneminde yönetim sistemi, tarım, endüstri, eğitim ve askeriyedeki kimi gelişmelere ve düzelmelere karşın, zamanın emniyet teşkilatı özellikle yeni kurulan okullarda yalnızca branş dersleri almayan, özgürlük fikirleri ile de aşılananlara karşı diğer öğrencileri direnişe kışkırtıyordu. Böyleleri zindanları iyi tanırlar, kendileri için biçilmiş olan gardiyanlık rolünü ister istemez ezberlerlerdi. Mustafa Kemal'in İstanbul'a gelmesinden iki yıl önce Jöntürklerin sempatizanı birkaç askeri tıbbiye öğrencisi, Sultan'ı ve hükümetini devirmek için gizli bir örgüt kurdular. Vesveseli kişiliğinin bu kez yararını gören Abdülhamit ihtilal planını öğrendi ve sürgün, ömür boyu hapis ya da idam gibi sert önlemlerle olayı önledi. 1902 doğumlu, Mustafa Kemal gibi Selanik kökenli Türk şairi Nazım Hikmet "İstanbul'da, Balıkpazarı'nda, Bir Meyhanede Bir Hapisane Mukayyidi" isimli şiirinde tıbbiye öğrencilerine verilen cezaları, ilerde bu devre adını verecek olan "Zulüm" olarak tanımlar :

"Abdülhamit
Atardı Tıbbiye talebesini
Sarayburnu'ndan
Akıntı götürmüş çuvalları
bulamadılar..."

Resmi yayım yasağı listesinde yer alan yazarlardan biri de Namık Kemal'di (1840-1888). Bu ünlü şair ve gazetecinin vatanperver yazıları Mustafa Kemal ile birlikte aynı kuşaktan pek çok aydını heyecana boğmuş ve derinden etkilemiştir. İlk kez onun tarafından kullanılan "vatan" sözcüğüne, doğrudan olmasa bile hanedanın ve İslamın geleneklerinin ışığında Osmanlılık kavramını sorguladığı gerekçesi ile sansür uygulanmış ve saltanata hıyanet olarak damgalanmıştı. Racine, Rousseau, Voltaire, Victor Hugo ve Emile Zola gibi Fransız yazar ve düşünürlerinin eserlerini okumak ve yaymak da kesinlikle yasaktı. Tutucuların en çok korktukları sözcüklerin başında meşrutiyet, özgürlük, anarşi, grev, sosyalizm, devrim, dinamit ve hapiste tutulan, ağabeyi Abdülhamit tarafından her hafta hazırlatılan sağlık raporu ile ruh hastası olarak ilan edilen Murat'ın adı geliyordu.

Jöntürklerin 1889 yılında kurdukları ilk gizli organizasyon 1894 yılında "İttihat ve Terakki Cemiyeti"ne dönüştü. Meşruti monarşi kurmayı, bir parlamentonun desteğinde Osmanlı İmparatorluğu'nu modern bir devletler topluluğuna dönüştürmeyi (Osmanizm) 1865 yılından beri hedeflemiş olan Genç Osmanlılar, amaçlarına ulaşamadıklarını anlayınca büyük bir düşkırıklığına uğradılar ve Jöntürklüğü benimsediler. (*) Jöntürkler, Osmanlı Devleti'nin modernizasyonunun yalnızca en tepedeki elit bir sınıfa ulaşabileceği görüşündeydiler. Kişisel zıtlıklar ve bazı üyelerinin, Osmanlı Padişahı Halifesinin monarşik yönetim çatısı

(*) Genç Osmanlılar Jöntürklüğü benimsediler, gibisinden bir cümle yanlıştır. Zira Jöntürkler Genç Osmanlılara verilen değişik adlardan biridir. Günümüzde de "jöntürk" kavramı, "az gelişmiş ülkelerdeki baskı rejimleriyle mücadele eden aydınlar" anlamına gelen bir kavram kazanmıştır ve kimi toplumsal bilim ansiklopedilerinde rastlanmaktadır.

altında İslam Ülkeleri Birliği (Panislavizm) ya da Türk Halkları Birliği (Panturanizm) kurulması gibi eğilimler göstermeleri Jöntürk hareketinde zamanla bölünmelere yol açtı. Talat, Cemal ve Mustafa Kemal'in hem gıpta ettiği, hem de horgördüğü Enver'in yönetiminde bazı kimseler 1908 ve 1909 yılları arasında idari gücü elde etmeyi başardılarsa da, gerçekdışı büyük güç rüyalarının peşinde koşmaktan ve Almanya ile "silah kardeşliği" yapmaktan dolayı bu gücü kısa sürede ellerinden kaçırdılar. Diğerleri ise moderator, demokratik ve milliyetçi reform programına, Ankara'da yeni Cumhuriyetin kurulmasına dek sadık kaldılar.

1900'lerde, genellikle memurlar, subaylar ve aydınlardan oluşan Jöntürkçü "İttihat ve Terakki Cemiyeti", muhalifleri biraraya toplayan en önemli örgüttü. Üyeleri ulusal bağımsızlık, monarşik despotizm, kişisel özgürlüğe dayalı insan hakları ve onuru, yasalar karşısında eşit olma ve toplumsal düzenden yana oy verme ile ilgili aydın fikirleri çevrelerine yaymak için uğraş veriyorlardı. Yayılma, sansür ve jurnalcilik yüzünden ömürleri çok kısa olan gazeteler yolu ile ya da Londra ve Paris'deki sürgünlerin kaleme aldıkları, ülkeye gizlice sokulan ve el altından dağıtılan yazıları yolu ile gerçekleştiriliyordu.

Tutucu Müslümanları bu "modern" programda en çok öfkelendiren fikir ise eşitlik ilkesiydi çünkü Osmanlı İmparatorluğu'nda insanlar eşit sayılamazdı. İnsan hakları konusunda değişik görüşler öne sürüldü ve reformcuların en zayıf noktası da bu oldu. İslam hukukuna göre Allah' ın kulları eşittir. Müslüman inancına göre insanların hepsi kardeştir ve Sultan'ın gücünün bile sınırı vardır, bu sınır ise verilen fetvalarla belirlenir. Ayrıca yine İslam hukukuna göre gelir değil mal vergilendirilir ve kulun gelirindeki artış, örneğin iyi mahsul alındığında, yukarıya doğru sınırlandırılır : Verdiği zekât yüzde kırk artar. Toprak sahiplerinin nüfuzu, (Osmanlılarda asiller sınıfı asla olmamıştır) geniş topraklara sahip olmayı köstekleyen bu vergi yüzünden ancak kendi bölgesi ile sınırlı kalabilmiştir (Küçük çiftçilerle yapılan icar anlaşmaları) ve kişinin arazisinin büyüklüğü ile eğitim derecesine göre yoğunluk gösterir.

Reform karşıtları bu tip eski hukuki uygulamalardan yanaydılar. Reformistler ise genellikle okuma yazma bilmeyen halka Avrupa'daki gelişmiş endüstrileşmenin ve silahlanmanın Osmanlı İmparatorluğu'nu kısa süre içinde, bir çığ gibi büyüyen modern sermaye ekonomisine ve Avrupa'nın askeri üstünlüğe sahip, saldırgan milliyetçi devletlerine bağımlı yapacağını anlatmaya çalışıyorlardı.

İslami hukukun güvencesi altındaki eşitlik, gelişmekte olan Avrupa'nın tehdidi altındaydı ve bu tehditten kaçınmak için insanların eşitliğini yeni yasalarla garanti altına alan Avrupa hukukundan yararlanmak gerekiyordu. Bu çelişki -bir yandan İslami hukuk ama ekonomik ve politik zayıflık; diğer yandan Avrupa hukuku ama İslam kültürünün ve medeniyetinin bastırılmak istenmesi- Boğazları geçerek Avrupa'ya adım atmış olan Osmanlı sultanlarının mirasıydı. Ve yine bu çelişkiden, bugüne değin Türkiye'deki farklı dini ve politik gruplaşmaların en önemli anlaşmazlık noktası olarak hep korkulmuştur. İslami şartlara göre yaşamaktan yana olan Müslümanların en duyarlı noktası olan ve yıllardan beri büyük bir ısrar ve şiddetle körüklenen bu çelişki Türk tarihini 19. yüzyılın ortalarından beri çok özel bir şekilde etkilemiştir.

Mustafa Kemal, İstanbul'daki ilk yılını daha çok "gezip tozmaya" ayırmıştı, çünkü kent masallara layık güzellikteki coğrafi konumu, ünlü camileri ve sarayları ile on sekiz yaşındaki bir gence Selanik'dekinden çok daha fazla imkânlar sunuyordu. Genç bir taşralı Türk için kentin en ilginç yanı ise Askeri Akademinin bulunduğu yerden ulaşması çok kolay olan Haliç kıyısındaki Avrupai Pera idi. Diplomatlar ve ünlü şirketlerle bankaların temsilcileri Avrupa çizgileri taşıyan elbiseler giyiyorlar, yanlarında taşıdıkları hanımların şatafatlı bir şıklık içinde en son modayı sergilemesinden alabildiğine hoşlanıyorlardı. Gündüzleri, tıpkı Londra, Paris, Viyana ya da Berlin'de olduğu gibi, kahvelerde, çay salonlarında ve restoranlarda buluşulur, geceleri ise tiyatrolara, kabarelere ya da iskambil oynarken Pera şehir ve Yıldız Sarayı ile ilgili son dedikoduların kulaktan kulağa fısıldandığı kulüplere gidilirdi.

Sınırlı maddi olanaklarının çerçevesinde Mustafa Kemal de kentin bu kesiminden hoşlanıyordu. Çok çekingen olmasına karşın hanımların ilgisini çeken bir havası vardı. Mustafa Kemal'in ilk biyografında, uzun süre Ankara'da yaşamış olan Arjantinli diplomat Jorge Quelle Blanco Villalte 1938 yılında şunları yazmıştır: "Sık sık Pera'ya çıkar, dansa ve günün moda barlarına gitmeyi severdi. En dikkat ettiği husus ise ince uzun ve düzgün orantılı bedenine tertemiz üniformasının tam olarak oturmasıydı. Boyu çok uzun değildi ama belinin ince, omuzlarının ise geniş olması ona uyumlu bir görüntü kazandırıyordu. Sarışın teğmen küçük kaçamaklar yapmış ve uluslararası sosyeteden genç bir hanıma âşık olduğunu bile sanmıştı.

Mustafa Kemal için, İstanbul'un eğlence merkezini ve Avrupai yaşam tarzını tanımaktan çok bir generalin oğlu ve Nazım Hikmet'in uzaktan akrabası olan Ali Fuad (Cebesoy) ile tanışmak çok daha büyük önem taşır. Kökeni, saygınlığı ve maddi varlığı itibariyle padişahlık sarayına kulluk yapmayacak bir düzeye sahip olan Fuad'ın ailesi Boğazın Asya kıyısındaki Kuzguncuk'da, Üsküdar ile 1865 yılında Türk-Rokoko stilinde yapılmış olan Beylerbeyi Sarayı arasında yer alan görkemli tahta oymalarla süslü bir yalıda oturuyordu. Fuad'ın Paşa olan babası sık sık Bursa ve Edirne'nin imparatorluk merkezi olduğu o şanlı dönemlerde sultanların hakimiyetlerini genişletmek ve korumak için çok şeyler yaptıklarını, İstanbul'da saltanat süren sultanların ise dejenere ve yabancılarla dolu "Yüzyıllardan arta kalan bu fahişe kentte", imparatorluğun dizginlerini tutmayı bile beceremediklerini anlatırdı.

Mustafa Kemal'den birkaç yaş küçük olan Askeri Akademi öğrencisi Fuad, Selanikli arkadaşını hafta sonları Kuzguncuk'daki yalıda misafir ediyor ya da ona kentin görülmeye değer yerlerini gösteriyordu. Yaz aylarında Boğazda ve Marmara Denizinde hem sandal sefası yapıyorlar, hem de Paşa'nın önerisi ile İstanbul ve çevresinin coğrafi bir haritasını çıkarmaya çalışıyorlardı. Yumuşak iklimi ve şifalı havası sayesinde bugün bile İstanbulluların en sevdiği yerlerden biri olan Büyüada'da sık sık birlikte gecelediler. Böyle gecelerden birinde, ay ışığı, rakı ve şiir yüklü bir havada Mustafa Kemal düşlerinde şöyle bir gezintiye çıktı: "Fuad inan bana, şiir ve resimle de en az matematik kadar meşgul olsaydım eğer, bugün beni Askeri Akademinin taş duvarları arasında bulamazdın. Ay ışığının gökyüzünü böylesine aydınlattığı gecelerde şiir yazmak ve gün ışırken resim yapmak için kaçar kaçar, buraya gelirdim."

Mustafa Kemal, manevi değerlerin daha güçlü olduğu bir yaşam şekline duyduğu arzuyu ilerki dönemlerde de zaman zaman dile getirmiştir. Kurtuluş Savaşının sonunda, 1922 tarihinde İzmir'in düşmanlardan geri alınışının hemen ardından gelecekle ilgili planları sorulduğunda, taşrada basit bir yaşam sürmek istediğini söylemişti. (*) Devlet Başkanı olduğu zaman ise tarafından kurulan örnek çiftliğe kendisini adamıştı adeta. Ama sadeliğe duyduğu bu özlemi hiçbir zaman gerçekleştiremedi çünkü melankolik görünümünün altında gizli olan aşırı aktif karakteri onu her zaman gerçekleştirilmesi için cesaret gereken isteklere sahip kıldı.

Mustafa Kemal Askeri Akademide, tıpkı Manastır'da olduğu gibi, derhal en iyi öğrencilerden biri olarak sivrildi. Fuad'la "gezip tozarak" geçirdiği bir yıldan sonra eski hırsı içinde yeniden uyanmıştı. Osmanlı ve Avrupalı şairlerin kitaplarını tek tek okudu, Fransızcasını bir gazeteyi okuyup anlayabilecek bir düzeyde ilerletti, askeriye ile ilgili derslere kendini tam anlamı ile verdi ve stratejik problemler konusundaki yoğun bilgisi ile adeta yıldızlaştı. Bu yıllarda çekmeye başladığı ve yaşam boyu yakasını bırakmayacak olan uykusuzluk nöbetlerinin öğrenme kapasitesinin fazlalığı ile ilişkisi vardır belki ama bu, daha çok öğrenme hırsı ve isteksizlik arasında gel gitler yaşayan ve kendisini önemli ölçüde etkileyecek olan çalkantılı kişiliğini ele veren bir durumdu. Yatakhaneyi paylaştığı arkadaşları onun çoğunlukla keyifsiz oluşuna ve sabahları genellikle nöbetçi subay tarafından uyandırılmasına çok şaşarlardı. Günlerden bir gün bu bezginliğinin nedenini sordular ve şu yanıtı aldılar : "Arkadaşlar, ben gece yatağıma yattığımda sizler gibi hemen uykuya dalamıyorum. Şafak sökene kadar gözüme uyku girmiyor ve ancak o saatten sonra uyuyabiliyorum. Böylece kalk borusunu da işitmemiş oluyorum ve nöbetçi su-

---

(*) Atatürk'ün ideali basit bir yaşam sürmek ve öğretmen ya da Milli Eğitim Bakanı olmaktır.

ay sopasıyla yatağımı dürttüğünde gözlerimi açabiliyorum. Çok kısa 'aşadığım gecelerden bedenim ve ruhum öylesine yorgun düşüyor ki, jündüzleri müthiş bir bezginlik hissediyorum. Siz arkadaşlar, inanın enden daha mutlusunuz."

Bir taraftan Sultan ve kabinesinin, diğer taraftan yeraltından etkili lmaya çalışan Jöntürkler ve "İttihat ve Terakki Cemiyeti"nin belirleneye çalıştığı Osmanlı İmparatorluğu'nun politik ilişkilerine karşı Musafa Kemal'in duyduğu ilgi yavaş yavaş ve belirli bir önyargı olmadan jelişmekteydi. Anılarını naklederken şu sözlere yer vermiştir: "Askeri Akademide geçirdiğim yıllar sırasında yeni politik fikirler edindik ama ıenüz bu fikirleri kendi durumumuzla bağdaştırabilme yeteneğinden 'oksunduk. Hepimiz sıkı kontrol altında olduğumuz için Namık Kemal' n kitaplarını geceleri gizlice okuyorduk. Vatanperverlik edebiyatı yaaklandığına göre, devlette yolunda gitmeyen bir şeyler olmalıydı. Neyin eksik olduğunu ise başlangıçta ancak yarım yamalak kavayabilmiştik."

İkinci yılın sonunda Mustafa Kemal 460 öğrenci arasında yirminci, ıçüncü yılın sonunda ise 459 öğrenci arasında sekizinci oldu. Dördüncü yılda, 1902'den itibaren, teğmen rütbesi ile kurmay subaylık eğiimine başladı. İlk rütbesine kavuşmanın verdiği rahatlıkla özgüveni ırtmış ve ülkesinin hükümet politikasındaki olumsuzlukları daha eleşirici gözlerle incelemeye cesaret edebilmişti. Diğer arkadaşları ile birikte bir gazete çıkarmaya başladı ve kaleme aldığı pek çok makale bu jazetede yayımlandı. El yazması gazete yapraklarının hazırlanmasına 'e Akademide dağıtılmasına ilişkin faaliyetler tabii ki kısa süre sonra u yüzüne çıktı. Bir tür güvenlik polisi gibi akademiyi kontrol altında utan okul müfettişi dolambaçlı yollardan, devleti tehdit eden bu olaylan haberdar oldu. Derhal okul müdürü Rıza Paşa'yı sorguya çeken nüfettiş, faillerin hemen bulunmasını istedi. Ama müdür bu konuda ıarekete geçmeyince, Sultan'ın karşısında neden okuldaki asi öğencilere göz yumduğunu ve onlara karşı neden herhangi bir girişimde ulunmadığını açıklamak zorunda bırakıldı. Rıza Paşa, Abdülhamit'in nünde öğrencilerini cesaretle savundu ve dönen dolapları bilmediğini ddia etti.

Bu engizisyonvari huzura kabulden kısa bir süre sonra Rıza Paşa tesadüfen Mustafa Kemal ve arkadaşlarının sınıfta gazetelerin son sayısını hazırlamalarına tanık oldu. Ama anlayışlı ve iyi niyetli olduğunu kanıtlayarak, suçlulara ödevlerini ihmalden dolayı birkaç günlük oda hapsi vermekle yetindi. Bu olay sırasında yanında bulunan okul görevlisini bir bahane ile odadan dışarıya yollayan Rıza Paşa çocuklara birkaç akşam dışarı çıkmalarının yeterli olacağını söyledi. Ama bu cezayı bile aynı günün sonunda geri çekti. Selanik'deki Şemsi Efendi gibi Rıza Paşa'da önce aklın ve bilimin, sonra Padişah'ın ve devletin hizmetindeydi.

11 Ocak 1905'de Mustafa Kemal'e üsteğmen rütbesi verildi. Piyade sınıfını 320 öğrenci arasında yirmincilikle bitirmişti artık. İlk yıllardaki not ortalamasının yüksek oluşu nedeniyle dönem beşincisi olarak ayrıca bir de onur diploması aldı. Majesteleri Sultan'ın hizmetinde subay olarak parlak bir kariyer yapmak için önünde hiçbir engel kalmamıştı. Ama II. Abdülhamit'e güvenmek olası mıydı? "Taçlı diplomat" diye ün salacak denli bir kayıtsızlık ve düşüncesizlik içinde, Avrupalı büyük güçlere hokkabazlık yapan o değil miydi? Kişisel yaşamını kurtarmak ve hanedanın sürekliliğini sağlamak uğruna başvurduğu her hilede Osmanlıların boyundurluk altına aldığı diğer halklar gibi Türklerin de kendi öz vatanlarına sahip olmayı düşlediklerini unutan o değil miydi?

Düzenli olarak annesinden harçlık alan Mustafa Kemal eski İstanbul'un Beyazıt semtinde Ali Fuat ve akademiden diğer iki dava arkadaşı ile gizlice buluşabilecekleri bir ev kiraladı. İlk görevleri için emir beklerken politik tartışmalar yaparak ve el altından gizlice satın alabildikleri yasaklı edebiyat kitaplarını okuyarak zaman geçirmeye başladılar. Onlarla ilişki kurmaya çalışan ve fikir tartışmalarına katılan, aynı görüşteki genç adamların arasında, yaptığı eleştiriler yüzünden askeri okuldan atılan eski bir öğrenci vardı. Bu genç, bir gece onları Beyazıt Camii'nin yanındaki bir kahveye davet etti ve tuzağa düşürdü. Gizli ajanlar Mustafa Kemal ile diğer genç subayların çevresini bir anda sardılar ve onları "Kızıl Hapisane" diye bilinen kent tutukevine götürdüler.

Tutukluların sorguya çekilmesi bile ancak birkaç ay sonra gerçekleşti, bu arada dayak olaylarının yaşandığı da olmuştur. Fuat daha sonraları biraz da dargın bir şekilde kendisini dinleyen Mustafa Kemal'e şöyle anlatmıştı: Babası sayesinde protokol kurallarını iyi tanıdığından kendisine yönelik kaba güç gösterilerinden, Sultan'dan daha düşük rütbeli kimselerin bir Osmanlı subayına dokunamayacağı gerekçesi ile sakınmayı başarmıştı. Mustafa Kemal'e yüklenen suçlar arasında ise fahişeler ve sokak kadınları ile birlikte olmak, sarhoşluk, kumar ve tüm bu manevraların gerisinde de Padişah'a karşı yıkıcı eylemlerde bulunmak vardı. Onun ve arkadaşlarının hakkında açılan dava kısa sürede düştü. Rıza Paşa öğrencilerine yeniden kefil oldu ve onlara isnat edilen suçların, aslında gençlik ateşinin körüklediği tedbirsizlikten ileri gelen birtakım hatalar olduğunu ileri sürerek, onların namına af diledi.

Yaşamına değilse bile kariyerine malolan bu olaydan sonra Padişah'ın yüce gönüllülüğü sayesinde salıverilen tutuklular askeri görev yerlerinin belli olmasını daha büyük bir heyecanla beklemeye başladılar. Bu kuşkulu olaydan sonra onlardan mümkün olduğunca çabuk kurtulmak istendi ki, Edirne ve Selanik'deki ordulara katılma emrinin gelmesi pek fazla sürmedi. Kimin hangi şehire gideceğine kendi aralarında önceden karar vermek durumundaydılar. Yüksek rütbeli erkân-ı harbiye subaylarının nezaretinde kura çekilirken Mustafa Kemal, birbirlerinden ayrılmak zorunda kalmamak için arkadaşlarına Selanik'i seçmeleri gerektiğini ima etti. Haklarında açılan davadan sonra pek fazla güvenilmeyen subaylardan sayıldıkları için herkesin dikkati onların üstündeydi ve her hareketlerinden bir komplo kokusu alınıyordu. Bunun üstüne görev yerlerinin Makedonya ve Trakya'daki önemli garnizonlar olmadığı, daha çok imparatorluğun doğu ve güneydoğu sınırındaki tenha askeri üsler olduğu açıklandı. Mustafa Kemal ve Ali Fuat'ın şansları yaver gitti çünkü, ikisi birlikte 5. Ordunun üslendiği Şam'a yollandılar. 1902 yılında Paris'de yaptıkları ilk kongreden sonra Jöntürklerin gitgide daha fazla yoğunluk kazandığı Selanik'e gidememek iki arkadaşta öylesine büyük bir düşkırıklığı yarattı ki, üzüntülerinden bir şişe viski içip sarhoş oldular.

Ertesi gün üçüncü bir canyoldaşı ile birlikte gemiyle Beyrut'a doğru yola çıktılar, oradan da trenle Şam'a geçeceklerdi. Beyrut o zamanlar kısmen Avrupalılaşmış Arap nüfusu, liman kafeleri ve eğlence merkezlerinin yoğunluğundan dolayı az çok Selanik'e benzeyen bir kentti. Genç subayların orada kalma arzusunun gerçekleşmesi tabii ki olanak dışıydı çünkü onlar gibi ceza yemiş askerlere lüks bir kent değil, çöl yakışırdı.

Şam'a yapılan tren yolculuğu sırasında Mustafa Kemal ve arkadaşları Suriye'de üslenmiş olan 5. Ordunun askerlerinin çok kötü durumda olduğu izlenimini edindiler. Şam, genç subaylara uykuya dalmış, politik açıdan geri plana itilmiş bir şehir olarak göründü. Gücünün yetmediği durumlarla karşı karşıya geldiğinde hemen bezginliğe kapılan Mustafa Kemal'e arkadaşı Ali Fuat'ın Beyrut'a geri gönderilmesi daha da zor geldi. Ali Fuat'ın babası askeriyede iyi bir üne sahip olduğundan Şam üs kumandanı böylesine saygın bir paşanın oğlunu derhal valinin süvari muhafız kıtasına aldırmıştı. Von der Goltz ve diğer Prusyalı subaylar tarafından otorite ve disiplin sağlanması açısından en zayıf nokta olarak kabul edilen özel ilişkilere dayalı, eşitlik ilkelerine aykırı adam kayırma alışkanlığını Mustafa Kemal de ordunun en büyük kusurlarından biri olarak görüyordu. Suriye'nin güneyinde ayaklanan Dürzilere karşı atlı birliklerle çıkılan keşif yolculukları sırasında Mustafa Kemal artık basit olaylar sayılan talanlara, çapulculuğa ve haraç istenmesine bizzat tanık oldu. Akademide tablosu çizilen Padişah'ın şanlı ordusu imajı, gerçeklerle yüz yüze gelince şekil değişikliğine uğramış ve yara almıştı.

Mustafa Kemal ve İstanbul'dan birlikte geldiği üçüncü subay Müfit (Özdeş) Şam'da küçük bir ev kiraladılar ve yeni politik tartışma toplantıları düzenlemeye başladılar. 1906 Ekim'inde çarşıyı dolaşırken yasaklı Fransızca kitaplarla dolu bir dükkân keşfettiler. Merakla dükkân sahibini sorguya çekince, tahmin ettikleri gibi onun da Jöntürk hareketinin sempatizanı olduğunu anladılar. Aynı akşam Mustafa Efendi'nin (Cantekin) evinde konuk oldular ve adamın aslında Padişah'a suikast girişiminde bulunan askeri tıbbiye öğrencilerinden biri olduğunu, "Kızıl Hapisane"de uzun bir süre tutulduktan sonra Suriye'ye sürgüne yollandığını öğrendiler. Despot hükümdar II. Abdülhamit'i devirmenin ve bağımsız bir Türk Devleti kurmanın artık şart olduğu konusunda görüş birliğine varan genç subaylar başka yerlerde de propagandasını yapmak amacıyla bir gün sonra gizli, devrimci "Vatan ve Hürriyet Cemiyeti"ni kurdular.

Mustafa Kemal sonunda kendisi için anlamlı bir göreve soyunmuş oluyordu. Değişik silah türleri hakkında bilgi edinmek bahanesiyle Kudüs, Yafa ve Beyrut'a gönderilmesini sağladı. Gerçek amacı ise yeni kurdukları muhalif gruba taraftar toplamaktı. Aynı zamanda asi Dürzilere karşı yapılan keşif gezilerine katılmak için de kendiliğinden başvuruyordu çünkü Müslüman-Araplardan olan Dürziler gerilla taktikleri konusunda ileri derecede bilgiliydiler ve Mustafa Kemal onlardan kaptığı bu taktikleri daha ileriki bir zamanda, yirmili yılların başında Yunanlılara karşı sürdürdüğü Kurtuluş Savaşında kullanacaktı.

Mustafa Kemal, 1903 sonbaharından beri alışılmadık bir özgürlüğe kavuşan Jöntürklerin bulunduğu Selanik'i hiçbir zaman gözardı etmedi. 9 Ekim 1903 tarihinde Çar II. Nikola ve İmparator Fransız Joseph, Viyana yakınlarındaki Mürzsteg Sarayında buluşarak, Hıristiyan ve Müslümanların birlikte yaşadıkları Makedonya topraklarında huzuru ve düzeni koruyacak uluslararası bir polis örgütünün ilk planlarını hazırladılar. Savaşa girmeyi göze alamayan Abdülhamit, 1878 Berlin Kongresine katılanların tümü tarafından da imzalanan "Mürzsteg Sözleşmesi"nin ardından Makedonya'daki gizli ajanlarının bir kısmını geri çekti ve polislik görevinin Avrupalı müfettişler eşliğinde yapılması şartıyla, alınan kararları onayladı. Bu düzenleme, "İttihat ve Terakki Cemiyeti"ne Selanik'de yeni özgürlükler tanırken, Rum ve Eflaklı milliyetçi gruplar da terör eylemlerini yoğunlaştırarak ve politik cinayetler düzenleyerek, yeni tanınan haklardan alabildiğine yararlandılar.

1906 yılının sonlarına doğru Mustafa Kemal nihayet Selanik'e ulaşma şansını elde edebildi. O sıralarda emrinde olduğu Yafa bölge komutanı Ahmet Bey hiç beklenmedik bir şekilde Jöntürklerin politik hedeflerine büyük bir anlayışla yaklaşmıştı. Mustafa Kemal ona, Selanik'e gitmesinin ve "Komite"ye Suriye hakkında bilgi verip, gelecek için ne gibi planlar yaptıklarını öğrenmesinin şart olduğunu açıklayınca Ahmet Bey risk oranı son derece fazla olan bu kaçamağa yardım etmeyi göze aldı. Kıtadan izin almadan ayrılmasını ordudan gizli tutacağına ve işin kokusu çıkmaya başladığı anda onu uyaracağına söz verdi. Ayrıca Mustafa Kemal'e gereken tüm kâğıtları sağlamayı da ihmal etmedi.

Mustafa Kemal önce İngilizlerin kontrolu altındaki Mısır'a geçti ve oradan da gemi ile Pire'ye gitti. Bir Yunan gemisi kendisini Pire limanından alıp, Selanik'e götürdü. Geleceğini telgrafla bildirdiği askeri hazırlık okulundaki eski arkadaşlarından biri onu büyük bir beceri ile gümrükten geçirdi ve oğlunu son kez üç yıl önce İstanbul'da görmüş olan annesi Zübeyde'nin evine götürdü. Annesi, evladının Padişah karşıtı eylemlerin içinde yer aldığını hissetmiş ve güvenliğini sağlamak için elinden geleni yapmıştı.

Selanik ziyareti pek umut vaat etmediği gibi, düşkırıklığı bile yarattı sayılır. Aynı görüşleri paylaştığı kendisine önceden bildirilen topçu sınıfının komutanı Şükrü Paşa ile karşılaşmasından hiçbir sonuç çıkmadı. Paşa onu soğuk bir şekilde karşıladı ve ne Makedonya'ya tayinini çıkarmak açısından, ne de "Komite" yetkilileri ile Mustafa Kemal'in arasında daha sıkı bir ilişki sağlamak açısından herhangi bir yardımı dokunamayacağını açıkladı. Mustafa Kemal'in bazı "Komite" üyeleri ile yaptığı konuşmalar da onun muhalefet liderlerinin yakın çevresine ulaşmasını sağlayamadı. Suriye'den getirdiği haberleri ilgiyle dinlendi ama, daha özel buluşmalar için hiçbir çağrı almadı.

Etki alanı geniş otoritelere yaklaşmayı gerçekleştiremediği halde, daha sonraları Jöntürkler tarafından kendi bünyelerine katılacak olan "Vatan ve Hürriyet Cemiyeti"nin bir şubesini orada örgütlemek dahi Mustafa Kemal'e belli bir tatmin sağlamıştı. Askeri okuldan öğretmeni olan bir erkân-ı harbiye subayının kendisine sağladığı rapor sayesinde hareketlerini kısıtlamak zorunda kalmadığı için kendi kurduğu örgüte üye toplamaya girişti. Bunların arasında Manastır'dan arkadaşı Ömer (Naci) ve ilerde tanınmış bir edebiyatçı ve tarihçi olacak Nursalı (Tahir) da bulunmaktaydı. Üyeler cemiyetin kuruluş töreninde Mustafa Kemal'in deklarasyon şeklinde kaleme aldığı özgürlük ve bağımsızlık prensiplerine sadık kalacaklarını belirtip, müstebitliğe karşı ayaklanacakları güne kadar saklamak üzere tabancalarını öptüler ve Kuran'a el basarak yemin ettiler.

Aşağı yukarı dört ay sonra asker kaçağını yakalamak üzere İstanbul'dan emir almış olan gizli polis Mustafa Kemal'i uyardı. Aynı yollardan Yafa'ya geri dönünce komutan Ahmet Bey onu hemen Gazza ve Ölü Deniz arasındaki Mısır sınırlarına yakın bir askeri üs olan Beersheba'ya yolladı. İstanbul, üsteğmen Mustafa Kemal'in son dört aydır nerede olduğunu sorunca, Ahmet Bey hemen yanıtını telledi: Saltanata bağlı bir subay olarak Beersheba'da İngilizlere karşı Osmanlı İmparatorluğu'nu savunmaktadır.

1907 yılının Haziran ayında Mustafa Kemal yüzbaşı oldu ve Şam'daki karargâha geri çağrıldı. Aynı yılın Eylül ayında ise uzun zamandır özlemle beklediği Makedonya tayini nihayet çıktı. Böylece kişisel cesareti ve şansının sayesinde hem onunla aynı yolu seçmiş dostları ile fikir arkadaşlarına, hem de artık fazlasıyla yaşlanmış ve hantallaşmış olan Osmanlı yönetimine Mustafa Kemal'in Abdülhamit'in zindanlarında çürüyüp gitmediğini, tam tersine yaşamının ve kariyerinin göstereceği değişkenliklere kendisini her zaman hazır tutacağını kanıtlamış oluyordu.

Jöntürk Devriminin Gölgesinde (1908 - 1911)

1907 sonbaharında Selanik'e tayini çıkan Mustafa Kemal umduğu gibi 3. Ordunun genelkurmaylığına değil, şehirde yerleşmiş olan tümenlerden birine sevkedildi. Bir yıl önce Selanik'de şubesini kurduğu "Vatan ve Hürriyet Cemiyeti"nin bu arada "İttihat ve Terakki Cemiyeti" üyeleri tarafından kendi organizasyonlarına dahil edilmiş olması, saygınlık ve etki arayışı içindeki genç yüzbaşıyı en az istediği yere tayin edilmemek kadar düşkırıklığına uğrattı. Suriye'deki ikâmeti sırasında geleceğin planlarını yapan kimselerle ilişkisini kaybetmekten duyduğu korku, şimdi içindeki hırsı her bakımdan kısıtlayacak olan önemsiz bir askeri pozisyona getirilmekle daha da artmış bulunuyordu.

İstanbul'da ilk görev emrini beklerken olduğu gibi, Suriye'deki hizmeti sırasında da boş zamanı çok olan Mustafa Kemal çevresine politik görüşlerini tartışabileceği kimseleri toplamıştı. Bunların arasında 1919'da başlatılan Milli Mücadele Hareketi sırasında önemli bir rol oynayan Kazım Karabekir ile Manastır'daki Askeri Akademiden arkadaşları olan Nuri (Conker) ve Ali Fethi (Okyar) de vardı. Genç adamlar, ya Zübeyde'nin ikinci kocası Ragıp'ın ölümünden sonra varlıklı bir dul olarak kızı Makbule ile oturduğu şehir merkezindeki büyük evinde ya da modern kafelerden birinde buluşuyorlardı. Tartışmalar genellikle merkezinde şu ya da bu şekilde Mustafa Kemal'in yer aldığı gelecek hayalleri ve öngörüleri ile sonuçlanıyordu. Bir akşam "Beyaz Kule" isimli kafenin bahçesinde Girit ve İran'daki özgürlük hareketlerinden konuşurlarken Nuri şöyle bağırdı: "Neden bizde de onlar gibi gayretli adamlar yok?" Mustafa susunca, Fethi ona takılmaktan kendini alamadı: "Şu anda ne düşündüğünü biliyorum. Kendini, ülkemizin bu gayretli adamlarından biri olarak görüyorsun." Bu tahmin doğru olmalıydı ki, yanıt ani bir refleks gibi geldi: "Evet, neden bizde de Mustafa Kemal lider rolünü üstlenmesin?" Ve sonra yine hayallere dalıp, rakının tadını çıkardılar. Mustafa, Fethi'ye şöyle dedi: "Senden çok iyi dışişleri bakanı olur." Bunun üzerine Fethi "Ya sen kendine hangi görevi layık görüyorsun?" diye sormaktan kendini alamadı. Mustafa'nın, görev dağılımını yapan kişi olacağını belirten yanıtında, yıllar önce Manastır'daki okul arkadaşlarına "Bir gün birisi olacağım" diye yaptığı açıklamada hissedilen o güçlü özgüven yine seziliyordu.

Tanık olanların anlattığı aşağıdaki anekdot yalnızca Mustafa Kemal'in askeri ya da politik bir olayın değerlendirilmesinde ne denli yoğun bir sezgi gücüne sahip olduğunu belirtmekle kalmaz aynı zamanda, 20. yüzyılın başlarında Jöntürklerin Panislamizm ve Pantürkizm hayalleri ile Osmanlı İmparatorluğu'nun gelecek şansını nasıl daha da bulanıklaştırdığını Kemal'in tüm gerçekçiliği ile değerlendirdiğini de belli eder. Mustafa Kemal bir gece yine Selanik'deki aydınlar ve kendisi ile aynı fikre sahip subaylarla oturmuş, değişik reform planları üstünde tartışıyorlardı. Kendisi gibi Suriye'den Makedonya'ya tayin edilmiş olan Fethi ve Fuat beylerle annesinin evinde buluştuğu için - annesi Zübeyde'nin uyarılarından ve nasihatlarından kurtulmak için ilerde kendisine aynı şehirde bir oda kiralayacaktır- yalnızca kızkardeşi Makbule'nin tepsi tepsi taşıdığı kahve ve sigara ile yetinmek zorundaydılar. Sultan'ın bir zamanlar sahip olduğu ülkeler topluluğundan geriye ne kalacağı sorusu üstünde hiçbiri görüş birliğine varamayınca, Mustafa Kemal önüne bir tabaka kâğıt çekip, üstüne bir eskiz yaptı. Sonra kâğıdı katladı ve şu sözlerle birlikte Fuat'a uzattı: "Bu kâğıdı sakla. Oraya çizdiğim şey gün gelecek, gerçek olacaktır." Merakını yenemeyen Fuat kısa bir zaman sonra kâğıda baktı ve orada 1923 Lozan Barış Antlaşması ile belirlenen sınırlar içinde çizilmiş ütopik bir Türkiye haritası buldu.

27-29 Aralık 1907 tarihinde Paris'de Jöntürklerin ikinci kongresi yapıldı. Makedonya'da gitgide sıklaşan ve şiddetlenen milliyetçi ve dini azınlıkların çıkardığı ayaklanmalar ve geçen yaz kaldırılan mahsulün kötü olması sonucu artan mali kriz nedeni ile subayların ve memurların maaşlarında kısıtlamaya gidilmesi yüzünden delegeler eyleme geçme konusunda ortak bir anlaşmaya vardılar: Sultan devrilmeli ve meşruti monarşiden kurtulunmalıydı. Tepeye yönelik bir devrim kararı alınmıştı -1876'daki durumla aralarındaki fark budur- ama yine de ölçülü bir devrim olacaktı bu çünkü, Osmanlı, İslam ya da Türk devletlerinin merkezi olması ya da federe idare şeklini temsil etmesi için Osmanlı Hanedanlığının lağvedilmesi gerekiyordu. Mustafa Kemal'in ana hatları ile ortaya koyduğu, Anadolu'nun sınırları içinde kalan bir Türkiye Cumhuriyetini hedefleyen gerçek bir devrim fikri "Komite" toplantısında tek bir yandaş bile bulamamıştı.

Padişah'ın müfettişlerine yönelik bir dizi suikast ve Rum milliyetçilerinin çok daha vahim yeni bir isyan başlatmaları 1908 Temmuz'unda Makedonya'daki gergin havayı patlama noktasına getirdi. Aralarında Mustafa Kemal gibi orta halk kesiminden gelen ve ondan bir yaş genç olan Enver'in de bulunduğu Jöntürk subaylar askerlerini alarak, dağa çıktılar. Meskûn yerlerin yöresel makamlarına saldırılarda bulundular ve halktan 1876 başlangıçlı Meşrutiyet yönetiminin yeniden uygulanmasına dek vergilerini Padişah'a değil, kendilerine vermelerini talep ettiler. Garnizonları güçlendirmek için Anadolu'dan Makedonya'ya kaydırılan askerler ise geniş gruplar halinde asilerin saflarına geçtiler ve parlamentonun yeniden açılması için geniş kitlelerin yaptıkları gösterilere katıldılar.

Açık savaşı daha ileriki bir zamana göre planlamış olan "İttihat ve Terakki Cemiyeti" bu eylemler karşısında gafil avlandı. Bir sel taşkınına benzeyen bu kabarmayı dizginleyecek ve başkente doğru yönlendirecek kararları bile daha doğru dürüst alamamışken "Yaşlı Tilki" Abdülhamit hemen devreye girdi. Parlamentonun yalnızca reformlar sırasında yaşanan o zor dönem sırasında kapatıldığını, imparatorluğun düşmanlarını ezmek için artık el ele verip çalışmanın zamanının geldiğini açıklayıverdi. Bu zarif taviz devrimi daha başlamadan bloke etti ve Padişah'a son bir hareket özgürlüğü daha tanıdı.

Otuz yıldan fazla süren istibdat idaresinin artık son bulduğuna dair Yıldız Sarayının verdiği mesaja insanların çoğu ilk anda kandı, bu haber bir anda her yana yayıldı, insanlar büyük bir coşku içinde sokakları ve meydanları doldurdular. Modern Türkiye'nin ünlü kadın yazarlarından ve Mustafa Kemal'in Kurtuluş Savaşı sırasında en yakın dostlarından ve silah arkadaşlarından biri olan Halide Edip (Adıvar, 1884 -1964) kaleme aldığı "Anılar"ında 1908 Temmuz'unun son günlerinin İstanbul'da şöyle yaşandığını anlatır: "Kırmızı-beyaz kokartlar takmış hanımlar ve beyler yekvücut halinde bir taraftan diğer tarafa akıyordu. Yüzyıllar boyu süren gelenek unutulmuş gibiydi sanki. Ne cinsiyet ne de kişisel duygu farkı yoktu aralarında. Kadınlar ve erkekler salt heyecan yüklü tek bir dalga gibi kabarıyor, alışılmışın dışında bir şeyler olduğunu yansıtırcasına, belli bir süre için tüm zaafları ve formaliteleri yok eden bir içtenlikle gülüyor ve ağlıyorlardı. Binlerce insan sarmaş dolaş olmuş, her resmi binanın önünde duruyor ve yeni rejime yaptıkları sadakat yeminini kabul etsin diye bakanları dışarıya çıkmaya çağırıyorlardı."

Aynı görüntülerin hakim olduğu Selanik'de ise Mustafa Kemal hemen hemen kendisiyle yaşıt olan Enver'in nasıl aniden ön plana çıktığını biraz da hasetle izlemekteydi. Dağlarda istibdat idaresine karşı savaş vermiş olan bu genç subay Türk halkı için romantik ve yürekli bir kahramandı artık. Her yer resimleri ile donatılmış, o günlerde doğan çocuklara "Enver" ismi takılmıştı. Onun da tıpkı Mustafa Kemal gibi güçlü bir karakter yapısı vardı, en az onun kadar hırs yüklüydü ve dış görünümüne çok büyük önem verirdi. Mustafa Kemal'e göre farklı tarafı ise çekiciliği, becerikliliği ve sokulgan yapısı sayesinde yalnızca toplumun sempatisini kazanmakla kalmamış, aynı zamanda Jöntürklerin kurduğu "İttihat ve Terakki Cemiyeti"nin de üyesi olmayı başarmıştı. Selanik'deki "Olympos Palace" Otelinin balkonundan aşağıda toplanmış olan kalabalığı selamlarken, hemen ardındaki gölgelerin içinde "Komite"nin gayretli bir subay olarak takdir ettiği ama aynı zamanda rahatsızlık duyduğu ve fazla inatçı olarak nitelediği Mustafa Kemal duruyordu. Mustafa Kemal hiç kimseye boyun eğmeyen ve hiç kimsenin ardından gitmediği iğneleyici, dik kafalı, iddiacı, mütecaviz ve her şeyi eleştiren bir insan olarak biliniyordu. Ayrıca yaşamı da içki içmeyen, sigara kullanmayan ve her askeri harekâtta yanında Kur'an taşıyan Enver'inki kadar mazbut değildi.

Bu acı balkon sahnesinden sonra Mustafa Kemal subay arkadaşlarının kansız bir sonla biten devrimi kutladıkları ve Enver'in şerefine kadeh kaldırdıkları "Kristal" Gazinosuna gitti. Hiç hoşlanmadığı rakibinin hakkında düzülen övgülere dayanması pek uzun sürmedi. Sonunda "Ne demek oluyor bu?" diye ayağa fırladı. "Saatlerdir Enver'i methedip duruyorsunuz, Enver, Enver! Onu bu denli övmek ne derece doğru olur, bilmiyorum." Subaylardan biri karşı çıktı: "Sakın onu kıskanıyor olmayasın? O, özgürlük uğruna dağlara çıktı, bu nedenle ona hayranlık duymam çok doğal sayılır." Enver'i politik açıdan tehlikeli bir hayalperest olarak gören Mustafa Kemal burada da açık sözlülüğü elden bırakmadı ve özgüvenini tam anlamı ile belli eden bir ses tonuyla şöyle dedi: "Tabii ki onu kıskanıyorum. Ben de onun gibi mütevazı bir aileden geliyorum. Ama bu denli çok övülüp, hayranlık toplamasının onun mağruriyetini ve kendini beğenmişliğini arttıracağını ve sonunda ülkesine zarar veren bir insan olacağını hiç düşünmedin mi?"

O günleri izleyen aylarda Jöntürkler, aralarında başgösteren fikir ayrılıkları nedeni ile 19. yüzyıldan beri planladıkları ama ikide bir erteledikleri reformların devamını getirmeye ara verirlerken, "Liberalleşme", "Hıristiyanlaşma" ve buna bağlı olarak Osmanlı İmparatorluğu'nun çöküşüne karşı kendilerini savunmak için birtakım tutucu güçler Abdülhamit'in çevresine toplandılar. "İttihat ve Terakki Cemiyeti" gerçi hâlâ asker kökenli üyeleri sayesinde Sultan'ın üzerinde baskı uyguluyordu ama, eski politikacılardan oluşturulan yeni kabine üstünde etkili olduğu pek söylenemezdi.

Avrupa, Jöntürklerin elde ettiği bu başarıyı hoşnutsuzlukla karşıladı. Ama yine de Sultan'ın artık bir parlamento tarafından kontrol edileceğini ve bu nedenle kimsenin iç işlerine karışmasına gerek kalmadığını iddia eden Babıâli'nin yüksek zevatına pek de inanmayan bazı hükümetler el altından birtakım saldırılar tezgâhlamaya başladılar. 5 Ekim 1908'de Rusya tarafından desteklenen Bulgaristan bağımsızlığını ilan etti -böylece Padişah'ın vergi gelirinde azalma oldu-, 7 Ekim'de Avusturya, iki Osmanlı eyaleti olarak Padişah'a vergi ödeyen Bosna-Hersek'i kendi ülkesine kattı ve 12 Ekim'de Padişah'ın egenenliği altında olan Girit sessiz sedasız Avrupalı güçlerin de onayı ile Yunanistan'ın kontrolu altına girdi. Osmanlı yönetiminin İstanbul'daki parlamento seçimleri öncesinde geçici bir zayıflığa düşeceği varsayılmış ve bundan derhal yararlanılmıştı.

1908 Aralık'ında açılması gereken parlamentonun milletvekilleri seçimi için Mustafa Kemal, Ekim ayının sonlarına doğru "İttihat ve Terakki Cemiyeti" tarafından bugünkü Libya'nın batısını kapsayan Trablusgarp eyaletine gönderildi. Görevi, orada yaşayan Araplara Jöntürklerin programını anlatmak ve onları ilerici milletvekillerini seçmeye ikna etmekti. Bu misyon sayesinde, Enver'in de körüklemesi ile Selanik'den iyi bir bahane ile uzaklaştırılan Mustafa Kemal hiç sözünü sakınmadan yaptığı sert ve dik başlı eleştirileri ile Enver'in gitgide daha da belirgin hale gelen büyük güç hülyalarına ve politikaya askeri müdahaleler yapma eğilimine karşı çıkarak antipati topluyor ve enterne edilmesi gerekliliği daha bir kesinlik kazanıyordu. Selanik'den Üsküp'e uzanan demiryolu hattının kontrolundan oluşan askeri görevi onu, yaptığı tartışma toplantılarından hâlâ alıkoymadığı için, "Komite"nin başında bulunanların dikkatini gitgide daha fazla çekmesi kaçınılmazdı. Kendine özgü fikirleri açıklarken, diplomatik olmayan haşin bir yol seçmesi "Komite" merkezinin kapılarının ona açılması için hiç de uygun bir yöntem değildi.

Tüm beklentilerin aksine Trablusgarp'da üstlendiği misyonu en iyi şekilde yerine getirdi. Kendisini, toplumsal yapı değişikliğinin oluşturulma sürecine katkıda bulunan özel bir elçi olarak görmüştü. İzmir ve İskenderun üzerinden Trablusgarp'a giden gemi yolculuğu sırasında, ilerde kendisine birinci emir subayı yapacağı gençlik arkadaşı Salih (Bozok)'e bu anlamda mektuplar yazmıştır. Askeri yaşamın tekdüzeliğinden kurtulmuş olmanın verdiği rahatlıkla, kişiliğinin "Komite" tarafından kabul görmemesini çabuk unuttu ve tüm gücü ile dikkatini önündeki hedefe yoğunlaştırdı. Arapları, İstanbul'daki yeni düzene ikna etmeyi ne pahasına olursa olsun başarmak zorundaydı.

Limanı olmayan Trablusgarp kıyılarına küçük bir sandalla çıktığı anda, kendisini kimsenin karşılamaya gelmemiş olduğunu farketti. Yüzbaşı rütbesi taşıyan subay üniformasının içinde, elinde bavulu, yayan olarak ortaçağdan kalma bu liman kentinden uzaklaştı ve çantasını başının altına koyup uyuyabileceği deniz kenarında boş bir yer bulana dek yürüdü. İçinde yeşerttiği başarı umutlarını yerle bir eden bu düşkırıcı durumdan bir Türk subayının yine Türkçe selamıyla kurtuldu. Karşısında kendisinden daha genç ve iki rütbe daha düşük biris vardı. Tekrar iyimser bir havaya bürünerek, tazelenmiş bir cesaretle yeni dostunun karargâhına doğru ilerledi.

Ertesi sabah kendisini bölge komutanına takdim etti ve ona planlarını açıkladı. Bunun üzerine büyük saygı görerek, orada bulunduğu sürece kalmak üzere Trablusgarp'da paşalar için ayrılan özel konutlardan birine götürüldü. Son derece lüks döşenmiş ev bir kişi için gereğinden fazla büyük olduğundan, yeni tanıştığı genç teğmeni bu saltanatlı ikâmetgâhı paylaşmaya davet etti. İlk adımı atmış, özgüvenini yeniden elde etmişti.

Daha sonraki haftalarda ikna etmeye uğraşacağı muhataplarının arasındaki en zorlu kişiler Trablusgarp ve Bingazi Şeyhleriydi. Türk ajanlarından öğrendiğine göre Trablusgarp Şeyhi, "Komite"nin kendisinden önce aynı amaçla buraya yolladığı üç kişiyi tutuklatmıştı. Mustafa Kemal aldığı bu haber üzerine, Şeyh'in taraftarlarının buluşmayı alışkanlık haline getirdikleri bir camii avlusuna yanına hiç koruma almadan, elini kolunu sallaya sallaya gitti. Orada vatanperverlik üstüne hararetli bir konuşma yaptı ve dış düşmanlardan korunmak için tüm Müslüman kardeşlerin birbirlerine sıkı sıkı kenetlenmeleri gerektiğini açıkladı. Sözlerini, yeni yönetimin kendileri ile eskisinden daha fazla ilgileneceği garantisini vererek bitirdi. Orada toplanmış olan kişilerin düşmanlığı, Mustafa Kemal'i dinlerken azaldı. Ama Şeyh yine de Selanik'den gelen bu haberciyi huzuruna getirtti. Kim olduğunu ve bu denli ölçüsüz davranmak için kendisinde nasıl hak gördüğünü sordu. Mustafa, "Komite"nin kendisine verdiği yetki belgesini gösterdi ama, Şeyh yalnızca gülmekle yetindi ve ona kendisinden önce tutuklattığı üç haberciden söz etti. Mustafa hiç duraksamadan taktik değiştirerek, yetki belgesini Şeyh'e uzattı ve şöyle dedi: "Bu kâğıdı alın ve yırtın. Ben bu tip kâğıtlara ihtiyacı olan adamlardan değilim. Ben yalnızca sizinle konuşmak için buraya gelmiş bir erkeğim." Şeyh yine gülümseyerek şu yanıtı verdi: "Öyleyse ben de sizinle konuşurum." Ve daha sonra da Mustafa Kemal'i serbest bıraktı.

Bugünkü Libya'nın doğu kısmını oluşturan Bingazi'de ise işler askeri baskı olmadan yürümedi. Bölge Şeyhi Mansur, Sultan'ın idari memurlarını kuklası haline getirmiş, elinde oyuncak yapmıştı. Bu nedenle Mustafa buraya gelince Şeyh Mansur'a diplomatik yollardan ulaşmayı hiç denemedi. Türk bölge komutanını ve subaylarını, askerlerini manevra tatbikatı nedeni ile kışlalara çağırmaları için ikna etti. Adamların, yolsuzlukları ortaya çıkarmak amacı ile yeni yönetim tarafından gönderilmiş gizli bir müfettiş olabileceğinden korktuklarını sezince garnizon hakkında gönül alıcı iltifatlarda bulunarak, onları yatıştırdı. Sonunda ikna olan subaylar bu Selanikli yüzbaşının tatbikat planına uymaya razı oldular. Mustafa Kemal bir piyade alayının önce batıdan ve sonra da ani bir değişiklikle sanki düşman diğer taraftan yani doğudan Bingazi'ye geliyormuş gibi harekete geçirilmesini istemişti. Kent içinde herhangi bir ev olarak belirlediği manevra hedefinin ise Mansur'un sarayı olduğunu başlangıçta subaylardan saklamıştı.

Operasyon, Arap halkında herhangi bir kuşku uyandırmadan başladı ve hedef obje, yani Şeyh'in sarayı aniden askerler tarafından kuşatılınca beyaz bayraklı bir adam dışarıya çıkarak, ateş açmazlarsa teslim olacaklarını söyledi. Mustafa Kemal, Şeyh'e kuşatmanın ancak kendisi ile görüştüğü takdirde kaldırılacağı haberini yollattı. Bu manevranın ciddi olmadığını hâlâ pek anlamamış olan Mansur, “Komite” nin habercisini görmeyi derhal kabul etti. Mustafa, Jöntürklerin politikasını anlatıp tüm ayrıntıları ile bitirdikten sonra Mansur ona bir Kur’an uzattı ve şöyle dedi: “Bu kitaba el basarak, Halife Efendimize hiçbir zarar gelmeyeceğine yemin edebilir misiniz?” Mustafa, Kur’an'ı aldı, öptü ve şu yanıtı verdi: “Kur’an ve şerefim üstüne yemin ederim ki kendisini Halife olarak isimlendiren adama benden hiçbir zarar gelmeyecektir.” Şeyh böylece inançlarına sadık bir Müslüman olduğunu kendi yöntemleri ile kanıtladıktan sonra, politik taleplere de boyun eğeceğini bildirdi. İlerdeki günlerde de hükümetin memurlarının ve askerlerinin otoritesine saygı göstereceğine dair söz verdi.

Diplomatik yeteneklerinin ve askeri soğukkanlılığının sayesinde elde ettiği bu çifte başarı o anda belki ancak çırak düzeyindeydi ama hemen hemen on yıl sonra Mustafa Kemal, Yunan işgaline karşı gerçekleştireceği ulusal örgütlenme ve direniş hareketi ile usta düzeyinde başarılar elde edecekti. Selanik'e dönüş zamanı geldiğinde Mustafa Kemal kişisel olarak deneyimlerini bir hayli zenginleştirmiş durumda olmakla birlikte, eksiksiz yerine getirdiği bu görevi, kendisini Trablusgarp zindanlarındaki diğer üç habercinin yanında görmeyi yeğleyen "Komite"ye bir adım daha fazla yaklaştırmış bile değildi.

Bu başarının kulak ardı edilmesinin, "Komite"yi şoka sokan ve Arapların tüm Müslüman Osmanlıları aynı yoğunlukta desteklemeyecekleri gerçeğini hesaba katmalarını gerektiren 2 Eylül 1908 tarihinde kurulmuş "Arap-Osmanlı Kardeşliği" ile de yakından ilgisi vardı. 1908 de yapılan seçimlerin sonucu yalnızca sayılar açısından doyurucuydu 275 milletvekili sandalyesinden yalnızca bir tanesi ufak bir Jöntürk partisi olan "Liberal İttihat"a gitmiş, diğerlerini "İttihat ve Terakki Cemiyeti"nin milletvekilleri elde etmişlerdi. 274 parlamenterin arz ettiği bütünlük görüntüsü ise ulusal ve etnik gruplar yüzünden kısa süre sonra çatırdadı çünkü parlamentodaki sandalyelerden 142'si Türklere, 60'ı Araplara, 25'i Arnavutlara, 23'ü Rumlara, 12'si Ermenilere, 5'i Musevilere, 4'ü Bulgarlara, 3'ü Sırplara ve bir tanesi de Makedonya'daki Romen azınlığa aitti. Seçimleri izleyen yılların neler getireceğini daha o günden gören milletvekili ve filozof Rıza Tevfik, yeni parlamentoya "Babil Kulesi" ismini vermişti.

17 Aralık 1908 tarihinde, Sultan Ahmet Meydanınındaki Adalet Bakanlığı binasında yapılan parlamentonun açılış törenine Abdülhamit üstü açık, atlı bir saray arabası ile geldi. İstanbulluların pek çoğu hükümdarlarını o gün ilk kez görüyorlardı ve pek çoğu, kocaman yüzünün solgunluğu ve iki büklüm oturuşu yüzünden bu yaşlı adama "Yaşayan Ölü" ismini takmıştı. Hazırladığı konuşma metni milletvekillerinin ve özel bir tribünde oturan diplomatların karşısında Genel Sekreteri tarafından okunurken Padişah da kendine ayrılmış olan Sultan locasında oturdu. Ana fikri, "İmparatorluğumun ve ülkemin geçmişteki ve gelecekteki mutluluğu anlamına gelen umumi arzuları (reformlar) yerine getirmek üzere, bu konudaki karşıt görüşlere ve fikirlere rağmen Meşruti idare şekline geçmiş bulunuyoruz" olan konuşma bittikten sonra milletvekillerinin sözcüsü hükümetin, imparatorluğun elinden

çıkan toprakların geri alınmasını destekleyeceğine garanti verdi. Abdülhamit daha sonra tahtından kalktı, avuçlarını gökyüzüne doğru çevirdi ve orada bulunan Müslümanlarla birlikte dua etti. Ama "Yaşlı Tilki"nin elinde hâlâ bazı kozlar yok değildi. Gizli polis servisi dağıtılmış ve anayasadaki 113. madde geçersiz kılınmış olmakla birlikte tutucuların hepsi ondan yanaydı ve bu da zaten deneyimsiz olan milletvekillerinin devlet meselelerinde birbirleri ile anlaşamayacakları anlamına geliyordu.

Dört ay sonra, 12 Nisan 1909 akşamı "Komite"yi din düşmanı olmakla suçlayan, şeriat isteyen, komite üyelerinin ordudan uzaklaştırılmasını ve hükümetin değişmesini talep eden Medrese öğrencileri, zanaatkârlar ve işçiler Sultan Ahmet Meydanında büyük bir gösteri yaptılar. 12 Nisan'ı 13 Nisan'a bağlayan gece göstericiler İstanbul'da üslenmiş olan 1. Ordunun askerlerinden de destek alarak caminin hemen karşısındaki parlamento binasına hücum ettiler ve panik içinde kaçışan milletvekillerinden ikisini öldürdüler. Bir gün sonra hükümet halkın baskısı sonucu geri çekildi, hiç istemediği bu yönetim şeklinden kurtulma şansının çok yakında olduğunu gören Abdülhamit muhaliflere, tüm isteklerini yerine getireceğini açıkladı. Yeni bir kabine kurdu, kolluk kuvvetlerinin kontrolunu üstlendi ve yine eskisi gibi ülkeyi yönetmeye başladı.

Parlamentonun varlığını tehdit eden bu durum tüm aydınların umudunun Makedonya'daki 3. Orduya yönelmesine neden oldu. Jöntürklerin geleceğinden çok İstanbul'daki düzen için kaygılanan pek çok yaşını başını almış subay, Mahmut Şevket Paşa'nın komutanlığında başkente yürümeye hazır olduklarını açıkladılar. "Komite" imparatorluğun kenar bölgelerinde yaşayan ve parlamentoda temsil edilen azınlık gruplardan gönüllüleri harekete geçirmeye çalıştı. Ulusal bağımsızlık için umut besleme nedenleri bile olmayan Ermeniler, büyük imparatorluk hayalleri kuran Jöntürkleri desteklemekten çok, İstanbul' daki yönetimin bu zayıf anından kendi amaçları için yararlanmaya çalışarak, Adana'da isyan çıkarmaya başladılar. Bir önceki yüzyılın doksanlı yıllarında güç bela bastırılmış olan din fanatizmi yeniden uyandı ve karşıt tepki olarak Hıristiyan-Ermeni toplumunda yeni bir kıyıma neden oldu.

Mahmut Şevket Paşa ile ona bağlı olan subaylar Selanik'de "Komite" üyeleri ile biraraya gelen İstanbul'un derhal harekete geçmeyi gerektiren durumunu değerlendirdiler. Düşürülmüş hükümetin, askeri ataşe olarak Berlin'e yolladığı Enver'in tekrar Makedonya'ya dönmüş olması Mustafa Kemal'e çok acı geldi. Onu geri plana itip, kendisini daha hoş ve sevimli gösterseydi ne olurdu acaba? Ama talihin ve doğru yapılmış tahminlerin gelişimi başka türlü oldu. 3. Ordunun komutanı, Mustafa Kemal'i İstanbul'a yürüyecek olan "Hareket Ordusunu"nun eğitim başkanlığına getirdi. Mustafa Kemal birkaç gün içinde birliklerde disiplin ve moral sağladı, askerleri ve teçhizatlarını kısa sürede trenlerle İstanbul önlerindeki Yeşilköy'e ulaştırdı.(*)

"Hareket Ordusu" 22 Nisan'dan itibaren Yeşilköy'de (o zamanlar Ayastefanos) yeni emirler gelsin diye bekletildi çünkü bir yandan Mahmut Şevket Paşa İstanbul'daki halkı bu ani yürüyüşle paniğe düşürmek istemiyor, diğer yandan da bazı milletvekileri İstanbul'un banliyösü sayılan bu bölgeye gelmişler, barışçıl bir çözüme ulaşmak için nasıl davranmaları gerektiğini tartışıyorlardı. Sonunda Abdülhamit'i büyük bir riziko olarak görenlerin fikirleri ağırlık kazandı. Gizli bir oturum yapıldı ve eski ile yeni parlamento üyelerinden de destek alan çekirdek bir parlamento, "Ulusal Resmi Meclis" olarak şeriat taraftarlarının karşı devrimine destek vermek ve devlet parasına sadakatsizlik gerekçesiyle Sultan'ı tahtından indirdi, kardeşini Padişah yaptı.

Mustafa Kemal bu iki gün boyunca komutanı Şevket Paşa'nın adına, İstanbul'da hâlâ Sultan'a bağlılık gösteren askerlere hitaben, onları yatıştıracak etkili sözlerle dolu telgraf metinlerini kaleme aldı. Hareket Ordusu 24 Nisan 1909 tarihinde halktan ve kışlalardan fazla direniş görmeden İstanbul'un en önemli noktalarını işgal etti. 27 Nisan'da "Ulusal Resmi Meclis", Şeyhülislamdan aldığı fetva ile Ayasofya'da II. Abdülhamit'in tahtan indirildiğini ve yerine kardeşi V. Mehmet Reşat'ın geçtiğini açıkladı. Abdülhamit'i tahtından indiren subaylar daha o akşam onu, ailesini ve bazı hizmetkârlarını özel bir trene bindirdiler ve kendisi için hazırlatılan "Allatini" isimli lüks bir villanın bulunduğu Selanik'e gönderdiler. 1912 Balkan Savaşı

(*) Mustafa Kemal "Hareket Ordusu"nun hem isim babası ve hem de kurmay başkanıdır.

çıkınca, Padişah İstanbul Boğazının Asya yakasındaki Beylerbeyi Sarayına geri getirildi. Dönüş yolculuğu sırasında sabık Padişah'ın tutsak olarak düşmanlarının eline düşmesini engellemek açısından II. Wilhelm eski dostuna bir vefa örneği göstermiş ve Alman destroyeri "Loreley"i hizmetine vermişti. Abdülhamit, Osmanlı İmparatorluğu'nun dağılmasından kısa bir süre önce, 10 Şubat 1918'de öldü.

İstanbul'un alınmasından sonra "Hareket Ordusu"nun ve Mustafa Kemal'in görevleri de bitmiş oldu. Selanik'e geri dönmeden önce, Galata Köprüsünde karşıt devrimcilerin ipe çekilen ölü bedenlerinin darağaçlarından nasıl sallandığını gördü, Haliç'i geçerek geleneksel Kılıç Kuşanma Töreni için Eyüp Camiine gelen, ağabeyinin tam otuz yıl hapiste tuttuğu yeni Sultan'a halkın nasıl "Padişahım çok yaşa". diye bağırdığını duydu.

Mahmut Şevket Paşa harp hukuku gereği 1910 yılına kadar İstanbul üs komutanı oldu ve 1., 2. ve 3. Orduların müfettişliğine tayin edildi. Türkiye Cumhuriyetinin yakın geçmiş tarihinde zaman zaman kendini gösteren her devlet bunalımında hâlâ yaşandığı gibi, bu görev ona önemli bir politik etkinlik kazandırdı. Parlamentoda yine çoğunluğu elde eden ve en önemli üyelerinden ikisi olan Talat ve Cavit Bey'lerin bu kez İçişleri ve Maliye bakanlıklarının başına geçtiği "İttihat ve Terakki Cemiyeti" hâlâ askerlerin etkisi altında olma durumunu sürdürdü. "Komite"nin gücünün azalmasındaki en önemli etken organizasyon eksikliğiydi. Gerçi Selanik önemli ve ideal bir merkezdi ama, orada kıvılcımlanan aynı politik ve kuramsal zıtlıklar tüm imparatorluğa dağılmış olan ve gizliden gizliye etkisini sürdüren Jöntürk hücrelerine de yayılıyor ve bu çekirdek gruplar bu nedenle ne tüm "Komite"yi bağlayıcı bir program oluşturabiliyorlar, ne de hiyerarşik bir partiye dönüşebiliyorlardı. Toplumun güçlü bir otorite eksikliği hissettiği; 1911 ve 1913 arasındaki Trablusgarp ve Balkan Savaşları sırasında yaşanılan toprak kayıplarından sonra, Jöntürkler pragmatist bir yönde birleşerek, Mahmut Şevket Paşa örneğinde olduğu gibi gücünü yine askeriyeden alan halk kahramanı Enver'i ve iki "Komite" üyesini yönetimin başına geçirdiler. O sıralarda yeni yeni şekillenmeye başlayan küçük muhalefet partileri ise böylece politik etkinliklerini daha baştan yitirmiş oldular.

"Komite"nin 1909 yazında yapılan yıllık kongresine Mustafa Kemal Trablusgarp temsilcisi olarak katıldı. Bu oturumlar sırasında, Mahmut Şevket Paşa'nın özel konumu nedeniyle güncel hale gelen politika ve askeriyenin kaynaştırılması konusuna el attı, görev ve pozisyon dağılımı sırasında şartlara göre ayrım yapılması önerisinde bulundu. Önerisi kabul edilmedi ama o bu konuyu daha sonraki yıllarda dostları ve muhalifleri ile tartışmaktan hiç vazgeçmedi. İstanbul'un alınmasına katkıda bulunduğu için Jöntürk amirleri artık değil sivri fikirlerini dile getirmesinde, geleneksellikten yana olan subaylara askerlerin eğitimi ve formasyonu hakkında yaptığı ve kariyerine malolan eleştiriler karşısında bile sessiz kalmayı yeğliyorlardı.

Başlangıçta Selanik'de, ilerki tarihlerde ise hemen hemen aynı tarzda olmak üzere Ankara'da yapmayı alışkanlık haline getirdiği, zaman zaman işkence boyutuna varan depresyonlarını atlatmasında kendisine yardımcı olan tartışma toplantıları daha çok Cumhuriyetin başlangıcına kadar yanından hiç ayrılmamış olan erkeklerin çevresinde gelişirdi. Ali Fuat (Cebesoy) ve Ali Fethi (Okyar)'nin yanısıra bu toplantılara Yeşilköy'deki bekleme süresi zarfında tanıştığı deniz subayı Hüseyin Rauf (Orbay), paşa oğlu ve üst rütbeli bir subay olan Kazım Karabekir, askeri doktor Tevfik Rüştü (Aras) ve Atatürk'ün ölümünden sonra Türkiye'nin ikinci Cumhurbaşkanı olan topçu subayı İsmet (İnönü) de katılmaya başlamışlardı.

Geleneklere aykırı fikirlerini uluorta belirtmekten asla kaçınmamasına karşın yetenekli bir subay olduğu için kendisine çok yönlü askeri görevler verilmesi, kariyerinde pek fazla ilerleyememiş olmasını dert edinmesini önlemişti. 1909 yılının ortalarından itibaren askerler, savaş gücü yüksek bir ordunun saldırısı ile karşı karşıya kalırsak ne olur hesabından yola çıkarak, yeniden harp tatbikatları ve arazi manevraları yapmaya başladılar. Mustafa iyi bir taktisyen, organizatör ve eğitimci olarak yine derhal ön plana çıktı, amirlerinin dehşete kapılmasına hiç aldırmadan manevrayı yönetmek için gelen Colmar von der Goltz'a kendi planlarını bile açıkladı. O dönemlerden kalma yazılı bir belge ise Berlin Askeri Akademisi idarecisi General Litzmann tarafından kaleme alınan *Bölük İçin Seferi Hizmet Düzeni* isimli kitabın, Prusyalı askerler tarafından eğitilen pek çok Türk subayı gibi onun da iyi bildiği Almancadan, Türkçeye yaptığı çevirisidir.

1910 yılının başlarında bir isyanı bastırması için Arnavutluk'a tayin edildi. Askeri açıdan başarılı olan bu hareket politik olarak pek bir anlam taşımıyordu çünkü Arnavutların ulusal bağımsızlık hareketi öylesine güçlenmişti ki, 1913 yılında Arnavutluk, Osmanlı İmparatorluğu' nun egemenliğinden çıktı. Mustafa içinse Arnavutluk'taki bir tümenin komutanı olan Albay Fevzi (Çakmak) ile tanışmak kişisel olarak çok büyük önem taşır. Fevzi ilerde Ankara'nın Milli Mücadele Hareketine katılacak ve genç Cumhuriyetin en tanınmış kişilerinden biri olacaktı.

1910 yılının sonbaharında, Osmanlı İmparatorluğu'nu temsilen büyük manevralara katılmak üzere üç delegeden biri olarak Fransa'ya gitti, o sıralarda Ali Fethi de Türk elçiliğinde askeri ataşe olarak görevliydi. Taktik konusundaki bilgilerini ülkenin kendi dilinde diğerlerine sunması, özellikle Fransız subaylarında büyük hayranlık uyandırdı. Ama Batı Avrupa'ya yaptığı bu ilk gezide bile kendisinin ve diğer iki arkadaşının Türk olarak küçümsendiklerinin farkına vardı. Yeniden Selanik'e döndükten sonra “Beyaz Kule” isimli kafede otururlarken, arkadaşlarına yabancıların kalpakları ile bile alay ettiklerini anlattı. Avrupalıların burun büyüklüğüne ve Fransa'da iyice emin olduğu gibi, Osmanlı ordusunun modern Batı standardının çok gerisinde olmasına biraz da gecikmiş bir tepki göstererek, arkadaşlarına aniden şöyle dedi: “Ordudan ayrılmaya karar verdim. Bu şartlar altında daha fazla kalamam, bu mümkün değil.” Ama gecenin ilerleyen saatlerinde fikrini yeniden değiştirdi.

Politik tartışmaları askerlik mesleği ile bir türlü bağdaştıramayan eski okulundan subay arkadaşlarına karşı Mustafa Kemal'in içinde yavaş yavaş bir kuşku uyanmaya başlamıştı. İstanbul'da savaş bakanlığına terfi eden Mahmut Şevket Paşa'ya hakkında sık sık şikâyet mektupları gitmeye başladı. Sonunda Paşa onu daha rahat kontrol altında tutabilmek için İstanbul'daki genelkurmaylığa tayinini çıkardı.

Mustafa Kemal, İstanbul'a geleli henüz birkaç gün olmuştu ki, tıpkı İngiltere ve Fransa gibi Kuzey Afrika'da koloni kurmak isteyen İtalya,

Babıâli'ye Trablusgarp ve Bingazi'de savaş ilan etti. Bir Osmanlı Sultanı (Safiye Sultan) ile yeni evlenmiş olan Enver diğer subaylar ve bir tümen ile birlikte -Balkanlar'daki durum daha fazla asker yollanmasına izin vermiyordu- bu iki Afrika eyaletinde üslenmiş olan on beş bin adamı güçlendirmek için derhal Bingazi'ye yollandı. Mustafa resmi makamlara kendisini daha iyi göstermek ve Enver'le aynı alanda boy ölçüşmek için gönüllü olarak savaşa katılmak üzere başvurdu. Genç yüzbaşının ne denli gayretli olduğunu "Hareket Ordusu" döneminden iyi bilen Mahmut Şevket Paşa, onun bu isteğini kabul etti ve böylece Mustafa Kemal, Kuzey Afrika'ya doğru yola çıktı.

İstanbul'u terketmeden önce annesine Salih'le bir armağan yolladı ve kendisinin İtalyanlarla savaşmak üzere Afrika'ya gittiğini ona söylememesini rica etti. Yolculuk sırasında yakın dostuna şu satırları yazdı: "Alaydaki arkadaşların hepsine benden selam söyle. Birlikte geliştirdiğimiz eğitim programı çok iyi sonuç vermektedir. Dikkat et, hiç kimse vazifesini ihmal etmesin ya da unutmasın. Eski tembelliklerine geri dönerlerse, hiçbir şey olamazlar."

Trablusgarp ve Bingazi'de Savaş
Balkan Savaşı (1911-1913)

29 Eylül 1911 tarihinde Osmanlı İmparatorluğu'na savaş açan İtalyanlar beş gün sonra Trablusgarp'ın en önemli sahil şehirlerini Tobruk'a kadar işgal ettiler. Enver'in başkomutanlığı altında tümen komutanı olarak İstanbul'a tayini çıkarılan Mustafa Kemal, Derne liman kentinde üslenmiş olan tümenin ikinci bir savunma çizgisi kurmak amacıyla birkaç haftadan beri geri planda tutulduğundan habersizdi. Kuzey Afrika eyaletlerini kurtarabilme isteği, içi hırs dolu her subayın düşüydü. Öte yandan İstanbul'daki hükümet daha baştan başarısızlığa mahkûm edilmiş olan bu hareketi, Balkanlar'daki çalkantılı durum yüzünden imparatorluğa destekleri azalmaya yüz tutmuş diğer Müslüman tebaası karşısında Sultan-Halife'yi onore etmek için gerekli görüyordu.

Akdeniz'in doğusu İtalyan, Yunan ve İngiliz savaş gemileri tarafından ablukaya alındığı için Mustafa Kemal kara yolunu yeğlemek zorunda kaldı. Suriye üzerinden geçtiği Mısır'da İngiliz sömürge valisi, Londra hükümetinden aldığı emirle İtalyanlara karşı tarafsızlığını ilan etmiş ve batı sınır kapısını Türklere kapatmıştı. Kahire'ye gelen Mustafa Kemal sivil giyindi ve bir iş adamı görünümüne büründü. Bu yöntem sayesinde ordu mensubu olduğunu kimse anlamadı ama ilerdeki yıllarda da sık sık yinelenecek olan sıtma hastalığına yakalandığı için şehirde umduğundan daha fazla kaldı.

Ateşi düşer düşmez yolculuğunun son ve en riskli etabına başladı. Arap kıyafeti giyerek kendisini ülkenin batı sınırına götürecek olan bir trene bindi. Bingazi'ye geçiş noktasında nöbetçi askerler beyaz kefiyenin altından bir çift mavi göz görünce kuşkulandılar. Şüpheli şahsı sorguya çektiklerinde güvensizlikleri daha da arttı çünkü Arapça niyetine ağızda yuvarlanan birtakım sözcüklerle karşılaşmışlardı. Durumu üslerine bildirdiler ve kuşku uyandıran şahsı ona teslim ettiler. Şans eseri yetkili komutan, İngilizlerden nefret eden ve Halife Sultan'a büyük saygısı olan Müslüman bir Mısırlıydı. Mustafa kim olduğunu açıkladıktan sonra iki subay Osmanlı İmparatorluğu'nun içinde bulunduğu kötü durum hakkında uzun uzun konuştular, birbirlerine saygılarını sundular. Sonra komutan askerlerine, yolundan alıkonulan bu yolcuya her türlü kolaylığın gösterilmesini emretti.

Mısır sınırının öte tarafında Mustafa Kemal yine kendisi gibi kaçak olan Türk subayları ile karşılaştı. İngiliz kralından çok Osmanlı Sultan'ını desteklemeyi yeğleyen Mısır yeraltı kuvvetleri onlara küçük bir atlı araba ayarladı ve kaçak Türk askerleri bir hafta sonra Derne'deki karargâha ulaştılar. Yeni bir sıtma krizi ve göz hastalığına rağmen Mustafa Kemal sorumlu bir komutan olarak fiziksel ve ruhsal yönden çöküntüye uğramış olan tümenine güç vermeye çalıştı. Sahili kontrol altına alan İtalyan birliklerinin askeri üstünlüğü, Arap kabilelerinin gitgide azalan, hatta kısmen İtalyanlardan yana olan desteği ve Jöntürk hükümetine özellikle dinsel açıdan duyulan güvensizlik, etkili bir karşı saldırı yapma umudunu gitgide azaltıyordu. Mustafa Kemal yine de Askeri Akademiden ve Makedonya'daki Dürzilerden öğrendiği, inceliklerini ise Kufra Çölü sakinlerinden Müslüman bir grup olan Senussilerden kaptığı gerilla taktiklerini uygulamayı başardı.

15 Ekim 1912'de biten Trablusgarp Savaşına Paris'deki askeri ataşelik görevinden kalkıp gelen, Selanik'ten arkadaşları Ali Fethi (Okyar) ile Hüseyin Rauf (Orbay) da katıldılar. Danzig'de gemi inşaat mühendisliği okumuş olan Rauf, Çanakkale Boğazının dışında seyreden tek Türk savaş gemisi "Hamidiye" de deniz subaylığı yapıyordu. Türk zırhlısı Suriye'den yüklediği silahları kayıklarla İtalyan deniz cephesinden gizlice kaçırarak, Bingazi sahiline çıkarıyordu. İtalyanlar 1912 ilkbaharında batı Türk sahilinin çok yakınlarında bulunan Osmanlı yönetimi altındaki Rodos ve On İki Ada'yı işgal ederek, Babıâli'nin Kuzey Afrika'daki direniş hareketini kırmak istediler ve böylece Ege sularında seyretmek Hamidiye savaş gemisi için olanaksız hale geldi.

Savaş sırasında Mustafa Kemal'le Enver'in ilişkisi öylesine gerginleşti ki, cayır cayır yanan güneşin altında ve küçük rütbeli bir grup askerin önünde ast ile üst alenen tartışmaya başladılar. Fethi boş yere onları uzlaştırmaya çalıştı çünkü karakter yapıları aynı olan bu iki insanın politik görüşleri tamamen farklıydı. Her ikisi de kavga düzeyinde tartışmalar yapmaya eğilimliydi, her ikisi de gururuna son derece düşkündü, çabuk kırılabilen, dik kafalı ve ne eleştiriye, ne de reddedilmeye açık olan yapılara sahiptiler. Enver'in gelecekle ilgili çok büyük hayalleri vardı ve şimdiki zamanın gerekleri ile pek ilgilenmiyordu, ona karşın Mustafa Kemal tüm ayrıntılarını ve nedenlerini incelemeden asla herhangi bir karara varmayacak denli ayakları yere sağlam basan bir insandı. Osmanlı sultanı ile yaptığı evlilik sonucu hanedanın üyelerinden biri olan Enver görkemli otağında oturuyor, Arap kabilelerinin temsilcilerini büyük seremonilerle kabul ediyor, armağanlar dağıtıyor ve şölenler tertipliyordu. Mustafa, bir yaş küçüğü olan üs komutanının kendisini asker ve insan olarak herkesten üstün gördüğünü açık açık söylüyor, iğneleyeci mizah anlayışı ve sinizminin sınırladığı eleştirileri ile hiçbir şeyin gözünden kaçmadığını vurgularken, bir yandan da göze daha çok batıyordu. Fazla çevresi yoktu ve emir gücü yüksek, etkisi fazla görevlere atanmıyordu. 1911 Kasım'ında binbaşı olması bile durumunda fazla bir değişikliğe yol açmadı.

V. Mehmet Reşat'ın tahta çıkışının üçüncü yılını kutlamak için yapılan törenler sırasında Fransız savaş muhabiri Georges Remond, Jöntürklere yakın bir subayla sohbet etme olanağı bulmuştu. Türk subayının geleceğe ilişkin kaygılarını dile getirdiği bu konuşma, eğer orada olmasaydı Mustafa Kemal'e de aykırı gelmezdi çünkü sohbetin vardığı son nokta bir kurtarıcının gerekliliğiydi ki zaten Mustafa Kemal Selanik'de arkadaşlarına kendisinin bu rol için biçilmiş kaftan olduğunu defalarca yinelemişti. Subay, Fransız gazeteciye “Ben bir devrimciyim”, diye açıkladı. “Çünkü ülkemdeki şartların değişmesine ve Sultan'ın devrilmesine katkıda bulundum ve hatta Padişah'ın tutuklanmasında bizzat yer aldım. Ama sizi temin ederim ki bu devrim genel bir ütopya adına değil, hakları ve hukuku tehdit altında olan anavatan adına ve yalnızca subaylar tarafından kotarılmıştır. Avrupa görmüş, orada eğitim almış insanlar olarak bizler kendi ülkemize Avrupa'daki gibi bir düzen getirmeyi amaçladık. Zulmün en şiddetlisi bizde her şeyi yerle bir etti. Acaba çok mu geç kaldık? Acaba herkes gerçekten elinden gelenin en iyisini yaptı mı? Döneklerin sayısı umduğumuzdan da mı fazlaydı? Ülkemde hüküm süren şartların neden olduğu krizli ortamlarda eskileri ile birlikte pek çok görüş ve fikir de yıkılıp gitti. Bu imparatorluğu kurtarmayı mı başaracağız, yoksa çöküşünü mü hızlandıracağız? Ne olursa olsun, bir şeyler yapma cesareti gösterebilecek yürekli insanlara ihtiyacımız var."

İstanbul hükümeti Balkan-Dörtlü Birliğinin imzaladığı ittifak antlaşmaları (Sırplar ve Bulgarlar 13 Mart, Yunanistan ve Bulgaristan 29 Mayıs, Karadağ ve Bulgaristan 27 Eylül, Karadağ ve Sırbistan 6 Ekim 1912) nedeniyle Balkanlar'da savaş olasılığını hesaba katmak zorunda olduğundan, İtalya'ya daha fazla imtiyaz tanımaya hazırdı çünkü tüm askeri güçlerini imparatorluğun batı sınırına yığması gerekiyordu. İki devlet 15 Ekim 1912 tarihinde Lozan yakınlarındaki Uşi kasabasında bir antlaşma imzaladılar. Buna göre Osmanlı ordusu Trablusgarp ve Bingazi eyaletlerinden, İtalyan birlikleri ise On İki Ada'dan geri çekileceklerdi. Verdiği sözü tutan Babıâli'nin aksine İtalya, Balkan Dörtlü-Birliğinin 24 Ekim'de Osmanlı İmparatorluğu'na savaş açmasını bahane ederek oradaki Hıristiyan halkı savaş tehlikesinden korumak amacıyla Ege adalarından çıkmadı.

1912 yılının ortalarına doğru Mustafa Kemal artık Osmanlı İmparatorluğu'nun egemenliğinde olmayan Kuzey Afrika topraklarını terketti. Orduya ait gezgin hastanedeki göz tedavisi sırasında kendisine Viyana'daki özel bir kliniğe gitmesi önerildiğinden diğer subaylar ve askerlerle birlikte Mısır ve Suriye üzerinden Anadolu'ya geri dönmek yerine, gemi ile Tunus'tan Fransa'ya geçti ve oradan da trenle Viyana'ya ulaştı. Kısa bir süre klinikte kaldıktan sonra vatana dönüş yolculuğu başladı. Balkan Savaşı başladığı için tarafsız Macaristan ve Romanya'yı dolaşıp, Karadeniz'i geçerek, İstanbul'a gelebildi.

Kasım ortalarında genelkurmaylığa döndüğünü bildirdiği sıralarda Makedonya, Sırbistan, Bulgaristan, Karadağ ve Yunanistan tarafından işgal edilmiş, hatta Bulgarlar iki haftadan daha az bir zaman zarfında

Trakya'yı geçerek başkentin son savunma kalesi olan İstanbul önlerindeki Çatalca'ya kadar ilerlemişlerdi. Düşmanların direnişle karşılaştıkları çok az şehirden biri olan Bulgar ve Yunan kuşatması altındaki Edirne Türk halkının gözünde çok özel bir konumdaydı çünkü II. Osmanlı Sultan'ı Orhan 1361 yılında Edirne'yi başşehir yapmıştı ve ünlü Mimar Sinan'ın 1574 yılında tamamladığı muhteşem eseri Selimiye Camii yine oradaydı.

Balkan-Dörtlü Birliği kısa zamanda elde ettiği bu başarıyı, Anadolu'daki Türk birliklerinin Ege üzerinden Selanik'e geçmesini önleyen Yunan savaş gemilerine borçludur. Bu kez doğrudan Hüseyin Rauf'un komutası altında olan "Hamidiye" zırhlısı ise tek başına tıpkı bir hayalet gemi gibi kâh Ege Denizinde, kâh Karadeniz'de rotaya çıkmış ve kısa süreli deniz savaşlarında Osmanlı donanmasının onurunu korumuştu. Hükümete ise ne eski kahramanlık destanları, ne de stratejik önlemler yardımcı olabilmiş, bu zor durum karşısında eli kolu bağlı öylesine kalakalmıştı. İmparatorluğun aniden toprak kaybetmeye başlaması halkta kargaşalık yaratmış, "İttihat ve Terakki Cemiyeti" ise İstanbul'un işgali ile sonuçlanabilecek son bir felaket daha yaşamak için vatansever ve partilerüstü insanlardan yeni bir kabine oluşturulmasını önermişti. Merkeziyetçi olmayan bir devletler topluluğu için çabalayan ve 1908 seçimlerinde ancak bir milletvekili çıkarabilen "Hürriyet ve İtilaf Partisi" ise bu arada belirgin bir şekilde etkinlik kazandığından dolayı, hükümete bir başvezir ve pek çok bakan verdi.

Yeni kabine 3 Aralık'ta Balkanlar'da ateşkes yapılması doğrultusunda oy kullandı ve 16 Aralık'ta İngiliz Dışişleri Bakanı Sir Edward Grey'in başkanlığı altında Londra'da barış görüşmeleri başlatıldı. Müzakereler sürerken "Komite" oturum halindeki hükümete silahlı bir saldırıda bulundu çünkü "Hürriyet ve İtilaf Partisi"nin başveziri Kamil Paşa kanalıyla Trakya'da sınır çizimi sorununu daha fazla imtiyazlar vererek çözümlenmesini önlemek istiyordu. 23 Ocak 1913 tarihinde yapılan bu baskını her zamanki gibi doğru zamanda, doğru yerde bulunan Enver yönetti ve Savaş Bakanı kendi çalışma odasında göğüs göğüse darbecilerle çarpışırken vurulup öldü. Bunun sonucunda Enver, Sultan'ı yeni bir kabine seçimi için ikna etmeyi başardı. Bu kez hükümette "Hürriyet ve İtilaf Partisi"nin yalnızca üç üyesi yer aldı, diğer görevler ise "İttihat ve Terakki Cemiyeti" üyelerine dağıtıldı.

Başvezirliğe ve Savaş Bakanlığına atanan Mahmut Şevket Paşa 1909 şeriat ayaklanmasında olduğu gibi huzur ve düzenin sağlanması, daha olumlu bir barış antlaşması imzalanması yolunda çabalar gösterdi. Bulgaristan, Trakya'nın tümünün Osmanlı İmparatorluğu'ndan ayrılmasını isteyince Londra Konferansı yarıda kaldı. 30 Ocak 1913'te görüşmeler durdu, dört gün sonra ise ateşkes haline son verildi. Savaş sürerken Mahmut Şevket Paşa Çatalca'daki Türk üstünlüğünü, askeri birliklerini güçlendirerek sürdürebildi ama Kuzey Afrika, Makedonya ve Trakya'dan gelen vergi gelirinin azalması sonucu maddi sıkıntı içine düşen Osmanlılar, Bulgarları geri püskürtmeyi ve işgal altındaki Edirne'yi kurtarmayı başaramadılar. 28 Mart'ta artık açlık çeken Edirne halkı teslim olunca, Şevket Paşa 16 Nisan'da ikinci bir ateşkes antlaşması yapmaya mecbur kaldı. 9 Haziran 1913 tarihinde, böylesine ağır şartlar altında dikte ettirilen bir barış antlaşmasının altına zoraki olarak imza kondu, hem Trakya ve Edirne, hem de Ege Adaları savaşın galiplerine bırakıldı.

İstanbullular Bulgar-Rum işgali korkusuyla tir tir titrerlerken Ocak ayında bir darbe ile alaşağı edilen Başvezir Kamil Paşa, Mısır ve Kıbrıs'a giderek orada bulunan İngiliz sömürgecilerinden yardım istedi. "Hürriyet ve İtilaf" halk arasındaki hoşnutsuzluktan yararlanarak "Komite" üyelerini sonsuza dek kabineden ve parlamentodan silip süpürmek istiyor ve bunun için Osmanlı topraklarında gözü olduğunu bildiği İngilizlere, idari ve mali alanlarda anahtar pozisyonlar vaat ediyordu. Bu aşağılık plan su yüzüne çıkınca Mayıs ayında İstanbul'a dönen Kamil Paşa derhal tutuklandı.

Varlığı bıçak sırtında bir sürece giren "Hürriyet ve İtilaf" her şeyi göze alarak, "Komite"nin gücünü suikastlerle kırmayı denedi. 1913 Haziran'ında taraftarlarından biri Başvezir ve Savaş Bakanı Mahmut Şevket Paşa'yı vurunca, radikal güçler "Komite" de iktidarı ele geçirdiler. Yine 1913 Haziran'ının başlarında kabinedeki üyelerinin yardımı ile İstanbul üzerindeki sıkıyönetime işlerlik kazandırarak, "Hürriyet ve İtilaf"in en tanınmış adamlarını bir savaş mahkemesinde yargıladılar, bazılarını sürgünle cezalandırırken on altı tanesini de Mahmut Şevket Paşa'nın katledilmesi olayına karışmaktan ölüme mahkûm ettiler.

Sıkıyönetim uygulaması ile başlayan Jöntürk diktatörlüğüne, İkinci Balkan Savaşından sonra ne halktan, ne de yeni yeni oluşmaya başlayan küçük politik gruplardan kayda değer herhangi bir tepki gelmedi. 1913 yılının ortalarından itibaren etkisiz bir kabine ile Mısırlı bir prens olan Başvezir Sait Halim Paşa'nın ardına saklanarak, ülkeyi yönetmekte olan Enver-Talat-Cemal üçlüsüne karşı toplumun gösterdiği suskunluk, çılgınca kutlamalara neden olan Trakya ve Edirne'nin alınışı ile daha da arttı.

9 Haziran 1913 tarihli Londra Barış Konferansından sonra galip taraflar Makedonya'nın paylaşılması konusunda birbirine girince ikinci Balkan Savaşı patlak verdi. Bulgaristan 29 Haziran 1913 tarihinde, Romanya ve Karadağ tarafından da desteklenen Sırbistan ve Yunanistan' ın askeri mevzilerine saldırdı. Ortak bir ganimetin paylaşılmasından doğan bu savaş, İstanbul için Avrupa'da kaybettiği toprakları geri kazanabilmesini sağlayacak bir şans oldu. Enver ve Talat derhal inisiyatifi ele aldılar ve orduya Trakya'ya girme emri verdiler. Bulgar ordusunun büyük bir kısmı Makedonya'da savaştığı için Türk askerleri kayda değer bir direnişle karşılaşmadan ve birkaç gün içinde, 21 Haziran'da, Edirne'ye girdi. Trakya ve bir zamanların sultanlarının başşehri olan Edirne tekrar Osmanlı topraklarına katıldı. 10 Ağustos tarihinde yapılan Bükreş Antlaşması ile Makedonya Yunanistan, Sırbistan ve Bulgaristan arasında pay edildi. Meriç nehrinin Osmanlı İmparatorluğu'nun batı sınırını çizmesi ise özel anlaşmalarla onaylandı.

1909 Jöntürk devriminin kahramanı Enver bir süvari birliğinin başında, düşman işgalinden kurtarılan Edirne'ye girerken büyük bir coşku ve saygı ile karşılandı. Kitlelerin iyi duygularını kendisine yöneltmeyi doğru anda, doğru yerde bulunarak yine başarmış oluyordu böylelikle. Kısa bir süre sonra tüm parlamentonun oy birliği ile Savaş

Bakanlığına seçildi ve Paşa unvanını aldı. Asker olarak kıtada gösterdiği yeteneği, hükümet üyesi olarak idari işlerde de gösterdi. Alman askeri gücüne karşı içinde büyüttüğü hayranlık, Birinci Dünya Savaşının başlangıcına kadar hiç eksilmedi ve Osmanlı İmparatorluğu'nun kaderi üzerinde etkili olarak, imparatorluğu o zamanki Almanya'ya bağımlı kıldı.

Zafer üçlüsünün ikinci adamı Talat Paşa 1874 Edirne doğumludur. Babasını küçük yaşta kaybedince gördüğü askeri eğitimi yarıda bırakmak zorunda kalmıştır. Esas olarak kariyerini Posta Bakanlığında ve "İttihat ve Terakki Cemiyeti" üyesi olarak girdiği 1908 parlamento seçimlerinde meclise seçilerek yapmıştır. 1915 yılında Doğu Anadolu'da Ermenilere uygulanan kitle katliamının sorumluluğu İçişleri Bakanı olarak en azından şeklen ona aittir. 1917 Şubat'ından, 1918 Ekim'ine kadar Başbakanlık görevini yürütmüş ve savaş sonrasında kaçtığı Berlin'de Ermeni bir öğrenci tarafından sırtından kurşunlanarak öldürülmüştür. Bu saldırının ardında yatan politik nedenleri iyice araştıran mahkeme sonunda suikastçiyi akli denge yetersizliğinden serbest bırakmıştır. (*)

Jöntürk kabinesinin üçüncü güçlü adamı Cemal, Enver gibi meslekten askerdi ve Birinci Dünya Savaşı sırasında Donanma Bakanlığı ve zaman zaman da Suriye valiliği yapmıştı. Müfettiş olarak demiryolu hatlarını kontrol ettiği Makedonya'da "Komite"nin ilk gizli çekirdek hücresini o kurmuş, cemiyet daha sonra merkez olarak Selanik'i seçmiştir. "Hareket Ordusu"nun taburlarından birini başkente götürdükten sonra Mahmut Şevket Paşa'nın üst yönetimi altında İstanbul'a askeri vali olarak atanmıştır. Bir söylentiye göre ilk kazanımını paşalardan birinin "zevk oğlanı" olarak elde etmiş olması yalnızca dış görünüm itibariyle değil, kimi zaman kaba kuvvete dönüşen asabi yapısı ile de gerçeği yansıtmamaktadır.

Osmanlı İmparatorluğu'nda politik ve askeri pozisyonların dağılımı yeni baştan yapılırken, Mustafa Kemal yine görmezlikten gelindi.

(*) Bu mahkeme tam bir hukuk skandalıdır. Bir başka notta değindiğimiz "Avrupalı önyargısı" ile, Talat Paşa'nın suçluluğuna inanılmış ve katili neredeyse bir kahraman muamelesi görerek, sudan bir bahane ile beraat ve tahliye edilmiştir.

Lafını sakınmadan ve belki de biraz düşüncesizce dile getirdiği eleştiri dolu açıklamaları, "Komite"nin gözünde onun güvenilir olmamasının en büyük kanıtıydı. İstanbul'daki genelkurmay onu 1912 yılının Kasım ayında, Çanakkale Boğazı ile boğazın kuzeyindeki Gelibolu yarımadasını savunan Bolayır Ordusuna tayin etti. Oradaki karargâhın komutanı önce Ali Fethi idi; Fethi "Komite"nin genel sekreterliğine atanınca, onun görevini Mustafa Kemal aldı. Her iki Balkan Savaşı sırasında da Çanakkale Boğazı ne savaşa sahne oldu, ne de kritik anlar yaşadı. Bu nedenle Mustafa zamanının büyük bir kısmını İstanbul'da geçiriyordu; Marmara Denizi üzerinden gemi ile İstanbul'a ulaşmak çok kolaydı çünkü.

1913 yılının sonunda artık, Makedonya ve Trakya'dan kaçanlarla birlikte İstanbul'a gelen annesi ve kızkardeşi ile ilgilenmek zorundaydı. Annesi, kendisinin ve Makbule'nin hayatları dışında pek fazla bir şey kurtaramamıştı. Mustafa sistemli bir şekilde yaptığı araştırmaların sonucunda iki kadını sığınmacı kamplarından birinde buldu. Dolmabahçe ile Yıldız Sarayları arasında uzanan, yüksek tepeli Beşiktaş semtinde üç katlı bir ev kiraladı, Makbule ve kocası bu evin birinci katına, Mustafa ikinci ve Zübeyde Hamın da üçüncü katına yerleştiler. Komşuları arasında Zübeyde Hanım'ın ikinci eşi Ragıp Bey'in yine tam zamanında Selanik'den kaçmayı başarmış olan iki yeğeni, Fikriye ile küçük kızkardeşi Jülide Hanımlar da vardı. Fikriye aşağı yukarı on yıl sonra, merkez noktasında Mustafa Kemal'in bulunduğu bir kıskançlık krizinin kurbanı oldu.

Zübeyde Hanım İstanbul'da da alıştığı eski Türk stili yaşamı uygulamayı yeğledi, örneğin bir karyolanın üstünde değil, yer yatağında yatardı. Görev saatlerinin dışında en son Avrupa modasına göre giyinen oğluna ise Müslüman ailelerde alışılageldiği biçimde yalnızca elini öptürtmez, yanağından öpme şerefini de bağışlardı. Ona "Mustafam", "Benim Küçük Mustafam" ve Paşa olduktan sonra da "Paşam" diye hitap ederek, oğlunu ne denli sahiplendiğini ve hükmedici bir sevgi duyduğunu belli ederdi. Selanik'deki komşularının da dikkatinden kaçmamış olan otoriter davranışları ikinci eşinin ölümünden sonra daha da güçlenmiş ve annesine duyduğu şiddetli eğilime karşın onun tutucu nasihatlarını pek de tutmayan oğlu ile arasında zaman zaman gergin anlar yaşanmasına yol açmıştı.

Mustafa Kemal, Balkan Savaşında şehit düşen bir binbaşıyla olan kısa dostluğu sırasında Madame Corinne isimli bir dul tarafından yönetilen Pera'daki bir salona devam etmeye başlamıştı. Bu salonda sık sık oda orkestrası konserleri ve şarkı gösterileri düzenlenirdi. Anavatan Türkiye ya da Makedonya ve Trakya'nın kaybından sonra Enver ve Talat Bey'lerin çevresinde yeni baştan tartışma konusu olan Alman askeri gücüne daha fazla angaje olmanın getireceği uğursuz sonuçlar hakkında şaşkınlık uyandırıcı görüşlerini sakınmadan açıklayan bu çekingen tabiatlı, sarışın subay daha ilk karşılaşmalarında Madame Corinne'i çok etkiledi.

Mustafa Kemal, Sofya'da askeri ataşe olarak bulunduğu 1913 Eylül'ünden, Türkiye-Suriye sınırında çarpıştığı 1917 yılına kadar bu genç dulla mektuplaştı. Mektuplarını kısmen Fransızca, kısmen Türkçe kaleme alır ve uyguladığı devrimlerinden birine ilk örnek oluşturacak şekilde kesinlikle Arap alfabesi kullanmaz, Latin alfabesi ile yazılarını yazardı. Paris Konservatuarından piyanist diploması alan Madame Corinne daha sonra Türk donanmasında tercümanlık görevi yapan babasının yanına, İstanbul'a gelip yerleşmişti. Burada Ömer Lütfi isimli bir subayla evlendi ve kocasının ölümünden sonra da sosyetenin en sevdiği buluşma yeri olma özelliğini yitirmeyen alafranga salonunu açtı. Mektuplarını M. Kemal diye imzalayan Mustafa Kemal ile olan ilişkisi ise asla arkadaşlık sınırını aşmadı.

Mustafa Kemal'in güncel politik konuları tartıştığı ve görüştüğü kimselerden biri de Ali Fethi idi. Her ikisi de "İttihat ve Terakki Cemiyeti"nin içindeki militan grupların ilerde bir gün Osmanlı İmparatorluğu'nun geleceği açısından büyük bir tehlike yaratacağı konusunda aynı fikre sahiptiler. Fethi, "Komite"nin Genel Sekreteri olunca, hükümet üyelerinin maaşlarından kısıtlamaya gitme konusunda bazı ılımlı Jöntürkleri kendi safına çekme tedbirsizliğini yaptı. Bunu dış çevreye bir tasarruf önlemi olarak yansıtmıştı ama, asıl amacı Enver ve Talat gibi adamların hükümet dışında kalmalarını ve kendileri için daha paralı olacak askeri görevlerine geri dönmelerini sağlamaktı. Bu manevrası çok çabuk anlaşıldı: 1913 Ekim'inde Ali Fethi elçi olarak Sofya'ya tayin edildi. Fethi bu tayinin aslında sürülmenin kibar yolu olduğunu ve kabul etmekten başka seçeneği olmadığını hemen anladı. Aynı günlerde Fethi'nin "sivri fikirli" arkadaşı Mustafa Kemal'e de Donanma Bakanı Cemal Paşa tarafından diplomatik statü ile askeri ataşe olarak Sofya'ya atandığı bildirildi. Mustafa da bu sürgüne karşı çıkmadı, çünkü Balkan Savaşı sırasındaki politik ve askeri olayların yardımcı figürü olarak böyle bir değişim onun için kazançlı olabilirdi.

Sofya'da Ataşemiliterlik Gelibolu Başarısı (1914 - 1915)

1878 Berlin Kongresi ile özerkliğini elde eden ve 1908 yılından itibaren de Prens August von Sachsen-Coburg-Kohray'nin oğlu Çar I. Ferdinand'ın idaresi altında bağımsız bir krallık olan Bulgaristan, Osmanlı İmparatorluğu'ndan koptuktan sonra Doğudan çok Batıya yönelik bir ülke olma yolunda ilerliyordu. 19. yüzyılın sonlarından itibaren Avrupa ölçülerine göre yeni baştan şekillenen başkent Sofya, bu değişimin en iyi kanıtı olarak ortadaydı. Bir zamanlar daracık Türk mahallelerinin olduğu yerlerde şimdi geniş yollar, çok katlı binalar, muhteşem köşkler ve harika parklar yer alıyordu ve 1909 yılında açılan Opera Sarayı ile de Batı kültürünün zirvesine ulaşıldı.

Mustafa Kemal, Ali Fethi Bey'in yönetimindeki Türk Elçiliğine askeri ataşe olarak atandı ve 14 Ekim 1913 tarihinde Sofya'ya geldi. Önce eski otellerden "Bulgaria" da kendisine bir daire kiraladı, birkaç gün sonra ise yapımı yeni tamamlanmış olan "Splendid Palaca"a geçti. O sıralarda Madame Corinne'e şunları yazmıştır: "Burası gerçekten çok rahat bir otel. Bir banyosu, "femmes de chambe"ı, kısacası insanın isteyebileceği her şey var. Sunduğu kolaylıklar nedeni ile burada kalmaya değecektir sanıyorum." Mektup arkadaşında küçük bir kıskançlık yaratmak için muzipliği elden bırakmayarak, yazısını şu satırlarla bitirmiştir: "Hayır, hayır, Corinne, Sofya'da da güzel bir kadın görmenin hiç imkânı yok. Otelde kalıyorum çünkü hâlâ kendime uygun bir ev bulamadım."

Mustafa Kemal bu mektuptan kısa süre sonra güzel ya da en azından kendisine çekici gelen bir kadın yüzünden adresini değiştirmişti.

Genç kadın Bulgar değil Almandı ve yine kendisi gibi Alman kökenli kocası ve çocukları ile birlikte büyük bir evde oturuyordu. Evindeki odalarından birini kiraladığı ve 20. yüzyılın en ünlü Türkü olacağını o günlerde henüz bilemediği Türk ataşemiliteri, Hildegard Christianus'un yanında kendisini çok rahat hissetmeye başlamıştı. Mustafa Kemal ondan kendisine Almanca ve Fransızca dersleri vermesini rica etti, gecelerini ise çoğunlukla Hildegard ve ailesi ile birlikte geçirmeye başladı. Gelibolu yarımadasındaki 1915 savaşları sırasında ona ve kocasına düzenli aralıklarla yazdığı mektuplar çok çok sonra ve olmadık yerleri dolaşarak Türkiye'ye geri geldiler.

Bir zaman sonra Mustafa Kemal Türk Elçiliğine çok yakın bir ev kiraladı. Evi, bir Bulgar Türkü olan, arkadaşı Şakir Zümre ile paylaşıyordu. (*) Verdiği davetler, bol havyar, Türk rakısı ve şampanya ile daha da zenginleştiği için müthiş ilgi topluyordu. Önemli konuklardan biri de Balkan Savaşlarına katılmış olan Bulgar Savaş Bakanı General Kovaşev'di. Mustafa Kemal, Bakanda iyi bir etki yaratmış olmalı ki, adam onu sık sık kendi evine davet ediyor ve uzun sohbetlere girişiyordu. Generalin en küçük kızı Dimitrina, kısaltılmış adı ile Miti, Mustafa ile birlikte başka evlerde verilen davetlere gidiyor ve ikisi sık sık dans ediyorlardı. Saygın bir ailenin bekâr kızı olan Miti ve Mustafa, Müslüman geleneklerine uymayan ve İstanbul'da hiç görülmeyen bir tarzda sık sık birlikte gezmeye de çıkıyorlardı. Bazı Türk kaynaklarına göre Mustafa'nın genç kızla evlenmeyi istemiş olmasının herhangi bir somut kanıtı yoktur. Miti'yi 1915 Gelibolu Savaşından sonra da Sofya' da bir kez ziyaret etmiş ama Ali Fethi'nin Hıristiyan-Bulgar ailede boş yere bir evlilik umudu uyandırmaması yolunda yaptığı uyarılardan bir hayli etkilenmiştir. Çünkü bu ziyarette evlilik konusuna değinildiğine dair hiçbir bilgi yoktur. Ali Fethi, bir Bulgar generalin kızına evlenme teklifinde bulunduğunda, babasından şu yanıtı almıştı: "Kızımı bir Türk' ün karısı olarak görmektense, boynumu veririm daha iyi."

(*) Şakir Zümre Bulgar Ulusal Meclisinde, Türk milletvekilidir. Daha sonra Türkiye' ye dönecek ve Mustafa Kemal'in de içten desteği ile, sanayi alanında yükselecektir. Genellikle sobalarıyla tanınan Şakir Zümre döküm fabrikalarında, her türlü gereksinimleri karşılayacak döküm işleri yapılırdı. Bu arada askeri amaçlı üretimde de bulunulurdu.

Mustafa Kemal'in o güne değin kısıtlı bir çerçevede Selanik'de, İstanbul'da ve kısa süreli Paris ile Viyana yolculuklarında tanıdığı Batı stili yaşam tarzı Sofya'da günlük yaşam biçimi oldu. Orada askeri ataşe olarak yaşadığı ve gözlemlediği pek çok şey, devrim yanlısı bir Devlet Başkanı kimliğine sahip olduğu ilerki yıllarda kendi ülkesine de yansıdı. İyi terbiye almış bir Türk için, Avrupa ölçülerinde eğitim görmüş olsa dahi, yalnızca sesi ve yüz ifadesi konusunda ölçülü olmakla kalmayan aynı zamanda hareketlerini, giyimini ve eğlence anlayışını da etkileyen belirli bir davranış biçimi sözkonusudur. İçe kapanıklığı ve hafif beceriksizce ama son derece ölçülü davranışlarından dolayı Bulgarlar, Mustafa Kemal'de "Türklerin, Türk tipini" görmüşler, ona karşın Ali Fethi becerikliliği ve herkese eşit düzeyde yönelttiği dost canlısı karakteri ile Bulgarların gözünde "Avrupalılaşmış yeni Türk tipi"nin simgesi haline gelmiştir.

Sofya'da kaldığı sürece Mustafa Kemal davranış biçimini ve ruh halini toplumsal normlar düzeyinde geliştirmişti. Balkan Savaşlarının artık unutulduğunu kanıtlamak için Ali Fethi ile birlikte Türk diplomatları olarak çağrıldıkları sayısız davetler, balolar, danslı çaylar ve lüks subay kulüpleri, genç hanımlarla geçirilen hoş gece davetleri Avrupai yaşam biçimini öğrenmek için mükemmel birer fırsattı. Ve mesleği gereği zamanının çoğunu yönetimdekilerin çevresinde, parlamentoda ve Türk azınlık camiasında geçirmesi, yasa koyuculuk ve idari yönetim alanında kendi görüşlerini geliştirmesi açısından çok yararlı olmuştur.

Avrupa modasına çok çabuk uyum sağlayan Mustafa Kemal Batılı tarzda takım elbiseler giyiyor, Türk subaylarının genellikle taktıkları kalpak ya da diplomatların kullandığı fes yerine, şapka giymeyi yeğliyordu. Uçları yukarıya kalkık bıyığı ise zaten daha birkaç yıl öncesinden Jöntürk modeli olarak değişikliğe uğramıştı. Seve isteye kazandığı diğer Batılı alışkanlıkların arasında, Manastır'dayken öğrendiği vals ile birkaç dersten sonra mükemmel şekilde yaptığı tango gibi danslar ve Türkiye'dekinin aksine toplum içine peçesiz çıkan ve Miti gibi, erkeklerle arkadaşlık edebilen kadınlarla rahat ilişkiye girme özelliği de vardı.

Mustafa Kemal için bu modern aktivitelerin doruk noktası Operadaki gala geceleri ve maskeli balolardı. Opera Sarayında I. Ferdinand'ın ve sosyetenin en seçkin kesiminin huzurlarında Georges Bizet'in "Carmen"i sergilendi. Mustafa sahnedeki müzikal gösteriden ve ülkenin elit tabakasının kendisini sunuş şeklinden müthiş etkilendi. Perde aralarından birinde Bulgar Çarı onu locasına davet etti. İzlenimlerini sorduğunda Türk ataşe yalnızca "Harika!" diye yanıt verdi. Galadan sonra Mustafa içindeki coşku seline kendini kaptırdı ve operayı birlikte seyrettikleri arkadaşı Şakir'in yorgunluğuna dahi aldırmadan gece boyunca ona içini dökerek düşlerinde yaşattığı, operası olan, kadınların erkeklerle eşit haklara sahip bir şekilde topluma karıştıkları modern Türkiye hayallerini dile getirdi. Her iki düşünü de ilk otuz yıl içinde kendi elleri ile gerçeğe dönüştürecekti.

Maskeli balo sarayda yapıldı. Hep hayran olan taraf olmaktan artık bıkan Mustafa Kemal, hayranlık toplamak isteğiyle için için yandığından dolayı balo vesilesiyle İstanbul'daki bir müzeden tarihi bir yeniçeri kostümü getirtti. Beyaz şalvarı, mücevherlerle süslü cepkeni ve ustalıkla sarılmış türbanı ile Mustafa Kemal muhteşem görünüyordu. Kıyafet seçimi diplomatik açıdan pek yerinde sayılmayabilirdi çünkü 14. yüzyıldan itibaren devşirilen Hıristiyan delikanlılarından oluşturulan ve Sultan'ın en önemli askeri birliği haline gelen yeniçeriler Balkanlar'ın fethi sırasında dört bir yana korku salmışlar, 17. yüzyıldan itibaren ise etkili ve tutucu bir askeri kasta dönüşerek, her türlü reform hareketlerine karşı çıkmışlardı. Ancak 1826'da II. Mahmut biraz da sert bir yönteme başvurarak, onlardan kurtulabilmişti: Padişah, yeniçeri birliğini İstanbul'daki Sultan Ahmet Camiinin yanıbaşında kurulan meydana çağırtmış ve acemi erleri tarafından sinsice vurdurtmuştu. (*)

Gece yarısından sonra maskeler çıkarılınca konuklar, hem ilginç hem de aynı zamanda öfke uyandırıcı bu parlak kostümün içindekinin Türk ataşemiliter olduğunu gördüler ve iki misli fazla şaşırdılar. Yeniçeri kılığındaki davetlinin kim olduğunu biraz da gergin bir bekleyişten sonra öğrenen I. Ferdinand hayranlığını çok zarif bir şekilde kanıtlayarak, Mustafa Kemal'i yanına çağırttı ve ona gümüş bir sigara ta-

---

(*) Tarihimizde "Vakayı Hayriye" olarak isimlendirilen, Yeniçeri Ocağının kaldırılması, elbette Gronau'nun özetlediği gibi olmamıştır.

bakası armağan etti. Uzun yıllar sonra Devlet Başkanı Mustafa Kemal Atatürk, 1918'den beri sürgünde yaşayan Bulgar Çarına teşekkürlerini ifade etmek için altın bir sigara tabakası yollayarak, Çarın zarif jestini yanıtladı.

Sofya'nın sunduğu kolay eğlenceler Mustafa Kemal'e göre değildi. O, tüm yaşamı boyunca ya derin sohbetlerden ya da müzikal gösterilerden ve özellikle şarkı dinlemekten büyük zevk almış bir insandı. Kadınlarla kurulan gelgeç ilişkiler, züppelikler, içki muhabbetleri, Belle Epoque'un tüm ambiansı Müslüman törelerine göre yetiştirilmiş bir Türk için son derece yabancı şeylerdi çünkü, insanların ortasında özellikle kadınlarla fazla sıkı fıkı olmak ve birtakım şeylerin gizli kalmaması onda derin bir rahatsızlık uyandırıyordu. Yirmili yılların başlarında Latife Hanım'la yaptığı kısa evliliği, 20. yüzyılın başlarında doğan ve Avrupa'da büyüyen bir kadınla, aklen Avrupalı olan ama tüm alışkanlıkları ile eski Osmanlı toplumuna demir atmış bir erkeğin arasındaki zıtlıkların çatışmasından yürüyemedi.

Mustafa, Şakir'in bir arkadaşı olan Cevdet'le Sofya'daki Avrupai gece yaşamından edindiği bir izlenimi Madame Corinne'e şöyle aktarmıştı: "Cevdet'le iyi anlaşıyoruz. Böylesine çekici ve yakın bir dost edinebileceğimi hiç düşünmemiştim. Önceki gece beni uzun yıllardır tanıdığı Parisli Madame Denise'e götürdü. Konuklar arasında pek çok seçkin kişi vardı. Birkaç bakan ve diğer erkekler bakara oynuyorlardı. Ben oynamadığım için karşılıklı selamlaşmanın ve hal hatır sormanın ardından oradan ayrıldık. Üstelik Parisli hanımın pek güzel olduğunu da söyleyemem. Sanırım Cevdet'ten beni evine getirmesi için ricada bulunmuş. Kendisine veda ederken, şöyle dedi: 'Kumandanım, bu gece pek eğlendiğiniz söylenemez. Sizi temin ederim, bir dahaki sefere buradan çok daha fazla hoşnut kalacaksınız.' Ama ben bundan pek emin değilim.

Daha sonra müzikli bir kafeye, 'Novia Amerika'ya gittik. Orada şarkılar söyleyen ya da müşterilerden biri tarafından davet edilme umuduyla masalarına oturan Alman, Fransız kökenli hanımlar vardı. Cevdet iki Macar hanımı yanımıza davet etti. Bir tanesi Almanca biliyordu, diğeri, -daha kısa olanı- ise yalnızca Macarca konuşuyordu. Neden bilmiyorum ama bu durumdan hiç zevk almadım hatta aksine canım bile sıkıldı. Hanımları orada bıraktık ve geldiğimiz gibi çıkıp gittik. Nihayet yatağıma girebildiğimde saat gece yarısını çoktan geçmişti."

Mustafa Kemal, Türk Elçiliği mensubu olarak Şakir ile birlikte Türk azınlık gruplarını sık sık ziyaret ediyordu. Türkiye'de yalnızca yabancılara özel olan ticaretin serbest bırakılması ile elde edilen başarının sonucu olan yüksek yaşam standardı ve Plevne'de olduğu gibi endüstrinin yeşermesi Mustafa Kemal'i çok etkiledi. Türkiye için yalnızca düş sayılabilecek denli çok sayıda okul olması ve kadınların kimi zaman evlerinden bile peçesiz dışarıya çıkacak kadar özgüven sergilemeleri Mustafa Kemal'i çok şaşırttı. Türk azınlığı temsil eden on yedi milletvekilinden biri olan Şakir, dostunun parlamento çalışmalarını incelemesine de yardımcı oldu. Mustafa parlamento binasındaki galeride oturarak, gece yarılarına dek süren oturumları ve oy verme prosedürlerini izledi. Burada öğrendiği taktikleri ve incelikleri ise daha sonra Sivas ve Erzurum'da yaptığı milli kongrelere ve Ankara'daki Büyük Millet Meclisi'ne uyarladı.

Mustafa Kemal, Sofya'da elde ettiği toplumsal başarıya ve yararlı deneyimlere karşın kendisini yine de sürgünde gibi hissediyordu. Selanik'den arkadaşı, askeri doktor Tevfik Rüştü'ye (Aras) yazdığı mektuplarda, pişmesine yarayacak en önemli politik ve askeri merkezden uzak kaldığı için duyduğu üzüntüyü dile getirmişti. Madame Corinne'e ise daha da büyük bir açıklıkla yaşadığı huzursuzluğun nedenini yazdı: "Çok büyük emellerim var ama bunlar yüksek bir mevkiye gelmek ya da bol para sahibi olmak gibi materyalist emeller değil. İçimdeki hırs, tek bir hedefe yönelik: Ülkemin refahı için ideal bir projenin başarıyla gerçekleştirilmesi. Ancak bu vazifeyi yerine getirdikten sonra tatmin olabilirim. Bu temel görüşe tüm yaşamım boyunca sahip oldum. Henüz çok gençken böyle düşünmeye başladım ve son nefesime kadar da böyle düşüneceğim." Politik ve askeri açıdan hiçbir etkinliğinin olmadığı, Sultan'ın ve kabinenin Jöntürklerin militan bir grubu tarafından yönetildiği bir dönemde dile getirilmiş, ilginç bir açıklama. 1 Mart 1914 yılında birinci mülazımlığa terfi edişi ona, kritik bir entrikacı ve kışkırtıcı gözü ile bakıldığını ve başkentten uzak tutulmasının daha yararlı olduğunu önemli ölçüde kanıtlamıştı.

Mustafa Kemal 1914 sonbaharına dek zamanını Sofya'daki durağan diplomatik çevrelerde geçirirken, Almanya ve Osmanlı İmparatorluğu arasında bir ittifak kuruldu. 1912 sonbaharında Makedonya ve Trakya'nın şimşek hızı ile ülkeden kopmasının yarattığı şokun sonucunda Başvezir Mahmut Şevket Paşa, Colmar von der Goltz tarafından başarı ile yönetilen askeri misyonun güçlendirilmesini en iyi korunma ve önlem alma çaresi olarak görüyordu. O sıralarda, ilerde iktidara gelecek olan Cemal Paşa ile yaptığı bir söyleşide, Türk ordusunun otuz yıl sonra Alman yönetimlerine erişmeyecek durumda olacağını ve bu nedenle genelkurmaylık, askeri okullar ve silah fabrikalarının yenilenmesi için Alman askeri misyonunun çok uygun olduğunu anlatmıştı. Bu amaç, değişkenlik gösteren güç odaklarınca politik olarak algılandı. 1882 yılında Mısır'ı işgal eden ve St. Petersburg'da Çarla bir dayanışma paktı imzalamış olan İngiltere'nin, 19. yüzyılda olduğu gibi, bir Avrupa üyesi olarak Rusya ile karşı karşıya gelmesi sözkonusu olamazdı. Bu rolü yalnızca Almanya üstlenebilirdi çünkü Fransa'nın ve İtalya'nın ilgileri de Osmanlı İmparatorluğu'na olduğu kadar aynı oranda Alman İmparatorluğu'na da yönelikti.

Yeni bir Alman askeri misyonunun gönderilişi ancak 1913 Haziran'ında ve Jöntürklerin iktidarda olduğu dönemde gerçekleştirildi. Türkler tarafından, İngiltere ve Rusya'yı olası bir savaş hazırlığına karşı kışkırtmak için değil, müfettişlik ve danışmanlık görevi ile ülkeye davet edildiği yolunda açıklama yapılan misyon İstanbul'un Avrupa yakasındaki tren garına 14 Aralık 1913 tarihinde ulaştı. II. Wilhelm'in arzusu ile bu misyona başkan olarak atanan General Otto Liman von Sanders birkaç hafta önce imparatorun huzuruna çıkmış ve şu şekilde uyarılmıştı: "İktidarın Jöntürklerde ya da yaşlı Türklerde olması sizi hiç ilgilendirmemeli. Sizin işiniz yalnızca orduyla. Türk subayını politikadan uzak tutun. Türk askerinin en büyük hatası politize olmasıdır."

Liman von Sanders'in bu göreve seçilmesi Almanlar tarafından çok yönlü eleştirilerle karşılandı. Aralık 1917'de Türk genelkurmaylığına çağrılacak olan General Hans von Seeckt şöyle yazmıştı: "Askeri misyon şefinin seçimi büyük bir talihsizlik örneğidir, Almanya'da bir kolordunun başına geçmeye bile uygun görülmeyen bir adam, Türk ordusunun tamamının yeni baştan şekillendirilmesini üstlenecektir." İstanbul'daki Alman Elçisi von Wangenheim bir mektubunda olayı mizahla karışık şöyle irdelemişti: "Liman zaruri şartlar öyle gerektirdiği için, (bu şartlar yabancı makamlar tarafından neden talep edilmiştir, bilinmez) usul yetersizliğinden üst düzey bir askeri kariyerden yoksun kalmış bir insandır. Görünüşe göre, çok özel bir usul bilgisi gerektiren buradaki durumun tecelli ediş şeklini buna borçludur." Birinci Dünya Savaşının sonuna dek Liman von Sanders ile bir yandan daha yüksek rütbeli Alman subaylar ve diğer yandan Enver Paşa da dahil diğer Türk subaylar arasında protokol ve uzmanlık konularında çıkan bitip tükenmek bilmeyen tartışmalar, Alman Elçinin korkularında haklı olduğunu kanıtlamış ve Bavyeralı subay Kress von Kressenstein'ın ilerde şu özeti yapmasına neden olmuştur: "Liman kendini beğenmiş ve kurumlu, atılgan ve öfkeli, kuruntulu ve alıngan bir insandır." Ama von Sanders aynı zamanda çok yetenekli bir strateji uzmanıydı ve muhalefete hiç meydan bırakmayan, net kararlar alma cesaretine sahipti.

2 Ağustos 1914 tarihinde başlayan Birinci Dünya Savaşı ile birlikte Enver-Talat-Cemal üçlüsünün yönetimindeki Türkiye olası bir Rus saldırısına karşı Almanya ile karşılıklı silah yardımı anlaşması imzaladı. Bu anlaşma imzalanırken Almanya ile Avusturya-Macaristan zaten Rusya ile savaş halindeydiler. Kendi içinde görüş birliği sağlayamayan İstanbul hükümeti silahlı tarafsızlık statüsünden vazgeçmekte tereddüt ettiği gibi, üstelik Çar II. Nikola hükümeti ile uzlaşma yolları da aramaya başladı ve bu, Rusların isteklerinin daha da artmasına yol açtı.

Osmanlı İmparatorluğu'nun Almanya'nın yanında ne zaman ve nerede savaşa dahil olacağı sorusundan bağımsız olarak, 2 Ağustos 1914 tarihinde Başvezir Sait Halim Paşa ile Alman Elçisi von Wangenheim tarafından imzalanan anlaşma, savaş halinde Alman misyonunun ne olacağını belirten bir paragraf da içeriyordu: "Savaş durumunda Almanya, askeri misyonunu Türkiye'nin emrine bırakacaktır. Ekselansları Savaş Bakanı ve Ekselansları Askeri Misyon Şefinin arasında alınan kararlar gereğince Türkiye, adı geçen Askeri Misyona genel yönetim konusunda etkili bir otorite güvencesi verir." İmparatorluk Şansölyesi Bethmann Hollweg tarafından arzu edilen "Türkiye, Askeri Misyonun Başkomutanlık icraatında tam yetkili olmasını kabul eder" anlamında bir formülasyon, Osmanlı diplomasisinin mahareti ile Fransızca kaleme alınmış olan anlaşma metninde önemli bir nüans değişikliğine uğramış ve "tam icra yetkisi" "etkili otorite güvencesine" dönüşmüştü. Savaş Bakanı Enver yaptığı bu küçük düzeltme ile Osmanlı ordularının üstkomutanlığını Alman subaylarına bırakmak istemediğini vurguluyordu. Pratik anlamda ise ortaya Alman ve Türk kumandanlarının, yani askeri misyonun başındaki Liman von Sanders ile Enver Paşa'nın birbirlerini karşılıklı olarak engellemeleri gibi bir durum çıkıyordu. Bu durumun yol açtığı rekabet ortamının bir sonucu olarak, gönüllerinde Savaş Bakanlığı yatan Enver ile von Sanders haftalarca birbirleriyle hiç konuşmadılar. Halbuki bu sırada cephede onların alacağı kararlar bekleniyordu.

Türk hükümetinin yalnızca Rusya ile değil, daha bir yıl önce candüşmanı olduğu Bulgaristan ve Yunanistan ile de ayrı ayrı müzakereler yapması, aralarında yetenekli bir Maliye Bakanı olan Cavit Bey'in de bulunduğu kabinede çoğunluğa sahip Jöntürklerin tarafsızlık halini korumak için elinden gelen her şeyi yapacağını kanıtlıyordu. Bu konuda gösterilen ısrarın esas nedeni ordunun ve savaş malzemesinin gerçekçi bir gözle incelenmesiydi; elde yeterli sayıda savaş araç gereci olmadığı gibi cephane bile kısıtlıydı çünkü Türkiye, savaş öncesi borçlarını zamanında kapayamadığı için artık Krupp firması yalnızca peşin para karşılığında mal veriyordu. Hava gücü zaten yoktu ve donanma birkaç modern torpido gemisinin dışında iyice yaşlanmıştı. Askeri donanım konusundaki bu yetersizlik hali, Almanya gibi güçlü bir savaş müttefiğinin her şeyi kendi tarafına çekeceği korkusunu da birlikte getiriyordu tabii.

Türkiye'nin askeri gücü konusunda Almanya'nın kuşkulu önyargıları ise değişime uğradı çünkü savaş öncesi sarhoşluğu ile saptanan İngilizleri Mısır'dan atmak, Rusları Kafkasya'da yenmek ve Hindistan'a kadar uzanmak gibi birtakım savaş hedefleri ve Enver'in de aynı zengin düş gücüne sahip olması bu konuda çok etkili oldu. II. Wihelm 3 Nisan 1914 tarihinde Korfu'dan yolladığı özel bir mektupla şöyle demiştir: "Güvenilir kaynaklardan aldığım haberlere göre Türk ordusunun durumu tam anlamıyla çaresizlik göstermekte, düzelmesi yolunda tek bir umut ışığı bile bulunmamaktadır; salgın hastalıklar ve ölüm olayları alabildiğine geniş boyutludur; yalnızca Adrianopel'de (Edirne) 2000'den fazla hasta vardır; 60 kolera vakası görülmüştür." Alman ordusunun Genelkurmay Başkanı Helmuth von Moltke ise 18 Mayıs 1914 tarihinde şöyle bir uyarıda bulundu: "Önümüzdeki günler için Türkiye'yi Almanya'nın iyiliği açısından hesaba katmayı istemek, çok hatalı bir davranış olur." Savaş patladıktan sonra ise askeri yönetimde ve Alman basınında ani bir fikir değişikliği oldu. Türkiye'nin yardımına yoğun bir şekilde gereksinme duyulduğu için, Almanya ülkenin "dostluğuna" talip oldu ve sahip olduğu askeri gücü olduğundan daha fazla gösterme yolunu seçti. Türkiye'de çeşitli hizmetlerde bulunmuş olan askeri yazar ve subay Hans von Kissling daha ilerde şunları kaleme almıştır: "Almanya'daki yetkili askeri makamlar Osmanlı İmparatorluğu'nun askeri ve idari gücü hakkında net bir görüşe sahip değildi. Ancak zamanla Türk ordusunun, Balkan Savaşı sırasında yaşadığı başarısızlıkların ardından beklenenin aksine, daha güçlü olduğu anlaşıldı. Başlangıçta geçerli olan küçümseme duygusunu bu kez de abartma duygusu izledi ve Türk kuvvetlerinin Ön Asya'daki operasyonlarda son derece başarılı olacağı varsayıldı.

Almanya, cephane sevkiyatı ve efektif savaş girdileri için borç vererek Türk hükümetini kendisine bağımlı kılma yöntemi ile baskı altına aldıktan sonra, Enver meslekdaşı Cemal'in de bilgisi dahilinde, gizli tutulan bir darbe ile kabineyi devirmeyi ve oldu bittiye getirerek savaş haline girmeyi başardı: Almanların Akdeniz'de görevli savaş gemileri ve Türk donanması kumandanları Alman Amiral Souchon'un komutası altında, 29 Ekim 1914 tarihinde Odessa ile Sıvastopol arasındaki Ruslara ait Karadeniz sahillerini bombardıman etmeye başladılar. Savaş gemilerinin arasında artık yaşlanmış olan "Hamidiye"nin yanısıra, savaştan önce Çanakkale Boğazından geçirilerek İstanbul'a getirilen "Goeben" ve "Breslau" isimli iki Alman kruvazörü de bulunmaktaydı. Türkiye, tarafsızlık kurallarına uymadığını maskelemek için sahte bir satınalma anlaşması imzalandı ve bu iki savaş gemisi "Yavuz Sultan Selim" ve "Midilli" isimlerini alarak Türk donanmasına dahil edildi, savaştan sonra yeni Türk hükümeti bu gemilere devlet adına el koydu.

Rus limanlarının bombalanması ile Türkiye'nin savaşa dahil olmasının altına imza koymuş olan Savaş Bakanı Enver'i, savaşın yitirilmesinin ardından kendi vatandaşlarının pek çoğu Osmanlı İmparatorluğu'nu kayıtsız şartsız Avrupa'ya (*) teslim eden ve kendi hayalleri uğruna ülkesini tesadüflerin kucağına atan bir vatan haini olarak gördüler. Kimileri ise Enver'in, Almanya'nın savaşı kazanacağından kuşku duymadığını, ama öte yandan kendi yenildiği için galip düşman güçlerinin Osmanlı İmparatorluğu'nu parçalamasını önleyemediğini düşündüler. Türk ordusuna komuta etme yetkisini Almanlara vermeyen İttifak antlaşması ile Enver'in İstanbul'daki Amerikan Elçisi Henry Morgenthau'ya bir konuşma sırasında söylediği şu sözler aslında herhangi bir hıyanetin sözkonusu olmadığını göstermektedir: "Türkler ve Almanlar yalnızca hatır uğruna ittifak yapmış değillerdir. Biz onlarla birlikteyiz çünkü ilgi alanımıza giriyorlar; onlar da bizimle birlikte çünkü biz de onların ilgi alanına giriyoruz. Almanya fayda gördüğü sürece Türkiye'yi destekleyecektir; aynı şekilde Türkiye' de fayda gördüğü sürece Almanya'yı destekleyecektir.

Osmanlı İmparatorluğu'nun sonunu ve milli Türk tarihinin başlangıcını simgeleyen Almanya İttifak antlaşması Türkiye'nin bugünkü bakış açısına göre o zamanki yetkililerin aldığı hatalı bir karar olarak nitelendirilmektedir. Türkiye'nin eski başbakanlarından Sadi Irmak 1981'de şunları yazmıştır: "Almanya'nın Birinci Dünya Savaşı sırasında Türkiye'yi kendisine yandaş ve bağlaşık taraf olarak görmesi ve bunun için her türlü özveriye razı olmasında anlaşılmayacak bir şey yoktur. Türkiye'nin Anlaşma Devletlerine katılması, Almanya'nın kuşatılması ile sonuçlanacak bir durumdu. Bu durumda Anlaşma Devlet-

---

(*) Burada Almanya denmek istenmektedir.

leri için Çanakkale ve İstanbul Boğazlarından geçerek Ruslarla bağlantı sağlamak kolaylaşacak ve bu da, savaşın sonunu daha başlangıçta belirleyecekti. Bağlaşma Devletlerinin, Anlaşma Devletlerine karşı şansı aksi durumda da pek fazla değildi çünkü denizler Anlaşma Devletlerinin hakimiyeti altındaydı ve hammadde kaynakları yine onlara aitti. Bunların dışında Almanya'nın, uzun süreli bir savunma ve direnme göstermeye elverişli olmayan, özel bir saldırı ordusu geliştirdiklerini de biliyorlardı. Enver'in heyecanı ve umutları bu nedenler yüzünden zaten felaketle sonuçlanacaktı."

Mustafa Kemal 1914 Ağustos'unda Sofya'da Şakir'le paylaştığı evden çıktı ve Türk Elçiliğine yerleşti. Harbe katılmak üzere geri çağrılması durumunda hemen emre uymaya hazırdı. Ama beklentileri boşa çıktı, genelkurmay onu unutmuşa benziyordu. Sonunda tüm sabırsızlığı ile Enver'e bir mektup yazarak, kendisine orduda bir görev verilmesini rica etti ama Sofya'da, en az cephedeki kadar yararlı olduğunu açıklayan bir yanıt mektubu ile yetinmek zorunda kaldı. Yaşadığı düşkırıklığının da etkisiyle Enver'e yine mektup yazarak, şöyle dedi: "İyi bir subay olmadığım görüşünü taşıyorsanız, bunu bana dürüstçe söylemenizi rica ederim." Enver ise onu bu kez yanıtsız bıraktı.

Ancak 1915 yılının Ocak ayında Mustafa Kemal aldığı bir görev emri ile Gelibolu yarımadasında üslenmiş olan 5. Ordunun 19. tümenine kumandan olarak atandı. O sıralarda Enver'in, Kafkasya'da yaşadığı askeri yenilgi, 1908 Jöntürk devriminin kahramanı ve 1913 Edirne Fatihi olarak elde ettiği ünün halkın gözünde yerle bir olmasına yol açmıştı. Rusya'ya sefere çıkılmasını isteyen Almanya'daki genelkurmaylığın arzusu ve gerçekçi bir durum değerlendirmesi ile bu isteğe karşı çıkan Liman von Sanders'in aksi yöndeki kararına karşın, Enver'in komutasındaki 90.000 adam 1914'ün Aralık ayında Osmanlı İmparatorluğu'nun doğu sınırını geçti. Kafkasya'ya kadar herhangi bir direnişle karşılaşmayan ordu zaferin yakın olduğu beklentisi içine girmiş ama 1915 yılının Ocak ayı, son derece ağır kış koşullarını da birlikte getirince sonuç felaket olmuştu. Liman von Sanders anılarında şöyle yazar: "Resmi sayılara göre ordu yalnızca 12.000 kişi olarak geri dönebildi. Geri kalanlar vurulmuşlar, esir düşmüşler, açlıktan ya da soğuktan ölmüşlerdi. Geriye dönmekle birlikte bedensel olarak aşırı bitkin düşmüş olan askerlerin arasında kısa süre sonra tifüs hastalığı başladı ve bir kısmı da bu yüzden telef oldu."

1915 Ocak'ının sonlarına doğru Savaş Bakanlığını görev icabı ziyaret eden Mustafa Kemal, bir hayli zayıflamış ve sararıp solmuş olan ama Kafkasya'da yediği ağır darbeye karşın sükûnetinden ve kibar davranışlarından hâlâ ödün vermeyen Enver Paşa ile karşılaştı. Aralarındaki konuşma şu diyalogla başladı. Mustafa: "Biraz bitkin görünüyorsunuz sanırım." Enver: "Bir darbe yedik, o kadar." Mustafa: "Şu anda genel durum nasıl?" Enver: "Çok iyi." Bu kısa girişten sonra Enver kendisinden yaşça çok az büyük ama başarı itibariyle pek gerisinde olan bu subaya, İngiltere'ye karşı isyan girişimlerinde bulunmak üzere onu ve üç birliğini İran üzerinden Hindistan'a göndermek istediğini açıkladı. Daha Selanik'deyken arkadaşlarına ham hayallerinden söz ettiği Savaş Bakanının en sevdiği fantazisini Mustafa Kemal kuru bir açıklama ile bir çırpıda reddetti: "Ben bu tarz kahramanlık gösterilerine uygun değilim." Sonra da hâlâ eksikleri olan 19. tümenle ilgili direktiflerini alıp, kendisine veda etti.

İki ay sonra, 24 Mart 1915 tarihinde, Gelibolu'daki 5. Ordunun Başkomutanlığına getirilecek olan Liman von Sanders ile de bu arada tanışma fırsatını buldu. Aynı sıralarda Savaş Bakanlığının bir başka odasında Colmar von der Goltz Türk genel karargâhının danışmanlığı görevini icra ediyordu. 1915 Nisan'ının ortalarına doğru İran Körfezine saldırılarda bulunan İngiliz birliklerine karşı savaşan Mezopotamya'daki 1. Ordunun üstkomutanlığına getirildi. Türkiye'de büyük saygı gören bu mareşal 1915 Nisan'ının sonunda yetmiş iki yaşındayken Bağdat'ta tifüsten öldü.

Gelibolu yarımadası 1915 yılının ilk aylarında, bir yandan Fransa ve İngiltere, diğer yandan Almanya tarafından desteklenen Türkiye'nin bulunduğu Anlaşma ve Bağlaşma (İttifak) Devletleri arasında çıkan çatışmaların odak noktası oldu. 1914/15 kışı boyunca Türk-Alman birliklerinin Süveyş Kanalında saldırı uyguladığı -bu birliklerin zorunlu olarak geri çekilmesi Enver için ayrı bir prestij kaybı olmuştur- İngilizler, tek bir darbe ile Osmanlı İmparatorluğu'nun iktidar ve askeri merkezlerini devre dışı bırakmak ve böylece Yakındoğu'da yenilgiye uğrama rizikosunu önlemek istiyorlardı. İngiliz Savaş Bakanı Lord Kitchener ile o zamanki Donanma Bakanı Winston Churchill'in ortak bir görüşle birlikte saptadıkları saldırı noktası Akdeniz'le Marmara Denizini bağlayan Çanakkale Boğazı ve yüzyıllardan beri Osmanlı başkentini güneyden gelecek düşman gemilerine karşı korumuş olan tahkimatlardı.

Mustafa Kemal'in, 19. tümeni güçlendirmekle uğraştığı sıralarda, 19 Şubat 1915 tarihinde, Fransız ve İngiliz savaş gemileri Çanakkale Boğazının girişindeki tabyaları bombardıman etmeye başladılar. Fransız ve İngiliz genel kurmaylıklarının arasındaki koordinasyon yetersizliği, topçu ateşi ve mayınlar nedeniyle düşman gemilerinin verdiği kayıplar, havaların inanılmaz derecede kötü gitmesi ve hepsinin dışında Alman amiraller Merten ve von Usedom'un yönetimindeki yoğun Türk savunması sayısız kez yinelenen bu saldırıların başarıya ulaşmasını engelledi. Bu da, Anlaşma Devletlerini 18 Mart'ta operasyonu durdurmaya zorladı.

Hiç beklemediği bu yenilgi karşısında gururu kırılan Churchill İngiliz parlamentosuna yeni bir saldırı planı sundu; bu kez İngiliz, Avusturalya ve Yeni Zelanda birlikleri doğrudan Gelibolu yarımadasına çıkacaklar, Çanakkale Boğazını bu yöntemle ele geçirdikten sonra, İstanbul'a ulaşacaklardı. Türk Savaş Bakanlığında, Çanakkale Boğazına yönelik ikinci bir saldırı olasılığı konusunda fikir çatışması vardı. Enver kendini galibiyet sevincine kaptırmış gibiydi çünkü ünlü ve dünyaya korku saçan İngiliz donanmasına karşı savaşın kazanıldığını düşünüyordu. Ona karşın Liman von Sanders Anlaşma Devletlerinin yarımadaya ya da tam karşısındaki Asya topraklarına çıkartma yapacaklarından emindi. Kendi arzusu üzerine 24 Mart'ta Gelibolu'daki 5. Ordu kumandanlığına tayin edildi. Bu ordunun bir parçası olan ve kumandanı Mustafa Kemal sayesinde efsanevi bir ün kazanmış olan 19. tümen de onun emri altına girmiş oluyordu.

25 Nisan 1915 tarihinde, şafak sökerken Fransız birlikleri düşmanın dikkatini saptırmak için Çanakkale Boğazının Asya tarafından karaya çıktılar, bu sırada aralarında pek çok Avusturalyalı ve Yeni Zelandalı gönüllü askerin de bulunduğu İngiliz ordusu Gelibolu ve Arıburnu Körfezinden ana saldırıyı başlattılar. Sayıca pek az olan Türk nöbetçileri hemen bertaraf edildi ve İngiliz askerleri birkaç saat içinde,

ele geçirilmesi halinde savaşın kaderini çizecek olan körfeze paralel uzanan Anafartalar dağ zincirine ulaştılar.

Mustafa Kemal 19. tümenle birlikte Maydos'dan (bugünkü Eceabat) yarımadanın batı kesimini kontrol altında tutarken, İtilaf Devletlerinin yalnızca karaya çıkmakla kalmayıp Anafartalar'a kadar geldiği haberini alınca, atına atladı, son derece zahmetli olan yolun bir kısmını dörtnala giderek, sarp kayalardan oluşan bölümünü ise yayan yürüyerek cepheye doğru ilerlemeye başladı. İlk anda kendisine eşlik eden askerler artık çoktan geride kalmışlardı. Karşısına aniden korku içinde kaçmakta olan bir grup Türk piyadesi çıktı. Mustafa Kemal bu sahnenin devamını daha sonraki bir zamanda bir gazeteciye şu şekilde anlatmıştır: "Ben 'Neden kaçıyorsunuz?', diye sordum. Onlar 'Düşman geliyor kumandanım', diye yanıt verdiler. 'Düşman nerede?' diye öğrenmek istedim. Orada dediler ve 261 rakımlı komşu tepeyi gösterdiler. Aynı anda düşman askerleri sel gibi 261 rakımlı tepenin üstünde göründüler ve bize yaklaşmaya başladılar. Durumu bir düşünün. Ben, biraz kendisini toparlasın diye tümenimi terketmiştim ve hemen karşımda, elimi uzatsam tutabileceğim denli yakınımda düşman. Başka sözcüklerle düşman askerleri bana, kendi askerlerimden çok daha yakın ve durumumuzun çok kısa bir zaman sonra daha da beter olacağı kesin. Sonra, artık o anda düşünüp taşındığım için mi, yoksa içgüdüsel olarak mı bilmiyorum, kaçmak isteyen piyade askerlerine şöyle seslendim: 'Düşmandan kaçamazsınız!' Cephanelerinin bittiğini söylediler ama ben 'Cephaneniz yoksa süngülerinizi kullanın!' dedim ve onlara süngülerini ellerine alıp, yere yatmalarını emrettim. Aynı zamanda adamlardan biriyle Conkbayırı'nda bulunan kendi tümenime de haber yollayıp, en hızlı şekilde buraya gelmeleri gerektiğini bildirdim."

İngiliz askerleri, Türklerin aniden karşılarına çıkmaları ve sonra birdenbire gözden kaybolmaları sonucunda belirgin bir şaşkınlığa kapılarak, düşman çizgisini korumak amacıyla 216 rakımlı tepede yere çöktü. Yeni emirleri bekler ve daha korunaklı bir pozisyona geçmek için hazırlık yaparlarken, 19. tümen de komutanları Mustafa Kemal'in bulunduğu yere gelecek zamanı buldu. Komutanın emri kısa ama kesindi: "Size yalnızca taarruza geçmeyi değil, ölmeyi de emrediyorum. Biz ölene dek, yeni tümenler yerimize geçecektir zaten." Savaş bir gün ve bir gece sürdü ve düşman sahile dek geri püskürtüldü.

Suriye, Trablusgarp ve Arnavutluk'da kazandığı deneyimlerden kritik bir durumda en iyi stratejiyi uygulama ve çabuk karar verebilme özelliklerini edinen Mustafa Kemal 25 Nisan 1915 tarihinde çok önemli bir askeri başarı elde etti. Bu muhteşem zaferin ve bunu izleyen hepsi birer taktik dehası pek çok muharebenin çevresinin, gerçek olayları yansıttığı pek de iddia edilemeyen çok sayıda, efsane ile sarmaşık gibi sarılıp sarmalanması, Atatürk'e kendi ulusunun gösterdiği o yüce saygı ile pek bağdaştırılmamalıdır. Mustafa Kemal'in yalnızca Türk ve Alman subaylardan oluşan kendi karargâhında değil, İtilaf Devletleri Başkomutanı Sir Ian Hamilton gibi rakiplerinde de büyük saygı ve hayranlık uyandırmasının nedeni sınırlı bir hareket gücünün yol açtığı alışılmışın dışındaki durumlarda, sınırlarını çok çok aşan bir etki yaratabilmesinde aranmalıdır.

Büyük Frederik'in "talihi yaver giden" adam olarak nitelediği, şans ve tesadüflerin yardımlarını esirgemediği Türk subayının bu manevrası İtilaf Devletlerinin çok çabuk başarıya ulaşma yolunda besledikleri umutları kırdı, harbi bir durum savaşına dönüştürdü ve sonunda, 1915 yılının bitimine doğru, ikinci bir yenilgi ile son buldu. Sürekli aksi yönde uyarılmasına karşın Gelibolu operasyonunu destek kıtaları sevkiyatı ile yürütmekte kararlı olan Winston Churchill 26 Mayıs' ta bakanlık görevinden istifa etmek zorunda kaldı. Asya tarafındaki Haydarpaşa istasyonunda Sultan'ı, devlet hazinesini ve kordiplomatiği güvenceli bir ortam olan Eskişehir'e götürmek üzere iki trenin hazır bekletildiği İstanbul kurtulmuş, Osmanlı İmparatorluğu ve askeri Birinci Dünya Savaşı sırasında elde ettikleri bu tek başarı ile saygınlıklarını korumuşlardı. Churchill'i desteklemiş olan Lloyd George İngiliz parlamentosunda kendisini şu sözlerle savunmuştur: "Ordumuzun karşısına, tarihin yalnızca yüz yılda bir yarattığı bir askerin çıkacağını nereden bilebilirdim." (*)

(*) Lloyd George bu sözleri, Ulusal Kurtuluş Savaşımızın sonrasında söylemiştir.

İngiliz öncü birliklerinin başarılı bir şekilde geriye püskürtülmesini, 19 Mayıs'a dek süren ve Anafartalar hattında tıpkı Verdün'deki gibi son derece büyük kayıplara yol açan ve tahrip gücü yüksek durum savaşları izledi. 261 rakımlı tepedeki kritik durum karşısında gösterdiği üstün başarıdan dolayı Mustafa Kemal, Liman von Sanders'in önerisi ile 1 Haziran'da miralaylığa terfi etti. Uzun aralıklarla gerçekleştirilen saldırılardan arta kalan zamanları siperlerde geçiren Türk askerleri ile Avusturalyalılar arasında Türk balı ve et konservesi değiş tokuşu dahi yapılırken, 19. tümenin Komutanı kendi çadırında roman okuyor, yakın çevresine mektuplar yazıyor ve yeniden başgösteren sıtma krizleri ile uğraşıyordu. 6 Haziran tarihli mektubunda Sofya'daki evsahibesi Hildegard Christianus'a şunları yazmıştı: "Bir buçuk ay önce yolladığınız mektup elime ancak dün geçti. Sizden ayrılalı tam beş ay geçmiş. O günden bu yana sürekli meşgulüm. Ama bana verdiğiniz Almanca dersini unutmuş değilim. Gökgürültüsü gibi top ateşi ve dolu taneleri gibi yağan kurşunların altında dahi, tüm savaş süresince, yaşantıma ait en iyi anılar bana verdiğiniz o harika güzellikteki ders saatlerine ilişkin olanlardır. Sizin de beni unutmamış olmanızdan bir an dahi kuşku duymadım. Ama sizden haber alamamak beni son derece üzüyor.

28 Nisan 1915 tarihli mektubunuz bu nedenle beni sandığınızdan daha fazla mutlu kıldı. Bir erkeğin işine gereksinmesi olduğu ve buna karşın bazı dostluklarını bu yolda kurban ettiğine dair psikolojik gerçek malumum. Örneğin bana 'Ne zaman miralay rütbesine terfi edeceksiniz?' diye sorduğunuzda sizi şöyle yanıtlamıştım: 'Böyle bir paye ancak savaş alanında elde edilir.' Bunun üstüne siz de 'Öyleyse kanıtlayın' demiştiniz. Sizin arzunuz üzerine beş günden bu yana miralay rütbesi taşıyorum. Bunun da dışında, birtakım abartılı reaksiyonlar gösteren kişilerden de ayrıca gümüş ve altın kahramanlık madalyaları aldım. Bulgar Çarı Ferdinand beni kumandan rütbesinde Kutsal Alexander nişanı ile taltif etti. Bu şerefin tümünü sizin üstümdeki soylu etkinize borçluyum."

Anafartalar başarısının ardından Mustafa Kemal'e yöneltilen taltif yağmurundan Madame Corinne'in de haberi oldu. 20 Temmuz 1915 tarihli ve "Burada, cehennemde yaşıyoruz" cümlesi ile başlayan mektubunda Mustafa Kemal şu itiraflarda bulunuyordu: "Şu sıralarda yaşadığım olaylar nedeni ile acımasızlaşan karakterimi yumuşatmak üzere roman okumaya karar vermiş bulunuyorum. En azından, yaşamın iyi ve keyifli yanlarını bu yolla duyumsamayı umuyorum. Herkesi baştan çıkartan, pek hoş ve zekice olan sohbetlerinizin tadını çıkartmak benim için olanaksız olmasaydı, benimkilerle pek az uyuşan, erkeklerin aşka dair duygularını ve yaşam görüşlerini yansıtan romanlar okuma gereğini de duymazdım." Mektup, Corinne'den kendisine başka romanlar tavsiye etmesi ve yollaması ricası ile son bulur.

6 Ağustos'u 7 Ağustos'a bağlayan gece 20.000 askerle desteklenmiş olan İtilaf güçleri Anafartalar hattına yeniden saldırdılar. 19. tümeni ile birlikte bu saldırıya uzun süre dayanmasının mümkün olmadığını gören Mustafa Kemal sahra telefonundan Gelibolu Genelkurmay Başkanı Liman von Sanders ile bağlantı kurdu: "Yaptığım durum değerlendirmesini size daha önce bildirmiştim. Şu anda tek bir umudumuz var." Liman: "Nedir?" Mustafa: "Çevremdeki tüm kıtaların benim emrim altına verilmesi." Liman: "Bu fazla olmaz mı?" Mustafa: "Hayır, az bile". Liman von Sanders 8 Ağustos'ta onu, savaş yapılan tepelerin çevresinde üslenmiş olan pek çok tümenden oluşan kolordunun komutanlığına atadı.

Mustafa Kemal 10 Ağustos'ta hücum emri verdi. Savaş günlüğünde sabahın o saatini şöyle tasvir eder: "Geceyi huzursuz geçirdim. Anafartalardan gelen haberler iyi değil. Kıtalar, komutanları ile irtibatlarını kaybetmişler. Bana başvurarak, emirlerimi beklediklerini bildirdiler. Sabah şafakla birlikte son hazırlıklara başladım. Fazla zaman kaybetmemeliyim çünkü birkaç dakika içinde düşman, kıtalarımı görecek ve kurşun yağdırmaya başlayacak. Askerlerimin arasında şöyle bir dolaştıktan sonra onlara hitaben: 'Askerler, düşmanı ezip geçeceğimizden hiç kuşkum yok', dedim. 'Ben en önde gideceğim, kırbacımı kaldırdığımı gördüğünüz anda ardımdan gelin.' Subaylarım ve askerlerim her şeyi unuttular ve büyük bir sabırsızlık içinde benden gelecek işareti beklemeye koyuldular. Sonra, ben kırbacımı kaldırınca subaylarım kılıçlarını kınlarından çektiler, askerlerim düşmana hücuma geçti, dişleriyle tırnaklarıyla savaşmaya başladı. Her taraftan 'Allah Allah!' nidaları yankılanıyordu." Çok çok sonraları Mustafa Kemal, Gelibolu anılarını aktarırken şöyle demiştir: "Sorumluluk, ölümden daha ağır bastı."

Mustafa Kemal tepelerden birinin üstünde savaşın seyrini izlerken, sol göğsüne bir kurşun isabet etti. Yanında duran genç bir subay şöyle bağırdı: "Efendim, yaralandınız!" Askerlerinin, komutanlarının yara aldığını öğrenmelerini engellemek isteyen Mustafa genç subayın ağzını eli ile kapattı ve "Hiç konuşma", diye emretti. Ancak gece saatlerinde, sıcak çatışmaya ara verildiği anlardan birinde Liman von Sanders'e savaşın durumu hakkında bilgi verirken söz, aldığı yaraya geldi. Büyük bir şans eseri olarak kurşun göğüs cebinde taşıdığı saate isabet etmiş ve yalnızca yüzeysel bir yaraya neden olacak şekilde Mustafa Kemal'in göğsünü sıyırıp geçmişti. Bir dostluk anısı olarak Alman generale yaşamını kurtaran saatten arta kalanları armağan etti. Liman çok duygulanarak saati aldı ve Türk subayına teşekkür mahiyetinde kendi saatini hediye etti.

Anlaşma Devletlerinin üçüncü yoğun saldırısı da yenilgi ile son buldu ve 1915 yılının sonuna dek ancak geri çekilen güçlerle Türk askerleri arasında fazla şiddetli olmayan çatışmalar cereyan etti. 9 Ocak 1916 tarihinde son askerler de tahliye edildiler. İngiliz tarafının kaybı 213.980, Türk tarafının kaybı ise 120.000 askerdi. İstanbul hükümeti rahat bir soluk aldı çünkü savaşın Osmanlı ve Alman İmparatorlukları lehinde sonuçlanması olasılığı yeniden yakınlaşmış sayılırdı.

1915 Nisan'ından beri sürekli harb eden ve bu arada sıtma krizleriyle de boğuşan Mustafa Kemal iyice bitkin düşmüş ve Aralık ayında savaş tam anlamı ile son bulduktan sonra hastalık nedeni ile izin almıştı. Gelibolu Kahramanı halkta büyük bir sevgi ve coşku uyandırmıştı ama İstanbul'a geri döndüğü zaman onu karşılayan olmadı. Enver, büyük bir olasılıkla kıskançlık nedeni ile, kitlelerin sevgilisi olan bu adamın resminin ve dönüş tarihinin yayınlanmasını önlemişti. Enver Paşa'nın haset dolu duyguları 1915 Temmuz'unda, Gelibolu'ya yaptığı bir keşif gezisi sırasında iyice su yüzüne çıkmış bulunuyordu. Herhangi bir neden belirtmeksizin yalnızca 19. tümeni ziyaret etmemişti çünkü. Bunun üzerine Mustafa Kemal görevden çekilmek istemiş ama, Liman von Sanders bu girişimi zamanında önleyerek Enver'e bir mektup yazmış ve onu, hassaslaşan ilişkilerini onarma konusunda ikna etmişti. Orijinali Ankara'daki "Türk Tarih Kurumu" arşivlerinde bulunan, büyük bir diplomasi becerisi örneği sayılan bu mektupta, Türk içişlerine karşı tarafsız politik kişiliğe sahip, ünlü bir askeri uzmanın Mustafa Kemal hakkındaki ilginç yargıları yer almaktadır.

Miladi takvime göre 17. 7. 1915 (Rumi takvime göre 1331) tarihini taşıyan ve "Ekselansları Enver Paşa, Osmanlı İmparatorluğu Ordusunun ve Donanmasının Başkomutanı, Majestelerinin Başyaveri" ne hitap eden bu mektup şöyledir: "Ekselanslarına, Miralay Mustafa Kemal Bey'in yazılı bir dilekçe ile başvurarak, görevden affedilme arzusunda olduklarını bildirmek durumundayım. Bu dilekçeyi onaylamaktan yana değilim çünkü son derece yetenekli, çalışkan ve cesur bir subay olarak tanıdığım ve saydığım Miralay Mustafa Kemal Bey'in hizmetlerine vatanın özellikle bu büyük savaş sırasında sonsuz gereksinmesi vardır. 5 ay önce 19. tümenin başına geçen Miralay Mustafa Kemal Bey görevini üstün bir başarı örneği sergileyerek o günden bu yana eksiksiz olarak yerine getirmiş ve İngilizlerin Anafartalar Tepesine yaptığı büyük çıkartmanın en zor anlarında komutayı üstlenmek zorunda kalmıştır...

Miralay Mustafa Kemal Bey'e, burada da üstüne düşen vazifeyi büyük bir kahramanlıkla ve yerinde kararlar almak suretiyle ifa etmiş olmasından dolayı ve görevim gereği teşekkür ve takdirlerimi sunmuş bulunmaktayım. Miralay Mustafa Kemal Bey'in görevinden affını rica etmesinin nedeni Ekselanslarının, İmparatorluk Ordusunun Başkomutanının en büyük amirinin güvenine mazhar olmadığına inanmış bulunmasıdır. Siz Ekselanslarının, son cephe ziyaretiniz sırasında hasta bulunan ve hastalığı hâlâ da süren Mustafa Kemal'i, diğer üç

Anadolu ve Suriye'de, Doğu Cephesinde Almanya Yolculuğu (1916 - 1917)

Anlaşma Devletlerinin Çanakkale'de yenilgiye uğraması sonucu, savaşın Alman-Türk cephesinde zayıf da olsa bir umut ışığı uyanmış ama bu ışık 1916 yılında sönüp gitmişti. Gelibolu yarımadasında yaşanan zaferin ardından Doğu Cephesini oluşturan Anadolu'da Ruslara, Suriye'de İngilizlere karşı yapılan savaşlar tam birer felaket oldu. Rakiplerin askeri üstünlüğü, Osmanlı ordusunun donanım ve eğitim yetersizliği ve Türk ordusunu yeniden güçlü temeller üstüne kuracağı düşüncesi ile getirtilen Alman askeri misyonunun aldığı yanlış kararlar, Mustafa Kemal ve büyük imparatorluk hayallerine uzak kaldığı gibi Milli Türk Devleti düşüncesine de sempati ile yaklaşan birkaç Jöntürk gibi realist gözlemcilerde, daha İttifak anlaşması imzalanmadan önce, Türkiye'yi Avrupalılar tarafından dikte edilen bir savaşa itmesi nedeni ile rahatsızlık uyandırmıştı.

Mustafa Kemal, Selanik'den arkadaşı olan askeri doktor Tevfik Rüştü ile birlikte 1915 Aralık'ında İstanbul'a gelince, her yanda büyük hayranlık uyandıran Gelibolu zaferinin, geçmiş yıllarda olduğu gibi, hükümet üyelerini ve Türk genelkurmaylığını hiç etkilememiş olduğunu gördü. Yeniden politik maceraperestler ya da Alman hayranları olarak nitelediği birtakım adamlara bağımlı kalmak, yeniden tüm sabrını kullanarak kendisine verilecek bir başka görev emrini beklemek zorundaydı. İlk olarak bir süre Beşiktaş'taki evde kaldı ama bu gergin günlerinde annesi ile kızkardeşi kendisini daha da fazla sıktıkları için ayrı bir eve geçmeyi, cephede kendisine musallat olan sıtma krizlerinden ve üstündeki bitkinlik halinden huzur içinde tek başına dinlenerek kurtulmayı yeğledi. Büyük bir tatminsizlik içinde geçirdiği o günlerde en büyük desteği, her zamanki gibi müzikal suareler düzenleyen Corinne'den gördü. Genç kadının konukları için piyano çaldığı gecelerden birinde Mustafa Kemal sessizce salondan dışarıya çıktı. Corinne hemen çalmayı kesti, konuklara döndü ve şöyle dedi: "Şu anda parmak uçlarına basa basa dışarıya çıkanın kim olduğunu biliyor musunuz? O, Mustafa Kemal'dir. Günün birinde kendinden çok söz ettireceğini iyi biliyorum, hem de yalnızca Türkiye'de değil, tüm dünyada."

Genelkurmaylık kendisini birliklerden birine sevketme kararı almakta fazlaca tereddüt gösterince Mustafa Kemal son kez Bulgar Savaş Bakanının kızı Miti ile Hildegard Christianus'u görmek üzere Sofya'ya özel bir yolculuk yaptı. Hildegard ailesi ile birlikte vatanı Almanya'ya gitmek zorundaydı. Mustafa onları istasyona kadar geçirdi, el dokuması bir halı ile tahtadan oyulmuş bir resim çerçevesi armağan etti ve vedalaşma sırasında eski evsahibesinin eline, Almanca duygu yüklü bir cümlenin yazılmış olduğu bir kâğıt sıkıştırdı: "Kalpten, kalbe yol gider." Bundan kısa bir süre sonra da İstanbul'dan gelen bir telgraf haberi ile kendisine Gelibolu'dan Edirne'ye sevkedilen 16. tümenin kumandanlığına atandığı bildirildi.

15 Ocak 1916 tarihinde trenle Sofya'dan Edirne'ye geçti. Bir süvari bölüğünün başında, atının üstünde istasyondan şehire giderken halk da kendisine sevgi gösterisinde bulunuyordu. İstanbul'da kendisinden ufak bir karşılama töreninin bile esirgenmiş olmasını unutamadığı için bu kez bizzat hazırlık yapmış ve böylece Gelibolu Kahramanı olarak tam bir gövde gösterisinde bulunmuştu. Ayrıca 1908'de Selanik'de Enver'in ardında balkonda duruşu ve 1913'de Edirne'nin geri alınışı münasebetiyle ona yapılan aşırı tezahürat da bir bakıma dengelenmiş oluyordu. Popülerliğinin tadını çıkarması pek uzun sürmedi çünkü Şubat ayının sonunda 16. tümen ve 2. orduyu oluşturan iki birlikle beraber Doğu Anadolu'daki Diyarbakır ile Van Gölü'nün arasında bulunan Silvan'a gitmesi gerekti. 1914/15 kışında Kafkasya'da büyük darbe yemiş olan 3. Ordunun güçlenmesi gerekiyordu. Karargâhına vardıktan birkaç gün sonra Corinne'e şunları yazdı: "Batıdan doğuya,

neredeyse iki ay süren uzun ve zahmetli bir yolculuktan sonra insanın birkaç dakika huzur bulmayı umması hakkıdır, sizce de öyle değil mi? Ama hayır, anlaşılan huzuru ancak ölüm getirecek bana. O güne değin de her zamanki gibi, sizin "Bon Dieu" cennetinize girebilmek için her zaman hazır olacağım."

Gerçekten de o günlerde huzurun lafı bile yoktu. Rus kıtaları 1916 Şubat'ında, Kars'tan Erzurum'a ve güneyde Muş'tan Bitlis'e kadar Van Gölü çevresini işgal etmişler, Osmanlı sınırını aşmayı başaramayan binlerce Müslüman çiftçi ve hayvan yetiştiricisini katletmişlerdi.

19. yüzyılın sonundan itibaren Doğu Anadolu'daki ana yerleşim bölgelerinde kendilerini yeniden güvenlikte hissetmeye başlayan ve nüfuslarını bir hayli arttırmış olan Ermeniler, şimdi Çarlık Rusyası ile Jöntürk iradesi altındaki Osmanlı İmparatorluğu kalıntılarının arasında çıkan çatışmalar sıraşında emperyalist büyük güç hülyalarının gerçek kurbanları oldular. Bu bağlamda Ermenilere "kitle katliamı" uygulandığından söz edilse de, sonraları bu bilginin doğruluğunu tüm tarihçilerin aynı oranda onayladığı söylenemez.

Osmanlı ve Türk tarihini derinlemesine bilen, saygın Amerikan tarih bilimcisi Roderic H. Davison, 1915/16 da Doğu Anadolu'ya egemen olan karmaşık durumu şöyle anlatır: "Gelibolu savaşı doruk noktasındayken ve Ruslar Doğu Anadolu'yu zorlamaya başladıkları sırada "İttihat ve Terakki Cemiyeti" Ermenileri sürmeye başladı. Batıda kalan şehirlerin dışında, Anadolu'nun her yanında toplanan Ermeniler Suriye'nin kuzeyine ve Irak'a yollandılar. Yarım milyondan fazla insanın hastalık, bitkinlik, kıtlık ve en ilkel şartlarda yaşanan uzun bir yolculuk sonrasında yaşamlarından olması gerçek bir savaş trajedisidir. İçişleri Bakanı Talat Paşa da bu sürgünü askeri bir gereklilik olarak yorumlamıştır. Bazı Ermenilerin, Ruslarla işbirliği yapması, doğudaki Türk çizgisinin gerisinde isyan çıkma tehlikesini yaratabilirdi. Suçsuz insanların ölmesi ile sonuçlanan bu eylemde ifrata kaçıldığını Talat Paşa da itiraf etmiştir. Resmi Alman makamları sürgün olayını protesto etmekle birlikte aradaki savaş ittifakını tehlikeye düşürmek istemedikleri için fazla da ısrarcı olmamışlardır. Ermenilerin çektiği çilenin hiç kuşkusuz iki nedeni vardır. Birincisi, büyük çoğunluğunun

Türkiye'nin çekirdek ülkesi Anadolu'da Türkler ve Kürtlerle iç içe yaşamasıdır. İkincisi ise Balkanlar'daki Hıristiyan azınlıklardan Türklerin edindiği ilk deneyimlerin, onları isyanlara ve toprak kayıplarına karşı aşırı duyarlı hale getirmesidir." 1916 Nisan'ında Rus kıtaları Doğu Karadeniz sahilindeki Trabzon'a kadar geldiler ve Temmuz sonunda Türk sınırının beş yüz kilometre gerisindeki Sivas ile Erzurum arasındaki bağlantıyı koparttılar. 16 Mayıs 1916 tarihinde İngiltere adına Sir Mark Sykes ve Fransa adına Georges Picot Osmanlı İmparatorluğu'nun paylaşılması konusunda gizli bir anlaşma imzaladılar ve bu anlaşmaya 17 Nisan 1917'de Ruslar da katıldı. 1918'de imzalanan Brest-Litowsk barış anlaşmasının ardından yeni Sovyet yönetimi, Batılı devletlerin emperyalist politikasını dünyaya göstermek, Çar tarafından istila edilen Doğu Anadolu bölgesinden çekileceğini ve "Ermenilere toprak sözü de veren, Türkiye'nin paylaşılması üstüne yapılan anlaşmanın aslında hiç değeri olmadığını" kanıtlamak amacıyla bu acımasız paylaşma planlarını açıkladı. Daha başlangıçta pek çok kurban vermiş olan Ermeni bağımsızlık hareketi böylece yeniden büyük güçlerin ilgi alanının dışına itildi ve Birinci Dünya Savaşından sonra bağımsız bir Ermenistan için verilen garantiler Brest-Litowsk ve Sevr (1920) Barış Antlaşmalarının ayrıntıları arasında iyice kaybolup gitti. (*)

Sykes-Picot Antlaşması, Osmanlı İmparatorluğu'nun Birinci Dünya Savaşından sonra Anlaşma Devletleri ve onların yandaşları tarafından paylaşılmasını öngörüyordu. Büyük Britanya, İran Körfezinden Bağdat'a kadar olan Güney Irak'ı ve Filistin'deki Hayfa ile Akka limanlarını aldı. Fransa'ya Suriye, İskenderun, Adana ve havalisi verildi. İtalya 1917'de (St. Jean de Maurianne Antlaşması, 17 Nisan) Konya ve İzmir'e girdi ama müzakereciler bu arada İzmir'in, kendi ülkesini Anlaşma Devletlerine harekât hazırlıkları sırasında kullandırmış olan Yunanistan'a vaat edilmiş olduğunu görmezlikten geldiler. Osmanlılara karşı kendilerini desteklemiş olan Siyonistler, "Yahudi halkına vaat edilen anavatan Filistin" topraklarıyla ödüllendirildiler ve Araplar ulusal devlet olarak tanınma hakkını elde etmek için çabalarken, yine bir

---

(*) Sevr Antlaşması Doğu Anadolu'da bağımsız bir Ermenistan'ın kurulmasına amirdir. Bu devletin sınırları ABD başkanı Wilson tarafından belirlenecekti.

anlamda oyuna gelmiş sayıldılar çünkü Arap topraklarının büyük bir kısmı çoktan Fransız ve İngilizler tarafından paylaşılmıştı.

Sykes-Picot Antlaşması Osmanlı İmparatorluğu'nu tam anlamı ile parçalamıştı kısacası. Batı toplumunda uyandırdığı nefret savaşın son döneminde çabucak dindi ve 1918'in sonlarından itibaren uygulamasına geçilen paylaşma planlarının da gösterdiği gibi, 6 Ocak 1918 tarihinde "Times" gazetesinde şu sözlerle yayınlanan İngiltere Başbakanı Lloyd George'un verdiği söz de hiçbir şey ifade etmedi: "Büyük Britanya, Türklerin elinden başşehrini ya da Anadolu ile Trakya'daki diğer zengin ve ünlü şehirlerini almak arzusunda değildir." İngiliz savaş gemileri 13 Kasım 1918 tarihinde padişahlık sarayının tam karşısında demir attılar.

Gelibolu savaşlarında gösterdiği üstün başarıdan dolayı Paşa rütbesine terfi eden Mustafa Kemal 1916 yılının yaz ayları boyunca komutası altındaki 16. tümeni savaşabilecek duruma getirmek için didinip durdu. Amacı Rus ordusunu durdurabilmek ve eğer olanaklar el verirse işgal altındaki Anadolu şehirlerinden bazılarını kurtarabilmekti. Osmanlı İmparatorluğu'nun rezervleri bitmek üzereydi, ülke Anadolu, Suriye ve Mezopotamya'da gücünün sonuna gelerek bitip tükenmiş, ek olarak Anlaşma Devletlerinin Arap isyanı çıkartma tehdidi ile karşı karşıya kalmıştı. Ve Balkanlar'da Sırbistan'ın fethinden sonra Almanya, Avusturya-Macaristan ve Bulgaristan (Almanya ile yapılan 6 Eylül 1915 İttifak Antlaşması) savaş bağlaşığı Osmanlı Devletinden destek birlikleri talep ediyordu çünkü tarafsız Atina hükümetinin isteği ile Yunan topraklarında üslenmiş olan Fransa ve İngiltere ile başetmesi kolay olmuyordu.

Yeni askere alınan acemi erlerin büyük bir kısmı on altı yaşından fazla değildi ve Rusların sürekli ilerlemesi yüzünden askeri eğitim almaya zaman bulamamışlardı. Silah, cephane, giyecek ve yiyecek yetersizliği askerlerin moralini her geçen gün biraz daha bozuyordu. Pek çoğu donarak ya da açlıktan ölmüştü. Mustafa Kemal yine de askerleri ile birlikte Van Gölü'nün güneyindeki ve batısındaki Bitlis ile Muş'u Rusların elinden kurtarmayı başardı ve onların, en önemli garnizonlardan sayılan Diyarbakır'a girmelerini önledi. Doğu Anadolu cephesinde elde ettiği bu başarı Altın Kılıç madalyası ile taltif edildi ve 1916 yılının sonunda 2. Ordu kumandanlığına atandı.

1916 Ağustos'unda Bitlis ve Muş çevresinde yapılan savaşlar sırasında, Selanik'den yakın arkadaşı ve Gelibolu'da emir subayı olan, savaştan önce ise Jöntürklerin temsilcisi olarak karısı ve çocukları ile Berlin'de yaşamış olan Nuri (Conker) hep yanındaydı. Mustafa 17 Eylül'de Corinne'e şu satırları yazdı: "Göğsünü kurşunlara ve ölüme açarken, çevrende değerli insanların olduğunu bilmek çok iyi bir şey." Muhabere sırasında şehit düşmüş bir paşayı kastederek, sözlerine şöyle devam etmişti: "Nuri Bey'in bu kahramanca davranışı örnek alması beni derinden etkiledi. Ama çok şükür ki, tavsiyeme uydu ve gökyüzünde kendisi için hazırlanan saray bitene dek beklemeye karar verdi."

Selanik'deki arkadaş çevresinden gelen diğer bir "değerli" adam ise 1884 yılında İzmir'de doğan ve Sivas'ta büyüyen İsmet (İnönü) idi. Kariyeri, Mustafa Kemal'inki ile hemen hemen aynı paralelde gelişme göstermiş olan İsmet Bey, Almanca ve Fransızca dillerini de öğrendiği yüksek askeri eğitimini tamamladıktan sonra kısa bir süre için "İttihat ve Terakki Cemiyeti" sempatizanı olmuş, önce Trakya'da sonra da Yemen'de piyade ve süvari alaylarında görev yapmıştı. Yemen'de yakalandığı sıtma ateşi kulağında bozukluğa yol açmış, Viyana, Paris ve Berlin'de tedavi görmüş ama bu illetten tam anlamı ile kurtulamadığı için ilerki yıllarda işitme cihazı kullanmak zorunda kalmıştı. Bugün Ankara'daki baba evinde yaşamakta olan kızı Özden Toker, (ağabeyi Erdal İnönü, Sosyal Demokrat Halkçı Parti'nin başkanı, 1991 yılında Doğru Yol Partisi'nin başkanı Süleyman Demirel ile koalisyon hükümeti kurmuştur) babasının Yemen'de boş zamanını gramofon dinleyerek geçirdiğini anlatır. Yirmili yılların başlarından itibaren düzenli olarak mektuplaşan Mustafa Kemal ile İsmet Bey'in arasındaki yakınlık, ortak müzik sevgisi ile daha da derinleşmiş ve bu dostluk, Atatürk'ün benimsediği politik ve toplumsal düzenin bir ifade şekli olan Kemalizm'in oluşmasında önemli bir rol oynamış ve İsmet İnönü 1938 yılında Türkiye Cumhuriyeti'nin ikinci Cumhurbaşkanı olarak, kendisine hem kafaca, hem de insanlık yönünden çok güvenen selefinin mirasını üstlenmiştir.

Selanik günlerinin üstünden geçen pek çok yılın ardından Mustafa Kemal ile İsmet Bey 1916 yılının sonunda Silvan'da yeniden karşılaşınca, biri 2. Ordunun komutanı olarak, diğeri emrindeki kurmay subayı olarak, birbirlerini çok daha yakından tanıyıp keşfettiler ve her ikisinde de, diğerinin sahip olduğu farklı özellikler ayrı bir saygı uyandırdı. İsmet "hizmet saatlerini dosyalara gömülerek kendi isteği ile uzatan ciddi, çalışkan ve güven uyandıran bir subaydı. Bunun yanısıra vatanını ve ailesini çok seven örnek bir baba ve sadık bir eşti." Dikkatini kendine özgü fikirlerde ve kendi gücünde yoğunlaştırmış olan Mustafa Kemal'in aksine İsmet Bey daha ihtiyatlı ama başkalarının fikirlerine ve inisiyatifine daha bağımlı olarak düşünür ve yaşardı. İsmet Bey, ateşli yapısı ve pragmatist kişiliği ile iyi hesaplanıp kitaplanmış planlardan çok ani karar verilmiş girişimlere eğilim gösteren ve bu yolla başarıya ulaşan, kendisinden üç yaş büyük bu dostta, 1922 yılında Lozan Barış Antlaşması müzakereleri sırasında büyük yararını gördüğü kılı kırk yaran bir titizlik ve ısrarcılığın egemen olduğu kendi karakter yapısının karşı kutbunu buldu.

Sert geçen kış, hem Rus, hem de Türk birliklerini uzun bir süre savaşa ara vermeye zorladı ve her iki taraf da bu süreden yeni taaruz planları hazırlayarak yararlandı. Mustafa Kemal ve 2. Ordunun kurmayları Diyarbakır'daki karargâha çekildiler. Mustafa Kemal, subaylarının yemek zamanı derli toplu giyinmiş olmalarına ve sofraya otururken kalpaklarını çıkarmalarına her zamanki gibi hâlâ çok önem veriyordu. Avrupa tarzında bir subay gazinosu yaratmak amacıyla, üst düzey Ermeni hanımların davet edildiği danslı geceler tertiplenmesini sağladı (Müslüman kadınları herkesin ortasında dans etmezlerdi). Eski alışkanlıklarını burada da sürdüren Mustafa Kemal akşam yemeklerinden sonra konularını ve dozunu kendisinin belirlediği uzun sohbetler yapıyordu. Yeniden zaman ayırmaya fırsat bulduğu kitapları hakkında günlüğüne şunları yazmıştır: "Okumaya devam Est-il possible de renier Dieu?" (Tanrı'yı inkâr etmek mümkün mü?)

8 Mart 1917'de başkentin işçi sınıfı (Sovyet) tarafından ele geçirilmesi ve hükümet işlerinin aksaması ile birlikte St. Petersburg'da (1914'ten itibaren Petersgrad ve Lenin'in ölümünden yani 1923'ten 1990'a kadar Leningrad) yaşanmaya başlayan devrimin ilk aşamasında Rus harp cephesi çöktü ve sonunda 22 Aralık 1917 tarihinde

Rusya ile Anlaşma Devletleri ve onların yandaşları arasında Brest-Litowsk Barış Antlaşması imzalandı. Bu değişim Alman-Avusturya ve Türk-Alman kıtalarının doğu cephelerinde belirgin bir şekilde rahatlamalarına neden oldu. İstanbul'daki genelkurmaylık Anadolu'nun bundan böyle herhangi bir Rus saldırısı tehlikesi ile karşı karşıya kalmayacağını varsayarak, Türk askerlerinin içinde bulunduğu koşulların ve genel durumun kötü olmasına karşın, kutsal Mekke ve Medine kentleri ile birlikte Kızıl Deniz'in dağlık sahil kesimi olan Hicaz'ı ve Mezopotamya' nın güneyini, bu Osmanlı eyaletlerini 1917 Mart'ına dek ele geçirmiş olan İngilizlerden geri almaya karar verdi.

Mustafa Kemal böyle bir sefer için özel bir kolordu oluşturma emrini aldığı sıralarda, Şerif Hüseyin ve sonraları Irak'a I. Faysal adı ile kral olarak İngilizlerin durumunu ayrıca kolaylaştıran oğlu Emir Faysal da Osmanlılara karşı Arap İsyanları düzenliyorlardı. (Fransa ve İngiltere'nin yakındoğuya karşı gösterdikleri özel ilgi nedeni ile Sykes-Picot antlaşmasında yer alan büyük Arap İmparatorluğu'nun oluşumu gerçekleşmemişti). Mustafa Şam'a geldiğinde, bir keşif gezisine çıkmış olan Enver'le karşılaştı ve ona hayal olarak nitelediği bu girişime neden olumlu bakmadığını açıkladı. Genel durum büyük bir tehditle karşı karşıyaydı ve Hicaz'da izole edilmiş son Türk istihkâmları kapatılmalı, oraları savunmaya çalışan kıtalar Suriye'ye kaydırılmalı ve böylece Suriye cephesi güçlendirilmeliydi. Enver önce esas plandan sapmak istemedi ama sonra Mustafa Kemal'i kendi arzusu üzerine Diyarbakır'daki 2. Orduya geri yolladı.

Bunu izleyen aylar sırasında Enver fikrini değiştirerek, Hicaz seferinden vazgeçti, buna karşın yine hiç sağduyu içermeyen bir başka projeye, İngilizleri Mezopotamya'da vurmaya ve Bağdat'ı geri almaya yöneldi. Tüm fetih planlarında olduğu gibi şimdi de düş gücü alabildiğine çalışan Enver'in aklına çöl topraklarına bazı kolorduları değil, ordunun tümünü yollamak geldi. 14. yüzyılda yaptığı hızlı ve ani savaşlar sonunda elde ettiği zaferler yüzünden kendisine "Yıldırım" ismi takılmış olan Sultan I. Bayezit'ın anısına Yıldırım Orduları Grubunu kurdu. Başkomutanlık yetkisi Almanların önerisi ile Almanya'nın batı cephesi komutanı olan General Erich von Falkenhayn'a verilirken,

Mustafa Kemal de Enver'in isteği üzerine Yıldırım Orduları Grubuna dahil olan 7. Ordunun komutanlığına getirildi.

Bağdat'daki İngiliz istihkâmlarına karşı Türkler ve Almanlar tarafından uygulanacak olan taaruzlar daha hazırlık aşamasındayken sonuçsuz kaldı. Yıllarca Almanya'daki talim meydanlarında yaşamış olan Türk askerleri güney cephesine sevkedilmek üzere vatanları Anadolu'ya getirildikleri anda kitleler halinde ordudan kaçmaya başladılar. Onlara, Alman ve Türk subayların yönetimi altındaki Osmanlı askeri idaresinin bir türlü derleyip toparlayamadığı olumsuz şartlara daha fazla tahammülü kalmayan sayısız taraftar da katıldı. Bunun üstüne Mustafa Kemal üstkomutanlığa ve özellikle Enver'e yönelik bir muhtırayı kaleme aldı: "Şu anda Türk ordusunda aşağı yukarı 30.000 kaçak asker ülke içine yayılmış durumdadır. Temelde sahip olduğu yetenekleri itibariyle cesur, korkusuz, sabırlı ve azla yetinmeyi bilen Türk askeri eğer iyi beslenebilseydi, eğitilseydi ve iyi yönetilseydi çok büyük zaferler elde edebilirdi. Ama iki yıldan bu yana hiçbir bakımdan eğitilmediler. Askerlerin büyük çoğunluğu ne bağlı oldukları karargâhı, ne de komutanını tanımıyor bile."

Mustafa Kemal Halep'teki Yıldırım Orduları genel karargâhında Avusturyalı ataşemiliter tarafından Almanların aslında ticari yatırım amacı ile (örneğin Bağdat hattının inşası) ve Türklerin de çılgınca düşüncelerin sonucunda giriştikleri bu taaruza yönelik eleştirilerini açık açık sıralayınca, General von Falkenhayn kendisine bağlanan Türk birliklerini (Yıldırım Ordularının çekirdeğini Alman Asya kolordusu oluşturur) keşfe çıktı. Gördükleri karşısında hayal kırıklığına uğrayan Başkomutan Bağdat seferine karşı bir tavır içine girdi. Donanma Bakanı ve o zamanın Suriye askeri valisi olan yandaşı Cemal Bey de bu eleştirilere katılınca Enver'e boyun eğmekten başka yapacak bir şey kalmadı. Ama kısa bir süre sonra şapkasından başka bir plan çıkarmaktan da geri kalmadı. Hicaz ya da Bağdat'a gidilmediğine göre en azından elde bulunan ordu ile -planlara göre 1917 Ekim'ine kadar Halep'te toplanması gereken 75.000 askerden yalnızca 15.000'i oradaydı- Sina çölü aşılacak ve Mısır'a hücum edilecekti. İngiliz askerlerine karşı kalkışılacak olan bu intiharla eş değerdeki harekât sırasında Mustafa Kemal 7. Orduya komuta edecek, düşmanı Beersheba'da zayıflatmaya çalışırken, 8. Ordu da Alman Asya kolordusu ile birlikte İngiliz savunmasını kıracaktı.

Mustafa Kemal, kendisi gibi Suriye'ye tayin edilmiş olan İsmet'le birlikte İstanbul'daki genelkurmaylığa hitaben yukarda sözü geçen muhtırayı kaleme alarak, başka taarruzlardan kaçınmaları gerektiğini ve Osmanlıların çekirdek ülkesi olan Anadolu'yu savunmaya geçmelerini önerdi. İsmet ve Mustafa hiçbir zaman Jöntürklerin savunduğu, Arap topraklarının büyük bir kısmını kapsayan Panislamizm ve Pantürkizm fikirlerine iltifat etmemişlerdi. Her ikisi de daha temkinli olmaktan, geri çekilmekten ve kendi ülkelerini olası bir işgale karşı korumaktan ve savunmaktan yanaydılar. Bir paşa için bile itaatsizlikle eş anlama gelen bu muhtıranın diğer pasajlarına gelince:

"Ülkemiz yoksul düşmüş, halkımız savaştan yorulmuştur. Genel durum, savaşa derhal son vermenin kaçınılmaz olduğunu her hali ile yansıtmaktadır. Ordumuz zayıflamıştır ve yeni güçlerle desteklenmesi olanaksızdır. Tüm umutlarımızı yitirmemiz gerektiğini de iddia ediyor değilim. Birtakım önlemler almak zorunda olduğumuzu bildirmek istiyorum yalnızca: Hükümet güçlendirilmelidir (Enver'in yerine bir başkasının gelmesi pek de üstü kapalı sayılmayacak şekilde talep ediliyor). Halkın gıda sorununa çözüm getirilmelidir. Askeri politikamız savunmaya yönelik olmalıdır. Ülke sınırlarının dışında bulunan tüm kıtalar geri çağrılmalıdır. Falkenhayn ön planda kendi ülkesinin yararını düşündüğünü açık açık söylemiştir. Bizler ise kendi bağımsızlığımızı gözönünde bulundurmak zorundayız."

Aynı sıralarda Liman von Sanders de, Türk ordusuna erkân-ı harbiye başkanı olarak atanan General von Seeckt'e aynı anlamda, son gelişmeleri içeren kısa ama uyarıcı bir mektup yolladı: "Birbiri ardısıra alınan pek çok yanlış kararın sonucunda Türk ordusunun gücü tükenmiştir." Ve: "Başarı kazanmanın dışında hiçbir amacı olmayan planlar sonucu çıkılmak istenen Mısır seferi maceradan başka bir şey değildir." İdealizmi açısından İngiliz ve Arap tarafının arasında kararsız kalan Thomas Edward Lawrence'in o zamanki İngiliz hücum taktiği konusunda yaptığı açıklamalar, henüz son derece kısıtlı bir etkiye sahip olan Mustafa Kemal'in değerlendirmelerinin ne denli akılcı olduğunu kanıtlayan en güzel örnektir: "Osmanlı İmparatorluğu'nun Arabistan eyaletlerine kendi kendini yönetme hakkını vermemek için, genelkurmaylıkta başında Mustafa Kemal'in bulunduğu anti-Alman olan ve Ulusal Türkiye Misyonu'na sıkı sıkıya bağlanmış bir grubu kendimize ana hedef olarak seçmiştik."

Planlarının yavaş yavaş birer hiç olduğu anlaşılan Enver, hiç değilse Gelibolu'dan tanıdığı en yetenekli subaylardan birinin yolladığı bu muhtıra karşısında sükûnetini yitirmediği gibi, alaycı bir tavır bile sergilemeyi başardı ve Mustafa Kemal'e politik açıdan daha etkin olmak istiyorsa, milletvekili adayı olabileceğini yazdı. Eğer böyle bir niyeti varsa Genelkurmay Başkanı ve Savaş Bakanı olarak kendisinin desteğine güvenebilirdi. Aksi halde askeri disiplinin dışına çıkmaması gerekiyordu. Mustafa Kemal, genelkurmaylıkta ve kabinede savunma planlarına ilgi gösterecek tek bir kimseyi bile bulamamaktan dolayı düşkırıklığına uğrayarak, Suriye'de taktik değiştirmeyi son baskı çaresi olarak gördü. 7. Ordu komutanlığını bir vekile bıraktı. Savaş zamanında hiç alışılmamış bir davranış şekli olan bu duruma İstanbul, ona yalnızca eğer isterse yeniden Diyarbakır'daki ordusuna dönebileceği önerisinde bulununca, etkili olabilmek için elindeki tüm çarelerin tükendiğini anladı. Mütevekkil bir şekilde geri dönme önerisini reddetti. Anti-Almancıların sayısının gitgide arttığı savaş yorgunu halkın arasında yıldızı sönmeye başlayan Enver hem onurunu kurtarmak, hem de disiplin mekanizmasını çalıştırmak amacıyla bu asi Paşa'yı üç aylık hastalık iznine çıkarttı.

Mustafa Kemal üst makamları rütbe tenziline zorlamamak için emre itaat etmeyi uygun buldu ve bile bile bu tavizi verdi. Mali açıdan hiçbir birikimi olmadığı için atlarını rehine vermeyi düşündü ama, Bağdat seferine karşı birlikte muhalefet ettikleri Cemal Paşa ona belirli bir süre kendisini geçindirebilecek miktarda para verdi. Ekim 1917'de trenle İstanbul'a gelirken -Adana'nın kuzeyindeki Toros Dağları, tünel inşaatı hâlâ sürdüğü için tren ve yük hayvanları ile geçilebiliyor ve bu durum da birliklerin ve savaş malzemesinin sevkiyatını iyice zorlaştırıyordu- General Alenby de Suriye'ye karşı İngiliz hücumunun son hazırlıklarını yapıyordu. Başbakan Lloyd George'un Alenby'den İngiltere'ye Noel armağanı olarak istediği şey Aralık'ta gerçekleşti ve Kudüs alındı.

Mustafa Kemal İstanbul'un en Avrupai semti olan Galata yakınlarında, II. Abdülhamit tarafından yaptırılan Pera Palas'a yerleşti. Haliç manzaralı dairesinde -tarihi mobilyaların hâlâ korunduğu bu odalar bugün dahi otelin en büyük gurur kaynağıdır- Beşiktaş'taki annesi ile kızkardeşini rahatsız ettiği düşüncesinden uzakta kalarak, kendisine politik açıdan yakın olan dostları Ali Fethi (Okyar) ve Hamidiye savaş gemisinin efsanevi komutanı Hüseyin Rauf (Orbay)'u gönül rahatlığı ile kabul ediyor ve uzun görüşmeler yapıyordu. Annesinin 1917 yazında Halep'e onu görmeye gelmesi, İstanbul'daki politik ve askeri erkânın iktidar entrikaları yüzünden epeyce gerilen sinirlerinin teskin olması açısından iyi bir etki yapmıştı yapmasına ama, içinden köpürüp taşan ateşli duygularını dizginleyecek, ardından belirgin bir isteksizliğin geldiği depresyonlardan kendisini koruyabilecek çok daha deneyimli bir danışmana gereksinimi vardı aslında.

Pera Palas'ın şık döşenmiş süslü püslü salonlarından birinde, Hüseyin Rauf'un arabuluculuğu ile Mustafa Kemal ve Enver'in arasında bir barışma yemeği yendi. Daha sonra Enver bu ebedi muhalifi hakkında bir hayli olumlu konuşmakla birlikte Rauf'u şöyle uyarmaktan da geri kalmadı: "Onun politikayı orduya taşımasını istemiyorum." Bu buluşmadan kısa bir süre sonra Enver hemen hiç duraksamadan ama pek zarif bir şekilde Mustafa Kemal'i iktidarın merkezinden uzaklaştırmaktan geri kalmadı. İmparator II. Wilhelm 15-18 Ekim 1917 tarihleri arasında Sultan Mehmet V. Reşat'ı İstanbul'da ziyaret ederek, Amerika'nın savaşa girmesinden sonra kendi savaş bağlaşığına moral desteğini vermiş ve daha sonra da onu imparatorluğun Spa'daki genelkurmaylığına davet etmişti. Padişah hastalık nedeni ile bu yolculuğa çıkacak durumda olmadığından -her yeni savaş kaybı ile birlikte artan anti-Almancılık havasını dengelemek nedeni ile de olabilir-kabine elli yıldan fazladır veliaht olan, Mehmet ve Abdülhamit'in kardeşi Vahdettin'in Osmanlı Hanedanını temsilen Almanya'ya gitmesine karar verdi. Enver, Mustafa Kemal'in, haşmetmeablarının yaveri ve askeri ataşe olarak bu yolculuğa katılmasını uygun gördü.

Veliaht Vahdettin'in yaverliğine getirilen Mustafa Kemal bu göreve başlamadan önce, sarayın dışında olan bitenlere karşı son derece ilgisiz kalan, yarı kapalı gözleri ile ve hemen hiç kıpırdamadan saatler boyu bir iskemlenin üstünde oturabilen bir adamla karşılaştı. Vahdettin uzun bir süre bekledikten sonra ona "Sizinle tanışmaktan şeref ve gurur duydum", demiş, konuşmasına birkaç dakika ara verdikten sonra se "Yolculuğa birlikte çıkacağız, öyle değil mi?", diye sormuş ve böylece huzura kabul sona ermişti.

Hanedanlık treni istasyondan hareket edip, Trakya düzlüklerinde Edirne'ye doğru yol alırken Veliaht Prens ataşemiliteri yanına çağırttı. Mustafa Kemal büyük bir şaşkınlıkla, bambaşka bir adamın huzuruna çıktığını gördü. Bu kez gözleri açık olan Vahdettin ondan özür dileyerek, refakatçisinin Gelibolu Kahramanı olduğunu kısa bir süre önce öğrendiğini ve kendisinin de onun hayranlarından biri olduğunu söyledi. Ve tamamen seremoni dışı bir tavır takınarak, onunla birlikte seyahat etmeyi kendisine şeref addettiğini bildirdi. Bu karşılaşma ve Almanya'da yapılan konuşmalar sırasında Mustafa Kemal, veliahtın düşüncelerinin savaşın yönünü değiştirmekten ve hatta Anlaşma Devletleri ile ayrı bir barış anlaşması yapmaktan yana olduğunu gördü.

Alman basını, Osmanlı tahtının varisinin ziyareti ile birlikte aynı zamanda Türk Dışişleri Bakanı Ahmet Nesimi Bey'in Brest-Litowsk Barış görüşmelerine katılmak üzere Berlin'den geçtiğini de bildirdi. "Vossische Zeitung" 19 Aralık 1917 tarihinde şöyle yazdı: "İmparatorun davetine uyan Türk veliahtı Vahdettin genelkurmaya geldi. İmparatoru bizzat ziyaret ettikten sonra batı cephesini görmeye gidecek. Veliahta Berlin Türk Büyükelçisi Hakkı Paşa'nın yanısıra, Sultan'ın Başmabeyincisi Lütfü Simavi Bey, ünlü ordu komutanı Mustafa Kemal Paşa, Başmüfettiş Miralay Naci Bey ve diğerleri eşlik ediyorlar." Norddeutsche Allgemeine Zeitung'un bu ünlü konuğu selamlayan manşeti ise şöyleydi: "İmparator Hazretlerini, Almanya'ya yaptıkları bu ilk ziyarette majesteleri imparatorumuzun yakın arkadaşı olarak ve sarsılmaz bir sadakatle bağlı olduğumuz, savaşta ve barışta hep aynı görüşü paylaştığımız asil Osmanlı İmparatorluğu'nun veliahtının şahsında selamlarız."

Çevresinde General Erich Ludendorff, Mareşal Paul von Hindenburg ve genelkurmaylığın diğer üyeleri bulunan II. Wilhelm Vahdettin'i kucaklayarak selamladı ve Mustafa Kemal kendisine takdim edildiğinde büyük bir içtenlikle şöyle bağırdı: "Evet, Çanakkale, Anafartalar, 19. tümen!" Muhatabı, kendisine yöneltilen bu hitap şeklini onayladı ve "Majesteleri" yerine "Ekselansları" diye ilave ederek büyük bir diplomatik gaf yaptı. İmparator, Ludendorff ve Hindenburg'la yapılan teke tek konuşmalarda konuklar Almanya'nın askeri durumunun fevkalade olduğunu öğrendiler. II. Wilhelm, Osmanlı veliahtına yaptığı karşı ziyarette Türk halkının güvenirliğine ve Enver'le yapılan ortak çalışmanın mükemmelliğine hayran olduğunu belirterek, Alman genelkurmayının Türk ordu yönetimine tam bir güven duyduğunu açıkladı. Alman askeriyesinin Mustafa Kemal kanalıyla, yaptığı büyük gaf açısından uyarmış olduğu Vahdettin bu kez daha dikkatli bir konuşma üslubu ile ve Osmanlı Saray deyimlerinden de yararlanarak bir tercüman tarafından Almancaya çevrilen şu sözleri sıraladı: "Majestelerinin, Almanya'ya karşı Türklerin sadakatını ve bağlılığını anlatan sözlerinden ve umutlarından anladığıma göre Alman İmparatorluğu'nun ve Bağlaşık Devletlerin yakında savaş hedeflerine ulaşacak olmaları bende büyük bir sevinç ve teselli duygusu uyandırmıştır. Ama genel durumun gidişatından kaynaklanan bu gözlemlerin dışında belirli bir noktanın aydınlatılması ihtiyacını hissettiğimi söylemeliyim: Türkiye'nin yüreğine yöneltilmiş olan saldırılar durmak bilmediği gibi, daha da şiddetlenmektedir. Bu gelişmeye bir son verilmezse, Türkiye'nin de sonu gelir. Yaptığınız açıklamalarda, bu saldırılara karşı etkili bir çare bulunduğu yolunda içimde herhangi bir umut besleyecek kadar şanslı olmadığımı söyleyebilirim. Belki de bu noktayı biraz daha aydınlatabilir ve beni bu açıdan rahatlatabilirsiniz."

İmparator aniden ayağa fırladı ve belirli bazı kişilerin Prens'in fikirlerini bulandırdığı kanısına vardığını açıkladı. Ve şöyle devam etti: "Ben, Almanya İmparatoru olarak, size gelecek ve başarı vaat ederken, bu konuda nasıl kuşku duyabilirsiniz?" Veliaht Prens biraz tereddüt içinde, kuşkularının yine de tam anlamı ile bertaraf edilmiş sayılmadığı yanıtını verince, imparator yaptığı nezaket ziyaretinin son bulduğunu belirtmek için yerine bir daha oturmadı.

24 Aralık 1917 tarihinde "Deutsche Tageszeitung" şu haberi verdi: "Majesteleri imparatorumuzun daveti üzerine Osmanlı tahtının veliahtı,

zat-ı şahanelerinin Prens'i Vahdettin Efendi Alman batı cephesinin güney kesimini ziyaret etmek ve Alman kıtalarına bağlaşığı olduğu cesur Türk halkının iyi dileklerini iletmek istemiştir. Ordu genel kurmaylığının istasyonunda yapılan karşılıklı veda töreninden sonra Osmanlı veliahtı, Alman kıtalarını bulundukları yerde ziyaret etmek için genelkurmaybaşkanı ile birlikte motorlu bir araçla cepheye hareket etmiştir. Gelen askeri haberlere göre ziyaret, bir gün önce ağır düşman ateşi altında bulunan bir tümenin en ön saflarındaki siperlere yapılmıştır. Veliaht, siperlere girmiş, askerin disiplinli davranışlarından çok memnun kalarak, onlara hemen düşmanın karşısında, zaferle taçlanmış olarak ve anavatana gösterdikleri bağlılığın gönüllerinde yarattığı muhteşem gururla evlerine dönecekleri günün çok yakında olduğu müjdesini verip veda ederek cepheden ayrılmıştır."

Batı cephesi ziyaretinin ardından verilen veda yemeği, Mustafa Kemal'in cephe hattında edindiği izlenimleri değiştirmedi: Alman subayları artık askeri açıdan güçlü olmadıkları halde, öyleymiş gibi yapıyorlardı. Masada Mustafa Kemal'in yanında oturan Ludendorff, Suriye'deki süvari birliklerinin yaptığı muharebeleri anlatırken, gerçekte kullanılabilir durumdaki atların yetersizliğinden dolayı böyle bir girişim bile olmamıştı. Yemek sonrasında Mustafa Kemal Hindenburg'a dönerek, kendi görüşüne göre basında yer alan gözboyayıcı haberlere başkomutanların bile aldandığını söyledi. Alman genelkurmaylığının Suriye'ye karşı ne şekilde taarruza geçmek istediği yolundaki sorusunu Hindenburg, bu biraz da kuşkucu görünen Türk subayının batı cephesi hakkındaki görüşlerinin ne olduğu sorusuyla geçiştirmeye çalıştı. Biraz da keyifle yudumladığı şampanyanın etkisi ile olsa gerek, Türk subayı önce şunu bilmek istedi: "Ekselansları, fikrimi açık açık söyleyebilir miyim?" Mareşal ona istediği şekilde konuşabileceği güvencesini verince ise şu sözleri sarfetti: "Savaş kaybedilmiştir." Mustafa Kemal'in ilerki bir zamanda hakkında yaptığı yoruma göre "Gözleri, insanın yüreğindekileri okumayı başaran ve dili susmanın değerini bilen bir erkek olan" Hindenburg bu pervasız iddia karşısında hiç tepki göstermedi, yalnızca cebinden sigara tabakasını çıkarttı ve muhatabına şu soruyu yöneltti: "Size sigara ikram edebilir miyim?"

1917 yılının Aralık sonunda Veliaht Prens ve maiyeti imparatorun konuğu olarak iki haftalığına Berlin'e geçti. "Der Tag" gazetesi 24 Aralık tarihli sayısında şu haberi verdi: "Vahdettin Efendi batı cephesine bulunduğu ziyaretten sonra dün öğle üzeri saat 11 sıralarında Friedrichstrasse'deki istasyona gelmiştir... Veliaht ve refakatçileri Hotel Adlon'a yerleşmiş bulunmaktadırlar. Prens Berlin'de aşağı yukarı on gün kalacağını açıklamıştır." Mustafa Kemal bazı akşamlar, Berlin'in pek de temiz bir üne sahip olmayan gece yaşantısını da izlemiş ama sokak fahişeliğinin inanılmaz boyutlarda olduğunu görerek, çok şaşırmıştı. Hatta bir gece, doğrudan kendisine yönelik bir girişimden ancak yanındaki Türk elçisinin yardımı ile yakasını kurtarabilmişti. Berlin'in kültür yaşantısını yakından izlemekse diğerine göre hiç de sakıncalı olmadığından ataşemiliter olarak sık sık veliahta eşlik etti. "Der Tag" gazetesinin 27 Aralık tarihli sayısında ve "İmparatorluk başkentinden" başlığı altında şu haber çıktı: "Türkiye Büyükelçiliği dün öğleden önce Veliaht Vahdettin Efendi'nin onuruna bir kahvaltı vermiş bulunmaktadır. Prens gece Kraliyet Operası'nda verilen bir temsile katılmıştır." Programda Erich Wolfgang Korngold'un "Violanta" ve "Polykrates'in Yüzüğü" isimli iki kısa operası vardı.

1918 Ocak'ının başlarında Prens'in "Sultan'ın Saray Orkestrası"nın verdiği bir konsere gittiği yolunda gazetelerde herhangi bir haber çıkmamakla birlikte, Vahdettin bu gösteriyi büyük bir olasılıkla izlemiş olmalıdır. Dikkatli okuyucular için, bir müzik eleştirmeninin İstanbul'dan gelen Saray Orkestrası hakkında yazdığı makalede Türk ulusal bilincinin uyanışına dair ilginç birkaç değinme bulunmaktadır. Ludwig Renn 1 Ocak 1918 tarihli "Der Tag" gazetesinde çıkan yazısında şunları diyordu: "Bir tanesinin pazar akşamı Hayvanat Bahçesinin Mermerli Salonu'nda, diğerinin pazar günü öğle üzeri Kraliyet Operası'nda gerçekleştiği Berlin konserlerinden ikisinde klasik Alman müziğinin tadına varılmıştır.. Bu gösterilerde yalnızca deneme açısından "Türk mutfağının" da biraz tadına bakıldığı söylenebilir: Oryantal bir rapsodi ve birkaç peşrevle (Peşrev, uzun ritmik desenlerle klasik parçalara girizgâh hazırlayan, Türk enstrümantal müziğinin geleneksel formlarından biridir): Avrupa enstrümanlarına göre düzenlenmiş giriş melodileri.. Ve orkestra hakkında da birkaç söz: Çok şaşırtıcı olmakla birlikte orkestra üyelerinin hemen hepsi Türk. Abdülhamit zamanında ise durum başka türlüydü. Ama sekiz yıldan bu yana, yeni Padişah'ın ve yeni saray orkestrası şefinin gerçekleştirdiği yepyeni bir organizasyon sayesinde içlerinde yabancı bir unsura artık yer yok ve yaptıkları müzik de tam anlamı ile ulusal Türk müziği."

Yolculuk sırasında Vahdettin'in kişiliğinde iyi niyetli ama zayıf bir erkeğin ana hatlarını tanımlayan Mustafa Kemal, veliaht prensi daha aktif bir rol oynamak ve bu yolla belki de savaşı Almanlardan önce bitirerek, Türkiye'yi olası bir felaketle karşılaşmaktan koruyabileceği yolunda ikna etmeye çalıştı. Bu konuşmalardan biri, 1918 Ocak'ının ortalarına doğru, Berlin ziyaretinin son bulmasından kısa bir süre önce Adlon Otel'in kraliyet dairesinde gerçekleşti. Mustafa: "Yaşamımı adadığım bir konuda size bir öneride bulunmak isterim." Vahdettin dinlemeye hazır olduğunu belirten bir işaret yaptı. Mustafa: "Ordulardan birinin kumandanlığını talep edin. Tüm Alman prensleri emir verme yetkisine sahiptirler ama bir Türk veliahtı bu hakka sahip değildir. Enver, sizi böyle bir görevden alıkoyarak yüksek mevkiinize hakaret etmiş bulunmaktadır. Ve beni imparatorluk katında erkân-ı harbiye reisliğine atayın." Vahdettin: "Hangi ordunun başına geçmeliyim?" Mustafa: "Beşinci ordunun." İstanbul ve boğazları kontrol altında tutan 5. Ordu politik değişiklikler yapma konusunda çok önemli bir araçtı. Vahdettin: "Bu isteğimi kabul etmeyeceklerdir." Mustafa: "Buna cesaret edemezler. Sizin de hesaba katılması gereken bir kişiliğiniz olduğunu onlara gösterin. Zat-ı şahaneleri artık daha fazla gölgede kalmamalı." Böyle bir karar almaya yönlendirilmek istemeyen Vahdettin konuşmayı şu cümle ile bitirdi: "Bakalım, görürüz. Önce bir İstanbul'a dönelim hele."

İstanbul'a dönüş yolculuğu sırasında Sofya istasyonunda Mustafa'yı yakın arkadaşı Şakir Zümre karşıladı ve ona şu haberi verdi: "Almanya savaşı kaybetti." İstanbul'da yeni baştan Pera Palas'taki dairesine yerleşen Mustafa Kemal tekrar görev emri beklemeye koyuldu. Üç aylık izni bitmiş ama Enver onu eski görevinin başına, Suriye'ye geri göndermeye hiç ilgi duymamıştı. Veliaht Prens'den de herhangi bir haber yoktu çünkü hükümetin başında olan Enver ve arkadaşları saraya girip çıkanları adım adım izliyorlardı.

1918 Mart'ının sonlarına doğru Mustafa Kemal'in uzun süredir çektiği -belki de Anadolu'da geçirdiği soğuk kış aylarının bir sonucu olan- böbrek ağrıları öylesine şiddetlendi ki, doktorun tavsiyesi ile Viyana'daki bir uzmana görünmeye karar verdi. Tedavi Viyana dışındaki bir klinikte dört hafta yatmasını gerektirecek denli uzun ve zahmetliydi. Hastaya, nekahat dönemini Karlsbad kaplıcalarında geçirmesi önerildi. Eger kenarındaki bu dünyaca ünlü kaplıcanın huzurlu ortamında Mustafa Kemal neredeyse iki ay gibi bir zaman geçirdi. Sofya'daki arkadaşı Şakir kendisini orada da yalnız bırakmamış ve görmeye gelmişti. Daha sonra ise İstanbul'dan gelen ziyaretçilerin arasında karısı ve çocuklarını da birlikte getirmiş olan İsmet İnönü'de bulunmaktaydı. (*)

Bu süre zarfında tuttuğu günlüğü, Mustafa Kemal'in içindeki gerginliğin hâlâ tüm şiddetiyle süregeldiğini ele verir. 1914 yılında Sofya'dan Corinne'e yolladığı mektupta belirttiği ülkesi için bir şeyler yapma isteği, Almanya gezisi sırasında tam anlamı ile kanaat getirdiği askeri yenilgi nedeni ile daha da belirgin hatlara kavuşmuş gibiydi. Yine aynı metinde vurguladığına göre, 19. yüzyılın başlarından beri gerçekleştirilmesi için uğraş verilen reformların artık daha fazla ertelenmesi mümkün değildi ve Mustafa Kemal tarafından seçilmiş bir üst düzey grup yeni bir devlet oluşumu gerçekleştirmek zorundaydılar. İlerde bu devrimleri uygularken gösterdiği katılık, Avrupalı eleştirmenlerin ona diktatör sıfatını vermesine neden olmuştur. Devrimlerin yerleşmesi için yaptığı zorlama, dinsel ve toplumsal yaşama yönelik, aniden gelen ve alışılmışın çok dışında olan bu değişikliklere uyum göstermekte zorlanan halkın geniş bir kesiminde direniş yaratmış, bu direniş günümüzde dahi tam anlamı ile noktalanmamış ve bu da Batılı eleştirmenlerin kritiklerinden çok daha fazla etkili olmuştur.

Mustafa Kemal Karlsbad'da tuttuğu günlüğüne 6 Haziran 1918 tarihinde şu satırları yazdı: "Eğer bir gün daha büyük bir etkiye ve güce sahip olursam, yapacağım en iyi şey toplumumuzda ani bir hareketle -hemen ve en kısa sürede- değişiklik yaratmak olacaktır. Çünkü başkalarının aksine ben, birtakım değişikliklerin adım adım, eğitim düze-

(*) İsmet İnönü'nün eşi ve çocuklarıyla birlikte yaptığı ileri sürülen böyle bir ziyarete, bizim kaynaklarımızda şimdiye dek rastlanmadı.

yinin yükselmesi ile birlikte toplumda kendiliğinden oluşacağı fikrine inanmıyorum. Böyle bir zihniyet karşısında tüylerim diken diken oluyor. Bunca yıl eğitim gördükten, medeniyet ve sosyal tarih okuduktan ve tüm yaşamım boyunca doygunluğun özgürlükten geçtiğini öğrendikten sonra, hangi nedenle toplumun genelinde hakim olan düşük seviyeye geri döneyim ki? Ben, onların yükselmesini sağlayacağım. Ben onlara değil, onlar bana yaklaşacak."

Haziran ayının ortalarına doğru Mustafa Kemal, Padişah'ın öldüğü ve Veliaht Vahdettin'in VI. Mehmet adı ile tahta çıktığı haberini aldı. Yaverinden gelen ikinci bir telgrafta ise en kısa zamanda İstanbul'a dönmesi öneriliyordu çünkü çeşitli güç odakları Yıldız Sarayının yeni efendisinin üstünde daha etkili olabilmek için sürekli arayış içindeydiler. Mustafa Kemal 27 Haziran günü trenle Karlsbad'dan ayrıldı. Tüm umutları artık Türk ordularının başkomutanı olmaya ve kendi kararlarını tek başına almaya yasal yoldan hak kazanmış olan Vahdettin'e yönelmişti.

Suriye'de Geri Çekilme Çarpışmaları Anlaşma Devletlerinin İstanbul'u İşgali (1918)

Mustafa Kemal 1918 yılının Ağustos başına kadar kaldığı Pera Palas'daki dairesinde yeni sultanın yaveri İzzet Paşa ile bir görüşme yaptı. Padişahın emir subayı, Türkiye'nin taarruz planlarına tıpkı kendisi gibi karşı çıkan, Doğu Anadolu cephesinde çarpışmış bir generaldi. Tahttaki değişikliğe dayanarak Türkiye'nin askeri stratejisini farklı yönde şekillendirme şansının olup olmadığını tartıştılar. İzzet Paşa, Sultan Vahdettin'in Suriye'deki durum hakkında en gerçekçi biçimde aydınlatılmasından ve oradaki kıtaların en kısa yoldan geri çekilmesi için ikna edilmesinden yanaydı. Mustafa Kemal de aynı görüşte olduğu için saraydan, huzura kabulünü rica etti ve bu isteği derhal sağlandı.

Mustafa sarayla görüşmesini daha sonra şöyle anlatacaktır: "Sultan'ın kabul salonuna alındığımda, Almanya seyahatinde olduğu gibi Padişah'la açık açık konuşup konuşamayacağım konusunda hâlâ kuşkularım vardı.. Padişah beni kibarca karşılayıp, yer gösterdikten ve hatta sigara tuttuktan sonra, planlarımı kendisine açıklamak için cesaret buldum: 'Genelkurmay başkanlığını üstlenin ve kendinizi orduların başkomutanlığına atayın. Her şeyden önce tüm orduları kendinize bağlamanız gerekir, ancak ondan sonra kalıcı bir çözüm için karar verebilme durumunda olursunuz.' 'Sizin gibi düşünen başka komutanlar da var mı?' 'Tabii var, başka komutanlar da benimle aynı görüşte.' 'Öyleyse konuyu düşünelim.' " Konuşma böylece sona erdi.

Mustafa işin ucunu bırakmayarak, saraydan ikinci bir görüşme daha talep etti ama bu da tıpkı ilki gibi sonuçlanınca üçüncü bir huzura kabul isteğinde bulunmaktan başka çıkar yol kalmadı. Sonunda Mustafa bu yolla hedefine ulaşamayacağını anladı. Yine onun sözlerine dönelim: "Askeri durumun nasıl olduğunu anlatmaya başladığım sırada Sultan sözümü kesti ve şöyle dedi: 'Paşa, ben her şeyden önce İstanbul halkının gıda gereksinmesini temin etmek zorundayım. Halk açlıktan kırılıyor. Bu soruna bir çare bulamazsak, alacağımız diğer önlemlerin hiçbir yararı olmaz.' Sonra gözlerini kapattı ve ben kurnaz, entrikacı bir tilki ile karşı karşıya olduğum hissine kapıldım. Ama yine de bazı şeyler söylemekten kendimi alamadım: 'Çok haklısınız, majesteleri ama İstanbul halkının beslenmesine ilişkin kaygılarınız, siz majestelerini ülkenin tümünü kurtaracak önlemler almaktan alıkoymaz.' Sultan'ın yanıtı kısaydı: "Bu sorunu Enver ve Talat'la konuştum.' Padişah'a karşı yaptığım vicdan muhasebesi böylece neticelenmiş oluyordu."

Tıpkı halefi Mehmet V. Reşat gibi Mehmet VI. Vahdettin de Enver ve Talat'ın baskılarına boyun eğmiş durumdaydı. Padişah'ın cuma selamlıklarından biri sırasında, taktik nedenlerle saraydaki resmi kabüllere ve bu tip seremonilere katılmakta olan Mustafa Kemal bir kez daha Sultan'ın özel salonuna davet edildi. Vahdettin salonda bulunan iki Alman generale içeri giren Gelibolu kahramanını takdim etti: "Bu bey, çok takdir ettiğim ve büyük güven duyduğum komutanlardan biridir." Sonra Mustafa Kemal'e döndü ve çoktandır korkuyla beklenen kararını açıkladı: "Sizi Suriye orduları kumandanlığına atadım. Orada yapılacak olan operasyon son derece önemlidir. Sizin de orada olmanız gereklilik kazanmış durumdadır. Sizden özellikle rica ediyorum: Bu bölgelerin düşmanın eline geçmesine izin vermeyin. Bu görevi en parlak şekilde yerine getireceğinizden hiç kuşkum yok. Şu andan itibaren vazifede sayılırsınız."

Son umudu, Suriye'den mümkün olduğunca az asker ve malzeme zaiyatı ile geri çekilmek olan Mustafa Kemal Sultan'ın yanından ayrıldığında tam anlamı ile düşkırıklığı içindeydi. Zat-ı şahanelerinden bizzat görev emrini almak her ne kadar gurur vericiyse de, bunun ardında gizli olan Enver'in gerçek amacını da anlamıyor değildi; Gelibolu Kahramanını kısıtlı ve amaca elverişsiz kıtalarla birlikte Suriye'nin savunması gibi çözümsüz bir göreve yollamak ve onun nasıl başarısızlığa uğrayacağını izlemek. Dış salonlardan birinde karşılaştığı Enver ona şöyle dedi: "Bravo! Sizi tebrik ederim! Kazandınız!"

Mustafa Kemal 18 Eylül 1918 tarihinde Suriye'deki 7. Ordu komutanlığına getirildiğinde, Türk-İngiliz cephesi de Şam'ın güneyine kaymıştı. Türk tarafındaki kıtalar toplam üç ordudan oluşurken, İngiliz tarafının askerleri en azından bu sayının iki katı kadardı ve milliyetçi Arapların desteğine de sahipti. 30 Eylül'de Arapları ayaklandıran Lawrence ve General Allenby Şam'a girdikten sonra, yalnızca iki Türk ordusundan arta kalanlar direnişi sürdürmeye çalıştılar. General von Falkenhayn'ın yerine geçmiş olan Liman von Sanders, Mustafa Kemal'e geri çekilme harekâtını yönetme yetkisi verdi. Liman, kumandanlığı ona şu sözlerle bıraktı: "Alınacak tek doğru karar budur. Ama ben bir yabancı olarak böyle bir emri verme yetkisine sahip değilim. Sizinle Çanakkale Savaşında karşılaştık. Aramızda bazı farklılıklar var belki ama, bunların sizi çok daha iyi tanımama yol açtığını açık açık ifade edebilirim. Şu anda kumandayı faziletlerini ve yeteneklerini çok iyi bildiğim ve takdir ettiğim bir komutana bırakıyorum. Bu andan itibaren siz orduların komutanısınız ve ben konuğum."

İsmet (İnönü) ve Ali Fuat (Cebesoy) Bey'lerin de tümen komutanları olarak yer aldığı geri çekilme harekâtı önce Halep'e kadar gerçekleştirildi ve sonra İngiliz birliklerinin ilerlemesi devam edince Halep'in kuzeyindeki, Türkiye ile Suriye'nin arasındaki bugünkü sınır çizgisine kadar sürdürüldü. Osmanlı İmparatorluğu, Arap eyaletlerini böylece ebediyen kaybetmiş oluyordu. Artık önemli olan, 11. yüzyılda Selçukluların ilk Türkler olarak ayak bastıkları Anadolu topraklarını Avrupalı Anlaşma Devletlerinin işgalinden korumaktı. Son derece zahmetli geçen bu haftalar sırasında böbrek hastalığı yeniden başgösteren Mustafa Kemal -Türk kıtalarının geri çekilmesinden hemen önce Şam'daki Ermeni hastanelerinden birinde kısa süreli bir tedavi görmüştü- İngiliz cephesinde yapılacak ateşkes durumunda bile galip tarafların Anadolu'nun bir kısmını isteyeceklerinden korkuyordu.

Barış uğruna böyle bir taviz verilmesi sonucu yaşanacak felaketi önlemek ya da en azından durumu biraz olsun kurtarmak açısından, Sultan'ın emir subayına bir telgraf göndererek, durumun Vahdettin tarafından bizzat öğrenilmesini sağladı. Yazdığı metin şöyleydi: "Durum

son derece ciddidir. Kıtalarımızın morali her geçen gün daha fazla bo-
zulmaktadır. Yalnızca ordumuz değil, ülkemizin geleceği de tehlike al-
ındadır. Tüm cephelerde barışa gidilmesini gerekli görüyorum."
Sonra, yeni bir kabine oluşturulmasını ve iktidardaki Enver-Talat-
Cemal üçlüsünün aksine derhal ateşkes antlaşmasına gidilmesini
önerdi. Kabine üyeleri olarak da Ali Fethi'yi, Hüseyin Rauf'u ve Savaş
Bakanlığına da kendisini tavsiye etti.

Bu arada İngilizler, Fransızlar, Yunanlar, Sırplar ve İtalyanlar Ma-
kedonya'da bir yarma harekâtı gerçekleştirdikleri ve Bulgarlar 30 Eylül
1918 tarihinde Ateşkes Antlaşması imzaladıkları için Türkiye'nin batı
cephesinden de her an bir işgal harekâtının başlayabileceği hesaba
katıldığından, Mustafa Kemal'in telgrafı amacına ulaştı. Ancak Ekim
başında Enver-Talat-Cemal üçlüsü Alman gemilerine binerek Ka-
radeniz üstünden Anlaşma Devletlerinden ve halkın öfkesinden kaç-
tıktan sonradır ki, yeni bir kabinenin oluşumu gerçekleştirilebildi. Ve
her şeye karşın Mustafa Kemal yine görmezlikten gelindi çünkü 14
Ekim 1918 tarihinde başvezirliğe atanan İzzet Paşa aynı zamanda
Savaş Bakanı da olmuştu. Ve Mustafa Kemal'e şu anda Suriye cep-
hesinde kalması gerektiğini, barış yapıldıktan sonra ise Savaş Ba-
kanlığı görevini ona devredeceğini söyledi. Hüseyin Rauf'a Donanma
Bakanlığı, Ali Fethi'ye İçişleri Bakanlığı ve İsmet'e ise Savaş Bakanlı-
ğında devlet sekreterliği görevleri dağıtıldı.

İzzet Paşa hükümetinin en önemli ilk icraatı 30 Ekim 1918 tarihinde,
Limni Adasının Mondros limanında demirlemiş olan İngiliz kruvazörü
"Agamemnon"da Mondros Ateşkes Antlaşmasını imzalamak oldu. Mond-
ros Antlaşması doğrudan İngilizler tarafından dikte edilmemekle bir-
likte yine de onların tüm arzularını ve taleplerini yerine getiriyordu: Bo-
ğazların dünya ticaretine açılması, Türk kıyılarının Anlaşma Devletleri
(İngiltere, Fransa, İtalya, Yunanistan) tarafından işgali, iç güvenliğin
sağlanması için gerekli olan sayıdan fazla askerin terhis edilmesi ve
Türk askerlerinin Arabistan topraklarından derhal çekilmesi. Türk tarafı
için antlaşmanın en tehlikeli bölümü ise Anlaşma Devletlerinin kendi
güvenliklerini tehlikede hissettikleri anda Anadolu ve Trakya top-
raklarını işgal etmelerini öngören 7. paragraftı. 1920 yılının yazında

imzalanan Sevr Antlaşması bu şartları daha da keskinleştirmiş ve Türk Milli Mücadele Hareketi için son ve en belirleyici gelişme olmuştur.

Mustafa Kemal, İzzet Paşa'nın kendisini Savaş Bakanlığına ge tirmemiş olmasından dolayı büyük düşkırıklığına uğramış ve fikrini de ğiştirmesi için onu telgraf bombardımanına tutmuştu ama, öte yandan da kendi arkadaşlarından bazılarının kabinede yer alması nedeni ile ilk kez hükümetle iyi ilişkiler içinde olabilecekti. Yine de ne onun bir asker olarak direnmesi, ne de kabinenin yaptığı müzakereler petrol şehri Musul'un ve İskenderun limanının işgal edilmesini önleyemedi çünkü İngiliz hükümeti her iki bölgenin de artık Türkiye'nin çekirdek ülke sınırları içinde olmadığını düşünüyordu. Mondros Antlaşmasının etkileri yavaş yavaş görülmeye başlandı. Mustafa Kemal, İzzet Paşa'ya şöyle yazdı: "Dürüst ve açık bir şekilde fikrimi söylemem gerekirse seferberliği kaldırmamız, İngilizlerin arzusuna uyarak askerlerimizi terhis etmemiz ve Ateşkes Antlaşmasının şartlarının yanlış anlaşılması ve yorumlanması neticesinde atılan adımlara dur dememiz halinde İngilizlerin açgözlü planlarından kendimizi korumamız mümkün değildir."

Türk ordusunun adım adım çözülmesinin kendisinde yarattığı büyük depresyon halinin neticesinde, askerleri ile birlikte geri çekildiği Adana'dan İzzet Paşa'ya şöyle yazdı: "Ne kadar zayıf ve bitkin halde olduğumuzu biliyorum. Ama bu beni, ülke topraklarımızı hangi sınırlara kadar feda edeceğimiz konusunda artık kesin bir karara varma zorunluluğundan alıkoymuş değildir. Öte yandan son ana dek Almanların tarafında sürdürdüğümüz bu savaşın kaybeden taraflarından biri olarak İngilizlerin topraklarımızı işgal etmesine, ki sanırım bu aşamaya gelmiş bulunmaktayız, hâlâ yardım etmeyi sürdürürsek, Osmanlı tarihine, tıpkı yakın zaman hükümetlerinin yaptığı gibi, çok karanlık bir sayfa daha eklemek durumunda kalacağız."

Anlaşma Devletlerinin işgal politikasına karşı direniş hareketlerinin pratik anlamda başlaması, Mustafa Kemal'in bilgisi dahilinde Adana eyaletinde gerçekleştirilmiştir. Zoraki olarak terhis edilen asker ve subayları, gerilla birlikleri oluşturarak biraraya gelmeye ve gelecekte uygulanacak ortak bir harekât için Anadolu'nun iç bölgelerinde hazırlık yapmaya yüreklendiren Mustafa Kemal olmuştur. Ayrıca sahilden uzaktaki iç bölgelere silah yığınağı yapılmasını da yine o desteklemiştir. Ulusal Kurtuluş Ordusunu kuran adamlardan birine şöyle demiştir: "Kendi kendinize organize olun. Kendi ulusal gücünüzü biçimlendirin. Size gerekli silahları ben vereceğim."

Alman kıtalarının geri çekilmesi harekâtını ise askeri misyon şefi olarak Liman von Sanders üstlenmişti. 31 Ekim 1918 tarihinde, Mondros Ateşkes Antlaşmasının hemen ardından Adana'da Türk bağlaşıkları ile şöyle vedalaştı: "Benimle ordunuzun pek çok subayının ve askerinin arasında yakın ilişki sağlamış olan Gelibolu'daki zafer dolu günler tüm zamanların tarihinde hakettiği yeri alacak ve asla unutulmayacaktır, aynı şekilde Küçük Asya sahillerinde yapılan yiğitçe girişimler de.. O günlerin bende yaşayan anıları, Osmanlı İmparatorluğu'nun gözüpek evlatlarının sırtında geleceğe büyük bir güvenle bakacağının en büyük işaretidir. Allah'ın lütfu ile gelecek günlerin, Osmanlı halkına ve bağlaşıklarına barış ve huzur getireceğine, yıllarca süren savaşların açtığı yaraların şifa bulacağına inancım sonsuzdur."

Almanların geri çekilmesi kısmen Karadeniz, kısmen de Ukrayna üzerinden gerçekleşirken pek çok sorunu da birlikte getirdi: "Karadeniz üstünden yapılan son sevkiyatın Kiev'e ulaşması haftalar sürdü çünkü trenin yanısıra bazı mesafelerin de yayan olarak alınması gerekiyordu."

Güneyden gelen 10.000 asker için sonunda Liman von Sanders İngiliz Yüksek Komiseri Amiral Calthorpe'dan, Akdeniz üzerinden deniz yolunu kullanma iznini alabildi: "Suriye'den Konstantinopol'e gelinmesi ile birlikte başgösteren iklim değişikliği sorununun ne ölçüde olduğunu anlamak için hastalık sayısına bakmak yeterli. Zaten iyice yıpranmış olan askerlerin 80 tanesi İstanbul'a ulaştıktan sonraki dört haftanın içinde soğukalgınlığından öldü. Haydarpaşa'daki geçici Alman Askeri Hastanesi 1200 hasta ile tıklım tıklım dolu." Güney sahilleri Anlaşma

Devletlerinin kuvvetleri tarafından işgal edildiği için Alman ve Avusturya kıtaları Suriye'den önce Anadolu'ya oradan Karadeniz kenarındaki Samsun limanına getiriliyorlar, gemi ile Samsun'dan İstanbul'a sevkediliyorlardı.

Geçici sürelerle İstanbul yakınlarındaki Adalar'da bekletilen askerlerin ve subayların sonuncuları 24 Ağustos 1919'da ülkelerine geri döndüler. Bremerhaven ve Hamburg yönünde seyretmekte olan beş gemiden birinde bulunan Liman von Sanders Malta önlerinde gemiden indirildi ve İstanbul'da tutuklanan birkaç Jöntürk politikacı gibi, İngilizler tarafından savaş tutsağı olarak alındı. 21 Ağustos 1919 tarihinde ise bu Akdeniz adasını terketmesine izin verildi. 1920 yılının başlarında, Malta Adası'nda iken hazırlıklarını yaptığı anılarını yayınladı. Alman-Türk savaş idaresi konusundaki takdiri şöyle olmuştur: "Askeri açıdan Almanların beklentileri, Türklerin gösterebileceği faaliyetin çok çok üstünde ve bu nedenle de olasılık dışıydı! Türkiye yalnızca boğazları savunmak ve çok uzak sınırlarını korumakla kalmayacak, aynı zamanda Mısır'ı fethedecek, İran'ı bağımsızlığına kavuşturacak,Trans-Kafkasya'da bağımsız devletlerin oluşmasını sağlayacak, şartlar elverdiğince Afganistan ve Hindistan'ı tehdit altında tutacak ve tüm bunların arasında da Avrupa'daki savaş cephelerine aktif yardım sağlayacaktı. Görünüşe göre, Binbirgece Masallarının ya da Arap Çöllerinde görülen serapların, ülkedekilerin başını döndürmüş olması lazım."

Başvezir ve Savaş Bakanı İzzet Paşa'nın emri üzerine Mustafa Kemal artık hiçbir ordunun bağlı olmadığı Adana karargâhını dağıttı ve şehri terketti. İyice sefil düşmüş ülkeyi bir baştan bir başa geçerek 13 Kasım 1918 tarihinde Anadolu Demiryolu Şirketinin Asya tarafındaki ilk istasyonu olan Haydarpaşa'ya ulaştığında, İngiliz ve Fransız savaş gemileri de İstanbul sularına henüz girmiş bulunuyorlardı. Büyük Britanya, Fransa, İtalya Yüksek Komiserlikleri ve onların güvenlik güçleri tarafından şehir -resmi olarak politik ve sivil sorumluluk Sultan ve hükümetindeydi- işgal edilmişti ve görünüşe göre her bakımdan yabancıların hakimiyeti altındaydı. İstanbul'da yaşayan Rumlar, ellerinde Yunan bayrakları Anlaşma Devletlerinin gemilerini selamlıyor ve caddelerde galip güçlerin askerleri kol geziyordu. İstanbul Boğazının sırtlarındaki Bebek'te bugün modern bir İstanbul Üniversitesi olan Robert Kolej'in Amerikalı profesörlerinden biri savaş sonrası yaşanan o kaos benzeri zamanı şöyle anlatır: "Her yüksek komisere şehrin bir bölgesinin idaresi verilmişti. Çok kötü bir şekilde koordine edilmiş olan bu dağılımın neden olduğu engellemeleri gayet iyi anımsıyorum. Bir alandan, diğerine geçtiğim anda polis tarafından durdurulup, sınır kurallarını çiğnediğim bildiriliyordu. Almanya ile savaş bağlaşığı olmanın bedelini, Osmanlı Devleti tanınmazlıkla ve çökmekle ödemiş, bu arada topraklarının yüzde seksenini kaybetmişti. Aylar boyu çaresizlik içinde galiplerinin merhametini bekledi. O zamanlar bu ülkede yaşayan bizler, Türkiye'nin devlet olarak artık sonuna geldiğini düşünüyorduk."

Jöntürklere yakın olmaması sonucu Malta Adası'nda esarete gönderilmekten kurtulan Mustafa Kemal- o güne değin zoraki uyguladığı politik perhiz ya da şanssızlığı Anlaşma Devletlerinin gizli servislerince de iyi biliniyordu- hareket özgürlüğüne sahipti gerçi ama, bazı hoş olmayan karşılaşmalar ve tesadüflerden de kendisini kurtaramıyordu. Yeniden yerleştiği Pera Palas'da bir akşam, aralarında İngiliz Şehir Kumandanı Harrington'un da bulunduğu bir grup yabancı subayla masa komşusu oldu. Subaylar Gelibolu Kahramanını tanıdılar ve Harrington, Mustafa Kemal'i kendi masalarına davet etti. Mustafa Kemal bu daveti büyük bir gururla sarfettiği şu sözlerle yanıtladı: "Burada evsahibi biziz ve dostlarımızı biz kendimiz seçeriz."

Annesi ile kızkardeşini görmeye, Beşiktaş'a gittiği günlerden birinde ise evde silah arayan bir İtalyan devriye askeri ile karşılaştı. Mustafa onun eve girmesine engel oldu ve kendisinin Paşa olduğunu söyledi ama bu açıklaması askerde pek fazla etki uyandırmadı. Bunun üzerine İtalyan Kumandandan telefonla yardım istemek mecburiyetinde kaldı. Bu tip kontrolların sık sık yineleneceğini tahmin eden Zübeyde Hanım, oğlunun askeri kariyeri sırasında edindiği değerli silahları evin müştemilatındaki yer tahtalarının altında saklamıştı. Yabancı askerleri yanıtlamak maksadı ile de oraya bir inek bağlamış ve gizli silah deposunun zeminine saman yaymıştı. Bir süre sonra İngiliz devriyeler evi yeni baştan aradılar ama hiçbir şey bulamadılar. Eğer bulsalardı, Mustafa Kemal'i, bilinmeyen planlar ve maksatlar uğruna silah sakladığı gerekçesi ile direnişçi olarak tutuklayacaklar ve derhal Malta Adası'na süreceklerdi.

Mustafa Kemal'in planlarının hedefi İzzet Paşa kanalı ile hükümette bir görev alabilmekti. Osmanlı İmparatorluğu'nun çöküşünü resmen imzalamış olan Mondros Ateşkes Antlaşmasından bu yana İstanbul'daki politik iklim belirgin bir şekilde değişikliğe uğramıştı. Jöntürklerin gözetimi altında olmaktan kurtulan Mehmet VI. Vahdettin, Anlaşma Devletlerinin koruması altında kendi politikasını uygulama şansı elde etmişti artık. Onun için en önemli şey hanedanı kurtarmaktı çünkü, toprak kayıplarına karşın o hâlâ Sultan olarak, geleneklerin yarattığı devletin devamlılığının ve bütünlüğünün sembolü ve uluslararası Müslüman cemaatinin inancının bekçisi Halife'ydi. Daha rahat hareket edebilmek için II. Abdülhamit'in son başveziri Ahmet Tevfik Paşa'nın idaresi altında yeni bir kabine kurulmasını sağladı ve eski parlamentoyu feshetti.

Mustafa Kemal, İzzet Paşa kanalıyla Sultan'ın başına buyrukluğundan haberdar olunca, hükümette yer alabilmeyi tek umut olarak gördü. İzzet Paşa ve Ali Fethi (Okyar) ile birlikte bir çeşit seçim kampanyası planladı. Amacı, Tevfik Paşa'nın başvezirliğindeki kabineye karşı çıkacak ve onun düşürülmesine oy verecek sayıda milletvekili toplayabilmekti. Somut görevlerle karşı karşıya kaldığı zamanlarda içinde uyanan büyük coşku ve her zamanki ataklığı ile parlamentodaki milletvekillerini kendi tarafına çekmek için çalışmalar yapmaya başladı. 1914 yılında, Sofya'daki arkadaşı Şakir Zümre'nin yardımı ile izlediği Bulgar Parlamentosunda gördüklerinden bir hayli yararlandı yararlanmasına ama, halk tarafından seçilen temsilcilerin belli bir parti programına sahip olmadıkları sürece çok çabuk fikir değiştirebileceklerini teşhis edemeyecek denli de az deneyim sahibiydi. Tevfik Paşa genel meclis toplantısında kabine üyelerini açıklayınca -Mustafa'da ziyaretçiler bölümünde yer almıştı- parlamentodan tek bir karşıt ses dahi çıkmadı. "İttihat ve Terakki Cemiyeti" taraftarı olup, parlamentoya girmiş bulunan çeşitli grupların hiçbiri Sultan tarafından atanan Başvezire red oyu verme cesaretini ve gücünü gösterememişlerdi. Bu fikir değişikliği konusunda Mustafa Kemal ilerde şunları söyleyecekti: "Ne yalan söyleyeyim, dehşete düştüm! Benim görüşüme katılan milletvekillerinin sayısı hiç de az olarak nitelenemezdi. Hatta fazla bile sayılırdı, aralarından bazıları bende konuşmaları ve pozisyonları itibariyle son derece etki sahibi oldukları kanısını uyandırmışlardı. Milletvekillerinin göz açıp kapayıncaya kadar geçen kısa bir süre içinde nasıl fikir değiştirdiklerini ve nasıl binbir renge girebildiklerini görmek, bir asker olarak bende çok büyük şaşkınlık yarattı." Geleceğin Ankara parlamentosu için yeni bir ders daha almış bulunuyordu böylelikle.

Tevfik Paşa'nın, İzzet Paşa'nın yerine geçmesi ile birlikte Mustafa Kemal'in hükümette görev alma umudu da tam anlamı ile söndü. Bu düşkırıklığına ilk tepki olarak da, Suriye'den geri çekilme planları yaptığı zamanda olduğu gibi, doğrudan Padişah'a başvurdu ve yine bir cuma selamlığında, huzura kabul edildi. Vahdettin yalnızca askerin durumuna ilişkin anlattıklarını dinledikten sonra şu sözlerle veda etti: "Zeki bir subaysınız, arkadaşlarınızı aydınlatmayı ve yatıştırmayı başaracağınızdan hiç kuşkum yok."

Sultan, 21 Kasım 1918 tarihinde çok sudan bir bahane ile parlamentoyu tasfiye etti. İşsiz kalmış olan Mustafa Kemal'in, Ali Fethi tarafından çıkarılan "Mimber" dergisinde şu yazısı çıktı: "Parlamentonun, bugün Osmanlı Devleti'nin devamlılığının sembolü olduğunu unutmamalıyız. Milletvekilli seçmenleri, henüz yeni seçimler için belirleyici olabilecek bir dönemde. Bu bile bize parlamentonun tasfiye edilmesinin çılgınlık olduğunu göstermeye yeterli. Şimdiki hükümet barış hakkında pazarlık yaparken milletvekillerinden destek almak zorundadır."

Ankara'da kendisinin kurduğu ve lideri olduğu "Cumhuriyet Halk Partisi" üyelerinin karşısında 15-20 Ekim 1927 tarihinde, tam altı gün boyunca okuduğu ünlü "Nutuk"ta Mayıs 1919'dan itibaren almaya başladığı birtakım politik kararlarının hesabını verirken, 1918 yılının son günlerindeki durumu şöye tarif etmiştir: "Düşman güçleri, Osmanlı İmparatorluğu'na ve vatana (Anadolu ve Trakya) karşı manen ve madden açık saldırı durumundaydılar. Her ikisini de bölmek, parçalamak ve yok etmek istiyorlardı. Padişah -Halife'nin (Mehmet VI. Vahdettin) tek kaygısı kendi hayatını kurtarmak, rahatını güvence altına almaktı, hükümetin de öyle. Ulus, başında bir liderinin olmadığının bilincine dahi varmadan kendisini olayların gelişmesine bırakmış, belirsizliği ve karanlığı yaşamaktaydı. Vatanın üstüne çöken korkunun ve felaketin boyutlarının ayırdında olmaya başlayanlar ise kendi düzeyleri ve duyguları ölçüsünde kurtulma çareleri aramaya başlamışlardı. Ordunun yalnızca ismi mevcuttu. Kumandanlar ve subaylar, genel savaş sonrasının bitkinliğini yaşıyorlardı." Ve aynı heybet ve heyecan veren ifade tarzı ile paragrafı şöyle bitirdi: "Gözlerinin önünde açılmış olan bu uçurumun tam kenarına geldikleri anda bir çıkış yolu, bir kurtulma çaresi bulmak için tüm güçleri ile beyinlerini buna yormaya başladılar."

Hatalı Bir Karar ve Tarihi Sonuçları
Mustafa Kemal'in Anadolu'ya Genelmüfettiş Olarak Atanması (1919)

1919 yılının Ocak ayında Versailles'da Osmanlı İmparatorluğu ile ilgili olarak da Paris'in hemen dışındaki Sevres'de barış konferansları toplandı (*) Versailles'daki görüşmeler, 7 Mayıs'ta Almanya ve 10 Eylül 1919'da Avusturya ile imzalanan antlaşmalarla sonuçlanırken, Babıâli ile yapılacak barış antlaşması 10 Ağustos 1920'ye dek sürdü. Sevres'de işlerin neden daha hızlı yürütülmediği sorusuna İngiliz Başbakanı Lloyd George şu yanıtı verdi: "Türkiye'yi kendi haline bırakın. Kısa sürede kendiliğinden dağılacağı için nasıl olsa istediğimiz gibi paylaşacağız."

İstanbul'da da İngilizler, Türklere büyük düşmanlık göstermeye başlamışlardı. Yüksek Komiser Amiral Calthorpe kendi vatandaşlarının, yerli Müslüman halkla herhangi bir toplumsal ilişkiye girmesini kesinlikle yasaklamıştı. Savaş yetimleri yurtlarının idarelerini üstlenen ve İngilizlerden büyük destek gören misyonerler de ayrıca birtakım gerginliklere yol açıyorlardı. Ermeni milliyetçileri ile Osmanlı Türkleri arasında 19. yüzyıldan itibaren süregelen çatışmalar tam bir korku öyküsüne dönüşmüş durumdaydı ve bir de üstelik Anlaşma Devletlerinin yaptığı savaş propagandası ile birleşince, Türkler Hıristiyan katilleri ola-

---

(*) Sevr Paris'in hemen dışında bir kasaba olmadığı gibi, Türkiye ile ilgili konferans da, Sevr'de değil, İtalya'nın San Remo kasabasında toplanmıştır. Zaten Versailles (Versay) Barış Konferansı toplandıktan sonra, değişik kent ve kasabalarda toplanan değişik "seksiyonlar" ayrılmış ve bu farklı yerlerde ortaya çıkan, ya da belirlenen "metinler" farklı yerlerde imzalanmıştır. Sevr, Osmanlı İmparatorluğu'yla yapılan antlaşmanın imzalandığı yerdir.

rak gösterilmişler ve misyonerlerin büyük bir kısmı bu isteriye kendini alabildiğine kaptırmıştı. Yetimler yurduna aldıkları her çocuğa, Müslümanların elinden kurtarılması gereken zavallı bir Hıristiyan çocuğu gibi davranıyorlardı, bu arada çocuk sünnetliymiş, değilmiş onlar için farketmiyordu. Bu ve buna benzer zafer heyecanları, İstanbul halkının içinde yabancılara karşı uzaklarda yapılan anonim savaşlardan çok daha fazla nefret uyandırdı.

Mustafa Kemal 1919 yılının Ocak ayında, Taksim meydanının kuzeydoğusunda yer alan ve modern bir semt olan Şişli'de bir ev kiraladı. Annesi, Makbule ile birlikte ikinci kata yerleşirken, kendisi birinci katta, Selanik'den eski okul arkadaşı olan, Gelibolu ve Suriye'de birlikte çarpıştıkları emir subayı Arif Adana ise çatı katında yaşamaya başladılar. İki erkek dış görünüm olarak birbirlerine öylesine benziyorlardı ki, yabancılar onların ikiz ya da en azından kardeş olduklarını düşünürdü. Evin sürekli konuklarından biri de kısa bir evlilikten sonra eşinden ayrılmış olan uzak kuzen Fikriye idi. 1912'de Beşiktaş'daki ilk karşılamalarından sonra Fikriye'nin Mustafa Kemal'e beslemeye başladığı hayranlık kısa sürede derin bir sevgiye dönüşmüş ama ne yazık ki aynı ölçüde karşılık bulamamış ve daha sonraları Ankara'da dramatik bir şekilde son bulmuştu. Genç kadın ne Sofya'daki Miti gibi görsel bir çekiciliğe, ne de Mustafa Kemal'in yeniden suarelerine katılmaya başladığı Corinne gibi etkileyici bir zekâya sahipti.

Sınırlardan İstanbul'a gelen haberlere göre Anlaşma Devletlerinin daha savaş sırasında vardıkları gizli anlaşmalar, Barış Görüşmeleri henüz sonuçlanmadığı halde, uygulamaya konulmaya başlanmıştı. Fransız ve İngiliz birlikleri İskenderun limanına kadar tüm Arap eyaletlerini işgal etmişler, İtalyanlar Türk Akdeniz sahillerine girmiş, Lloyd George'un Perikles'den bu yana en büyük devlet adamı olarak nitelediği Yunanistan Başbakanı Elefterios Venizelos İzmir, Antalya, Aydın, Trabzon ve Trakya'yı istemişti. Amerika Cumhurbaşkanı Wilson'un Dünya Barışı İlkelerinin (*) Osmanlı İmparatorluğu'na bağlı Türk

---

(*) Burada kasdedilen ABD Başbakanı Wilson'un ünlü "On dört Madde" başlıklı ilkeler demetidir.

olmayan halklara ulusal özerklik vaat eden 12. bendine göre, Ermeni delegasyonu 1919'un başlarında Sevres'de, Doğu Anadolu'nun doğusunu kapsayan ve Karadeniz sahillerindeki Trabzon'dan Akdeniz bölgesindeki Adana'ya kadar uzanan topraklarda devlet kurma sözünü almıştı.

Anlaşma Devletlerinin ülke bütünlüğünü en fazla tehdit ettiği yerlerde: Trakya ve İzmir'de Yunanistan'a karşı; Kilikya'da (Adana ve dolayları) Fransa ve İtalya'ya karşı, Doğu Anadolu'da Ermeni Devleti hazırlıklarına başlayan Ermenilere ve İngilizlere karşı aniden kendiliğinden oluşan ve "Müdafaa-i Hukuk Cemiyetleri" adı altında toplanan ulusal gruplar az da olsa bir umut ışığı yaymaya başladılar. Anlaşma Devletlerinin İstanbul'daki depolarından sağlanan ya da daha önce Anadolu'ya kaçırılmış olan silahlarla yarı yarıya techizatlanmış olan bu ulusal Türk gruplarına, silahsızlanma ve terhis emirlerine direniş gösteren birkaç düzenli tümen de katıldı. Başkaldıranların arasında, Mustafa Kemal'in daha 1918 yılında Adana'da gerilla savaşlarına yönlendirdiği ve gizlice silah verdiği askerler de vardı.

VI. Mehmet kararlarında bir hayli istikrarsız olduğu için ve bir yandan da İngilizlere yaranmak amacıyla 1919 Mart'ının başlarında altmış altı yaşındaki Damat Ferit Paşa'yı (Ferit Paşa, 1861 yılında ölen Sultan I. Abdülmecit'in kızlarından biriyle evliydi) kendisine sadrazam yaptı. Damat Ferit Paşa Oxford'da öğrenim görmüş ve seksenli yıllarda II. Abdülhamit zamanı Londra'da elçilik başkâtipliği yapmıştı. Batılı eğitimi ve kibar davranışları nedeniyle mükemmel bir İngiliz-Osmanlı centilmeni addedilirdi. Buna karşın bir politikacı olarak ne Türk milliyetçileri, ne de İstanbul'daki İngiliz diplomatları onu önemsemezlerdi. Vahdettin için o, her şeyden önce bir İngiliz dostu ve Osmanlı Hanedanının güvenilir bir savunucusuydu.

Damat Ferit göreve gelir gelmez, yalnızca "İttihat ve Terakki Cemiyeti"nin aktif elemanları arasında değil, politik eğilimleri açısından Jöntürklere yakın olan ya da sempatizanı olduğundan kuşkulanılan gruplar arasında da korkunç bir tutuklatma dalgası başlattı. Harp suçu işlemekle ya da Sultan'a karşı direniş hareketlerine girişmekle suçlananlar derhal Askeri Mahkemelere sevkedildiğinden hükümet, muhaliflerini Jöntürklerle işbirliği yapma gerekçesiyle suçlayarak kolayca bertaraf etmenin yolunu bulmuştu. Bunun sonucu olarak bir yandan jurnalcilik ve yaltakçılık, diğer yandan vicdan azabı ve korku kol geziyordu. II. Abdülhamit döneminin herkesin biribirini jurnallediği karmaşık günlerine geri dönülmüştü kısacası.

Savaş Bakanlığının gözetimindeki hapisanelerin en son sakinlerinin arasında bir zamanların Başveziri Sait Halim Paşa ve savaştan sonra İçişleri Bakanlığına getirilen Ali Fethi de (Okyar) vardı. Daha savaşın başlangıcında, Almanya ile müttefik olmaya ve Panislamcı ya da Panturancı yeni bir devlet şekline karşı çıkarak "İttihat ve Terakki Cemiyeti"nin genel sekreterliğinden istifa eden Ali Fethi Bey, Enver-Talat-Cemal üçlüsünün kaçmasına yataklık yapmak gibi saçma bir nedenle suçlanarak gözaltına alınmıştı. Mustafa Kemal, Ali Fethi'yi hapisanede ziyaret etti ama, dinlendiklerini bildikleri için tek kelime bile konuşmadılar. Bundan kısa bir süre sonra Fethi, Malta'ya sürüldü. Mustafa Kemal yüksek rütbeli bir subay olarak savaş sırasında Jöntürk kabinesi ile işi gereği ilişki kurması yüzünden İngilizlerin ya da kendi hükümetinin kara listesinde olduğunu tahmin edebiliyordu. 28 Şubat 1919 tarihinde İngiliz Gizli Servisi, İstanbul temsilciliğine "uzaklaştırılması gerekenlerin" bir listesini yolladı. Türklerin içişlerine ait diğer gizli İngiliz dökümanları ile birlikte 1973 yılında Türk basınında çıkan bu listede Mustafa Kemal'in de ismi vardı. Türkler tarafından çıkarılan hükümet yandaşı bir gazetede yayımlanan bir makalede, "Cemiyet" üyeleri hapiste yatarken, Mustafa Kemal ve Hüseyin Rauf'un neden serbestçe Pera Palas'ta boy gösterdiğine dikkat çekiliyordu. Mustafa Kemal, kendisine Gelibolu Kahramanı olarak ve sonra da Cumhurbaşkanı Atatürk olarak büyük hayranlık duyan İtalyan Yüksek Komiseri Kont Sforza'dan o sıralarda çok şaşırtıcı bir öneri aldı. Bir konuşmaları sırasında Sforza, İtalyan elçiliğindeki evinin ona her zaman açık olduğunu ve bu gerçeğin İngiliz Gizli Servisinin kendisini tutuklamasını engellemeye yeterli sayılacağını söylemişti.

Hüseyin Rauf da tıpkı Fethi ve İsmet gibi o günlerde Mustafa'nın durumu hakkında rahatça konuşabileceği en yakın arkadaşlarından biriydi. II. Abdülhamit'in istibdat idaresinde daha da kötü bir durum yaşadıklarını hepsi biliyorlardı çünkü Sultan'ın kendisi yabancı güçlerin elinde oyuncak olmuştu. Ne yapabiliriz sorusuna, tıpkı Selanik'deki gibi gece yarılarına dek süren tartışmalarla bir yanıt aradılar ve onları hedeflerine ulaştırabilecek, gizli Sykes-Picot anlaşmasından sonra vatanın resmen bölünmesini önleyecek ve bağımsız bir milli devletin kurulmasını sağlayacak iki yol bulunduğu sonucuna vardılar. Bu yollardan bir tanesi kabinenin liberal üyelerini etki altına almak ve tutucu-Osmanlı bakanların yerlerine onları geçirmekti. Diğer bir olasılık ise başkentin dışında gerekli güçleri biraraya toplayarak, ulusal bir devrim gerçekleştirmekti.

Aydın çevreler, hükümet değişimi gibi politik bir çözüme ulaşmak için "Milli Kongre" oluşturulmasını önerirken, daha tutucu olan çevreler ise farklı politik grupların "Ulusal Blok" halinde biraraya gelmesini ve anlaşma zemini aramasını çözüm olarak görüyordu. Damat Ferit Paşa onlarla birlik olmadığı sürece bu projelerin ikisinin de gerçeğe dönüştürülmesi mümkün değildi. Mustafa Kemal'in Anadolu'daki direnişçilere katılmaya, yani devrimci çözümü seçmeye ilk karar veren arkadaşlarından biri olan Rauf Bey donanma subaylığından terhis edildikten birkaç gün sonra Başvezirden bir görüşme talep etti. Bu görüşmenin sonucu, yalnızca aldığı kararı pekiştirmekle kalmadı, aynı zamanda arkadaşlarının hükümetin başındaki kimsenin dönekliği konusunda besledikleri kuşkularda ne denli haklı olduklarını da gösterdi.

Damat Ferit sivil giyimli Rauf Bey'i her zamanki kibar ve sevimli hali ile kabul etti ve ondan Sultan'ın ordusuna sadık kalmasını rica etti. Bunun üstüne Rauf Bey büyük bir açık sözlülükle, hükümetin tutumu değişmezse, orduda isyan çıkmasının çok yakın olduğunu söyledi. Bu cümlesi ile terhis edilen ama memleketlerine dönüşleri gerçekleştirilmeyen kıtaları kastediyordu. Ne barınmaları, ne de iaşeleri devlet tarafından temin edilmeyen askerler kendi kaderlerine terkedilmiş durumdaydılar. Ateş hattında vatanları için kan dökmüş olan bu adamlar şu anda ölümden de beter şartlar altında yaşıyorlardı. Damat Ferit "Ne demek istiyorsunuz?", diye mırıldanmakla yetinince, Rauf Bey şöyle devam etti: "Ben size kendi gözlemlerime dayanarak içinde bulunduğumuz gerçeği anlatıyorum yalnızca. Bu ülkede Meşrutiyetten (1908) önce ve sonra gerçekleştirilen devrimlere bizzat tanık oldum ve bu tip şeyleri iyi bilen bir erkek olarak, isyanın çok yakında olduğunu rahatça söyleyebilirim. Ve ben de böyle bir harekette yer almaya hazır olduğum için, sorumluluğu tek başıma üstlenmem açısından tüm paye ve rütbelerimi geri vermek istiyorum." Damat Ferit böylesine bir pervasızlık ve yüreklilik karşısında bir hayli şaşırarak, "Nasıl isterseniz, öyle olsun." dedi. İstifası kabul edilen Rauf Bey, Damat Ferit tarafından azledilmeden önce en kısa yoldan Anadolu'ya varmak için harekete geçti.

Çözüm getirecek olan Milli Mücadele hareketine başka bir kuvvetli destek de Adana'daki tümenleri henüz terhis edilmemiş olan Ali Fuat (Cebesoy) Bey'den geldi. İstanbul'da geçirdiği bir hastalık izni sırasında Ali Fuat Bey, yalnızca Büyükada'da yıldızların altında birlikte kurdukları düşlerin anısıyla bağlı olmadığı, aynı zamanda Suriye'de orduların başkomutanı olarak emrinde bulunduğu Mustafa Kemal'i Şişli'deki evinde sık sık ziyarete geliyordu. Anadolu'ya hakim olan genel güvensizlik ortamının ve hem güçsüz, hem de lidersiz olan şimdiki yönetimin durumunu her ikisi de yakından biliyorlardı. Anlaşma Devletleri askerlerin terhis edilmesini ve eldeki silahların toplanmasını hızlandırmışlar, orduda ve yönetimde yer alan yetenekli adamların yerlerine idare-i maslahatçı, işbirlikçileri geçirmişlerdi, buna rağmen yer yer oluşturulan politik gruplar hâlâ kendi aralarında dahi bir görüş birliğine varamıyorlardı. Ali Fuat'ın genel durumdan çıkarttığı sonuca göre artık herkes bir an önce Milli Mücadele Hareketinin çevresinde toplanmalıydı.

Fuat Bey, Damat Ferit ve çevresine yakın aile dostu Mehmet Ali Bey vasıtasıyla hükümetin yakın gelecek planları hakkında el altından bilgi edinebildi. Mustafa Kemal'in de katıldığı bir aile yemeğinde Mehmet Ali Bey, pek çok bakanla yakın ilişki içinde olduğunu ama Damat Ferit'i, Savaş ve İçişleri Bakanlıklarına kendi tavsiye edeceği adamların getirilmesi konusunda ikna etmeye pek gücünün yetmeyeceğini açıkladı. Bu nedenle hükümete taze milliyetçi kan pompalamak şu sıralarda pek olası değildi. Ama Mehmet Ali Bey'in İçişleri Bakanı olarak yeni çevresine Mustafa Kemal'i "zeki, enerjik ve vatansever genç bir subay" olarak lanse etmesi ve iyi bir göreve getirilmeyi hakettiğini söylemesi için aradan uzun zaman geçmesi gerekmedi.

Şişli'deki son buluşmalarında Fuat ve Mustafa, hükümetin görüş değiştirmesinin olanaksızlığı ve organize bir direniş örgütlenmesi fikrine daha sıcak bakmaları konusunda anlaştılar. Anahtar mevziler olarak Doğu Anadolu'da Erzurum'u ve Orta Anadolu'da Ankara'yı düşünmüşlerdi çünkü bu iki şehir de Anlaşma Devletlerinin kontrolu altındaki bölgelerden bir hayli uzaktı. Pratik bir başlangıç yapmak için, ilk direniş hareketine Osmanlı ordusunun and içmiş subayları olarak resmi bir askeri hareket süsü verme konusunda karara vardılar. Fuat Bey, komutanı olan Mustafa Kemal'den Adana'da bekleyen Suriye tümenlerinin geri kalan kısmını Ankara yakınlarına sevketme ve orada telgraf ya da kurye yolu ile kendisinden talimat bekleme emrini aldı. Doğru zamanda doğru yerde yeniden görüşme umuduyla birbirlerinden ayrıldılar.

Anadolu'da başlayacak olan Milli Mücadele Hareketinin ilk taşı böylece öne sürülmüş olmakla birlikte, neticeyi belirleyecek olan son taş henüz ortada yoktu. Milli Mücadele Hareketine son itici güç de 1917 yılında Rus cephesinde sürdürülen savaşlar sırasında Mustafa Kemal'in birliğinde bulunan ve Ateşkes Antlaşmasından sonra Trakya'daki orduyu terhis etmekle görevlendirilen Kazım Karabekir Paşa'dan geldi. 15. kolordunun kaderi ile ilgilenmek üzere İstanbul üzerinden Doğu Anadolu'ya geçmekte olan Karabekir Paşa, Şişli'deki dostunu ziyaret etti. Askerleri tarafından çok sevilen ve Doğu Anadolu halkının arasında çok popüler olan, biraz da hantal görünüşlü, eski Türk askeri geleneklerine sıkı sıkıya bağlı olan bu tombul adamın, barışsever, milliyetçi ve demokratik bir rejimi hedefleyen politik düşünceleri ona, İngilizlerin "derhal uzaklaştırılması gereken" kişiler listesinde yer alma şerefini vermişti. Kazım Karabekir sözü fazla uzatmadan Mustafa Kemal'e 15. kolordunun emrinde olduğunu çünkü Türkiye'nin kurtuluşunun doğuda bulunduğunu bildirdi. Ordusu Erzurum'daydı ve eğer Mustafa Kemal kısa süre içinde oraya ulaşmayı başaramazsa, onun yerine Milli Mücadele Hareketini başlatmaya hazırdı. Ankara'da Ali Fuat Bey'in ve Erzurum'da Karabekir Paşa'nın emri altındaki iki kıtanın ulusal kurtuluş hareketi için hazır durumda olmaları sonucunda meydana gelen olumlu şartların genel bir koordinatörün o anda derhal başa geçmesini beklemeye asla tahammülü yoktu.

Mustafa Kemal, gençlik yıllarından beri kafasından hiç çıkmayan ve Corinne'e yazdığı mektuplarda sık sık ifade ettiği vatanın kurtarıcısı olma hayalinin artık gerçekleşme belirtileri göstermeye başladığını hissediyordu. Deneyimli bir asker olarak, Anadolu'da emrinde iki eğitimli kıtanın hazır bulunduğunu bilmenin modern bir devlet kurma fikirlerini gerçekleştirebilmesi açısından kendisi için büyük bir güven anlamına geldiğinin bilincindeydi. Tıpkı Rauf gibi o da, bir devrimin amacından sapmadan ve kendi sonunu hazırlamadan hayata geçirilmesi için uygulanması gereken kuralları iyi biliyordu: Yeni bir düzen kurmak için devrimin tabandan değil, organize bir direnişle tavandan gelmesi gerekirdi. Hedef, bugüne değin reformlarla elde edilenlerin yok edilmesi değil, bu reformların sürdürülmesi ve geliştirilmesi olmalıydı.(*)

Milli Mücadele Hareketinin mayalanma sürecini hiç düşünmeden başlatmaktan yana olan Rauf'un ve 1908 yılında II. Abdülhamit'e isyan ederek Makedonya dağlarına çıkan genç subayların aksine Mustafa Kemal, kültürü ve kariyeri ile bağlı olduğu toplumla arasındaki ipleri kopartmaktan ve haklılığı kuşku uyandırabilecek bir hareket için angajmana girmekten henüz çekiniyordu. Çünkü güç aldığı kaynaklarının başında, bir olaya yararlı olabilecek ayrıntı ve faktörleri duygularının etkisi altında kalmadan yorumlayabilme ve durum ne denli umutsuz olursa olsun daima mantığı ile hareket edebilme özellikleri geliyordu. Bir devrimci için fazlasıyla temkinli bir taktikçi ve çok tedbirli bir hesap adamıydı, bir diktatör içinse insanları aşağılama ve kendi icadı ütopyaların peşinden gitme gibi birtakım özelliklere sahip değildi.

Ama eğer Rauf gibi subay kimliğinden sıyrılmazsa, herhangi bir sivil olarak Milli Mücadele Hareketini başlatmak üzere Anadolu'ya geç-

---

(*) Mustafa Kemal'in Anadolu'ya geçerken kafasında böyle bir "devrim modeli" olduğunu sanmıyorum. Hele "yukardan aşağı" bir model, o günlerin Mustafa Kemal'i için, çok yabancı ve ters bir yaklaşımdı. Anadolu'ya adım attığı günden başlamak üzere, Mebusan Meclisinin açılması için çabalayan bir lideri, yukardan aşağı bir devrim modeli arayan bir lider olarak değerlendirmenin, pek doğru olmayacağını düşünüyorum.

meyi nasıl başarabilirdi? Sultan'a ve yasal hükümete karşı hâlâ içinde yaşattığı sadakat duygusu, kararlarında ve davranışlarında özgür olmayı engelliyordu. Akıl danıştığı İsmet'in fikirleri kendisininkilerle aynı paraleldeydi. Savaşın son yıllarından itibaren Savaş Bakanlığı Müsteşarlığı yapan İsmet Bey, Barış konferansı görüşmelerine delege olarak katılma umudu besliyordu. Her zamanki gibi ihtiyatı elden bırakmayan ve iyice ölçüp biçtikten sonra konuşan İsmet Bey, yalnızca inisiyatifi ele almakla çözümlenebilecek bu durum konusunda arkadaşına fazla yardımcı olamadı.

Olayların ve şahısların tesadüfi ortak etkisinin sonucunda 1919 Nisan'ının son günleri, Mustafa Kemal'i Anadolu'ya gönderecek ve modern Türkiye tarihini başlatma sürecini oluşturabilecek bir sıçrama tahtasına dönüştü. Karadeniz kıyısındaki Samsun'da çok uzun zamandır yerleşik olan Rumlarla, "Müdafaa-i Hukuk Cemiyeti" yanlısı olan Türk gerilla gruplarının arasında huzursuzluk başgöstermişti. Bu huzursuzluklar Anadolu'nun içlerine yayılma belirtisi göstermeye başladıklarından ve ek olarak yine Karadeniz'de yaşayan, erkeklerinin fazlasıyla heyecanlı ve savaşçı olduğu söylenen Lazlarla da güçlendiğinden, İngiliz Yüksek Komiserliği, padişah hükümetini bu bölgelerde tekrar sükûnetin sağlanması açısından derhal girişimde bulunması için uyardı.

İngilizlerin arzusunu emir kabul eden Damat Ferit, Osmanlı subaylarını yeteri kadar tanımadığı için yeni İçişleri Bakanı Mehmet Ali Bey'den Anadolu'nun kuzey bölgesinde barışı yeniden sağlayabilecek yetenekte, uygun bir subay seçmesini istedi. Gizliden gizliye Türk milliyetçilerine karşı büyük sempati besleyen Mehmet Ali Bey, Mustafa Kemal ile Ali Fuat Bey'in babasının evindeki bir yemek daveti sırasında tanışmış ve hakkında olumlu izlenimler edinmiş olduğu için bu genç Paşa'yı ve Gelibolu Kahramanını hiç çekinmeden tek ve en güvenilir aday olarak Damat Ferit'e önerdi. Damat Ferit karar verme konusunda bir süre tereddüt etti çünkü, Mustafa Kemal'in Jöntürklere karşı olduğu, itaatsizlik ve kendine özgü fikirlere sahip olma belirtileri gösterdiği yolunda birtakım bilgiler edinmişti. Ama öte yandan kendisinin gösterebileceği herhangi bir aday da olmadığından, bu şüpheli subayı Babıâli'nin eşiğinde pusuya yatar bırakmakla, tavşana kaç, tazıya tut denilen bir ortama yollamak arasında seçim yapmak zorunda kaldı ve Mehmet Ali Bey'in adayını ister istemez onayladı.

Ama yine de aşılması gereken bazı engeller vardı. Önce Padişah bu işe razı edilmeliydi. Birlikte çıkılan Almanya gezisinin yadigârı anıların duygusallığından olsa gerek, Padişah Mustafa Kemal'in müfettişliğini derhal onayladı. Müfettiş Mustafa Kemal'in emir gücünü kısıtlama yetkisine sahip olan Savaş Bakanı, duyduğu "rahatsızlığı" genelkurmaylığı uyararak gösterdi. Yine şans eseri olarak Mustafa Kemal orada eski bir dostuna ve dava arkadaşına rastlayınca, Orta ve Doğu Anadolu müfettişi olarak daha fazla yetki ile donatıldı ve aynı zamanda yüzde yüz itaat edilmesi gereken bölge valisi görevini de elde etti. Savaş Bakanı atama kararnamesini yeniden gözden geçirip, Mustafa Kemal'in daha da fazla yetki ile donatılmış olmasına duyduğu hayreti belirtince, genelkurmaylığın temsilcisi bu tip özel yetkilerin Osmanlı ordusu için emsal oluşturmayacağını öne sürerek, bakanın ileri sürdüğü bahaneleri büyük bir beceri ile bertaraf etmeyi başardı. Bunun üzerine Savaş Bakanı hafif bir tebessümle meslekdaşına bakanlık mühürünü uzattı ve şöyle dedi: "Benim imzama gerek yok, mührü siz basın." Sıra şimdi de kabinenin onayına gelmişti. Tam o sırada İçişleri Bakanı Mehmet Ali Bey devreye girdi ve inisiyatifi tekrar ele aldı. Bir akşam kulüpte Damat Ferit'le uzun uzun sohbet etti ve sadrazamı zaten mühürlenmiş olan kararnameyi imzalama noktasına getirdi. Bu yöntemle kabinenin diğer üyeleri üstünde nazik bir baskı uygulanmış ve sonunda istenen hedefe ulaşılmıştı.

Mustafa Kemal Savaş Başkanlığında atama kararnamesini alırken, son derece mutluydu. İçinde bulunduğu ikilem nihayet sona ermişti. Artık yasalara uygun bir şekilde Anadolu'ya geçebilir ve ülkesinin geleceğini belirlemeye başlayabilirdi, bu gelecek her ne kadar Sultan'ın ve Osmanlı Hanedanı yandaşlarının kafalarında biçimlendirdikleri gelecekle uyuşmasa dahi! İlerki bir tarihte yaşamının en belirleyici anlarından biri olan o dakikaları şöyle anlatmıştır: "Ne muazzam bir şey! Şans yüzüme güldü ve bu gülümseme beni çevrelediği anda tarifsiz bir mutluluk yaşadım. Bakanlığın odalarına girip çıkarken, heyecandan dudaklarımı ısırdığımı bugün dahi hatırlıyorum. Kafesin kapıları açılmıştı ve tüm kainat önümde uzanıyordu. Kendimi, ilk kez kanatlanacak bir kuş gibi hissediyordum."

Mustafa Kemal'in yola çıkmasından bir gün önce tüm ülkeye telgraflarla yirmi bin Yunan askerinin İzmir'den karaya çıktığı haberi ulaştı. Böyle bir işgali hiç beklemeyen halk, kitleler halinde yürümeye ve düşmana karşı gösteriler yapmaya başladı. Aralarında ünlü yazar Halide Edip'in de bulunduğu birkaç aydın meydanlarda konuşmalar yaparak halka, Yunanlıların neden hemen hemen yüz yıldan beri tüm olanakları ile Osmanlılara karşı bağımsızlıkları için savaştıklarını ve neden en fazla nefret ettikleri bir ülkeyi işgal etmeye hak kazandıklarını açıklamaya giriştiler. (*)

Lloyd George tarafından düzenlenen bu komploya herkes gibi çok şaşıran ama, Türkiye üzerine yapılan parçalama ve bölme planlarını pek çok kişiden daha iyi bilen Halide Edip, Sultanahmet meydanında toplanmış olan muazzam kalabalığa şöyle seslendi:

"Kardeşlerim, bacılarım, vatandaşlarım! Yedi yüz yıllık şerefli geçmişimiz şu anda gökyüzüne yükselen bu minarelerden, Osmanlı tarihinin yaşadığı bu yeni trajediyi izlemektedir. Bu meydanda şanlı kutlamalar yapmış olan ulu atalarımızın ruhlarına sesleniyorum. Bu yenilgi tanımayan yüreklerin karşısında başımı haklı bir öfke ile kaldırıyor ve şöyle diyorum: 'Ben İslamın bahtsız bir evladı ve yine aynı şanlı geçmişe sahip ama kaderin sillesini yemiş günümüz kuşağının bahtsız bir anasıyım. Atalarımızın ruhları önünde eğiliyor ve burada temsil edilen yeni Türk milletinin adına, silahları ellerinden alınmış tüm vatan evlatlarının hâlâ aynı yenilgi bilmeyen yüreklere sahip olduklarını haykırıyorum. Allah'a ve sahip olduğumuz haklarımıza olan inancımız sonsuzdur.

Kulaklarınızı iyi açın kardeşlerim, bacılarım, dünyanın hakkımızda aldığı kararları iyi duyun. Birleşik Avrupa güçlerinin düşmanca politikası Türkiye'nin son nesline büyük haksızlıklar yapmış, alçakça dav-

---

(*) Gerçekten Sultanahmet mitinginin yanısıra, Fatih vb. gibi meydanlarda da çok büyük katılımlı mitingler düzenlenmiş ve gerek Yunanistan, gerekse İngiltere protesto edilmişti.

ranışlar içine girmiştir. Eğer Müslümanlar ve Türkler gökyüzünde yaşasaydı, Batılı güçler yıldızları ve ayı fethetmek için yine bir yol bulurlardı. Bir uyurgezerler topluluğu tarafından yönetilen imparatorluğun son bölümünü de parçalamak için iyi bir bahane de buldular zaten. Ama bizler Avrupalı güçlerin aldıkları bu kararlar karşısında asla başımızı öne eğmeyeceğiz. Sizlerin iki dostu var: Müslümanlar ve er ya da geç haklılığınız karşısında seslerini yükseltecek olan medeni haklar. Dostlarımızdan bir tanesi zaten bizlerle birlikte, diğerini ise mücadelemizden asla dönmeyeceğimizi göstererek, kendimiz kazanacağız. Hükümetler düşmanımız, halklar dostumuzdur ve bizler gücümüzü yüreklerimizdeki isyandan alıyoruz."

1884 yılında dünyaya gelen, Adnan Adıvar ile yaptığı ikinci evliliğinden sonra Adıvar soyadını taşıyan ve 1964 yılında İstanbul'da hayata gözlerini yuman Halide Edip Hanım Türk halklarının birliği için çabalayan Turancılık fikirlerinden vazgeçip, gerçek bir milliyetçi olmuştu. Ülkenin kurtuluşu için Mustafa Kemal'in yanında savaşa katıldı ama, Cumhuriyetin ilk dönemlerinde kocasıyla birlikte Başkanın yönetim tarzı hakkında öylesine sert eleştirilerde bulundu ki, sonunda ikisi birlikte sürgüne yollandılar. Halide Edip'in 1926 ve 1928'de Londra'da İngilizceye çevrilmiş olarak yayınlanan iki ciltlik anıları, Osmanlı İmparatorluğu'nun Türkiye Cumhuriyeti'ne dönüşürken yaşadığı dönem hakkında çok gerçekçi görüşlere dayalı bilgiler içermektedir.

Yunan askerlerinin, önce İtalyanlar için düşünülmüş olan Ege Denizinin en önemli liman kentlerinden İzmir'e çıkması, bunu sağlayan Lloyd George'un Antitürk ve Prohelenistik görüşlerini apaçık ortaya sermektedir. George bir yandan Hıristiyan haçının altında Büyük-Yunanistan kurma düşüncelerini gerçekleştirebilmek amacıyla Yunan işgali için idealist Amerika Cumhurbaşkanı Wilson'un desteğini kazanırken, diğer yandan da İtalyan ve Fransız hükümetlerini Küçük Asya'yı Avrupa birliğine katacağına -yani aslında İngilizler için köprü başı yapacağına- ikna etmişti. Dışişleri Bakanı Lord Curzon onu şöyle uyardı: " 'Selanik'in beş mil dışında dahi düzeni sağlamaktan aciz olan Yunanlılar nasıl olacak da Anadolu'nun bu son derece önemli kısmına hakim olacaklar? Yine de bu planın gerçeğe dönüştürüldüğü varsayalım, Türk Devleti ve Halifelik pratik olarak çökecek, bunun sonucunda ise doğu dünyasının tüm Müslümanları 'tam anlamı ile çılgına' döneceklerdir."

Aldığı tüm uyarılara ve karşıt görüşlere rağmen Lloyd George 15 Mayıs 1919'da başlayan ve Başbakan Venizelos'u 'tıpkı bir ördeğin yüzmesi gibi hızlı' (Winston Churchill) bir şekilde ön plana çıkaran Yunan işgalini destekledi. Anlaşılan Wilson tarafından teşvik edilen tüm ulusların kendi kendilerini yönetmeleri hakkı bir tek Türkler için geçerli değildi. "Çok yaşa Venizelos" nidaları altında Yunan Askerleri İzmir'e doluştular ve şehrin Rum sakinleri ile omuz omuza dans ettiler. Galiplerin sahip olduğu üstün güce karşı herhangi bir direniş göstermemiş olan Türk askerleri ve subayları hakaret gördüler, sopalarla dövüldüler ve suratlarına tükürüldü. Bir albay başındaki fesi çıkarmayı reddedince, bu fanatik kitleden açılan bir kurşuna hedef oldu. İşgali izleyen günlerde Yunan askerleri iyice kontroldan çıktılar, sivil, asker demeden yüzlerce Türkü katlettiler ve cesetlerini kale duvarlarının üstünden limanın sularına fırlatıp attılar. İşgalciler daha sonraki günlerde ülkenin içlerine doğru ilerlemeye başlayınca -buralarda da, paylaşma hareketlerinin son iki yılında olduğu gibi, köylerde ve küçük kentlerde yaşayan ülke halkına dehşet saçılmıştır- İngiliz Yüksek Komiseri Amiral Calthorpe duruma müdahale etme gereğini duydu ama artık ipler kopmuştu. Bu kez, çekirdek Türkiye'nin tam yüreğinde yeni bir savaşın planları yapılmaya başlanmıştı.

İstanbul'da çaresizlik ve teslimiyet hüküm sürüyordu. Sultan, İzmir'in işgal haberini getiren elçinin karşısında gözyaşlarını tutamazken, Sadrazam Damat Ferit omuzlarını silkeleyerek şöyle demekle yetindi: "Artık elimizden ne gelir ki?" Mustafa Kemal 16 Mayıs 1919'da yani işgalden bir gün sonra Vahdettin'in huzuruna kabul edildi. Aynı akşam 'Bandırma' vapuru onu ve askeri refakatçilerini Samsun'a götürmek üzere demir alacaktı. (*) Sultan, Müfettiş Mustafa Kemal'e altın bir cep saati armağan etti ve hiçbir zaman tam olarak aydınlatılmış olmasa da onunla, şuna benzer sözlerle vedalaştı:

(*) Bandırma vapurunun hedefi Samsun değil, Anadolu idi. Zaten 18 Mayıs 1919'da önce Sinop'a çıkılmış, ancak "içeriye" yol olmadığı anlaşılınca, vapura geri dönülmüştü. Mustafa Kemal ve arkadaşları için o aşamada önemli olan şey, Anadolu'ya çıkmak idi.

“Paşa, Paşa bugüne değin ülkemize tarih kitaplarına geçecek kadar büyük hizmetlerde bulundunuz. Bunların hepsini unutunuz çünkü şimdi sizden beklenen hizmet diğerlerinin hepsinden çok daha önemlidir. Paşa, belki ülkeyi kurtarmayı siz başarırsınız.” Sultan'ın kurtarılacak ülke sözcükleri ile Osmanlı İmparatorluğu'nu ve kendi hanedanını mı, yoksa Anadolu ve Trakya sınırları arasında kalan Türkiye'yi mi kastettiği bilinmemekle birlikte Padişah'ın kendi davranışlarından ve bundan sonraki üç yıl içinde izlediği politikadan anlaşılan, ikinci şıkkın kastedilmediğidir. (*)

Mustafa Kemal 16 Mayıs akşamı Şişli'de annesi ve kızkardeşi ile birlikte sofraya oturdu. Ancak yemekten sonra onlara çok gizli bir görevle İstanbul'u terketmek zorunda olduğunu açıkladı. Sebebi kendilerinden saklanan bu yeni ayrılığın yarattığı üzüntü iki kadını, Mustafa Kemal'e limana kadar eşlik etmekten alıkoydu. Ancak sekiz yıl sonra İstanbul'a tekrar geri dönecek olan Mustafa Kemal, Ali Fethi ile Kazım Karabekir'den Anadolu'da kendisine askeri destek sağlayacakları sözünü aldığı ve yeni atama kararnamesinin büyük heyecanını ve şaşkınlığını yaşadığı Şişli'deki o ülkenin kaderini çizdiği evden akşam karanlığı çökerken ayrıldı ve İngiltere'de yapılmış olup, bir Yunan gemicilik şirketinden satın alınan ‘Bandırma’ vapurunun güvertesine çıktı. Kendisine eşlik eden on sekiz adamın arasında artık sesi ve tavırlarıyla da iyice kendisine benzeyen “ikizi” Arif Adana, daha sonra Ankara'da kabine üyesi olacak olan askeri doktor Refik (Saydam) Bey ve Atatürk'ün ölümünden sonra Başbakanlık yapacak olan Miralay Refet (Bele) Bey de vardı. Refet Bey hükümetten bu yolculuğa çıkmak için gerekli izin kâğıdını alamadığından, vapur limandan ayrılana dek atlarının arasında, başaltında saklanarak bekledi.

Demir alındıktan ve Bandırma vapurunun rotası Karadeniz'e yöneldikten sonra İngiliz makamlarında, Mustafa Kemal'i kuzu postuna sarınmış bir kurt gibi Anadolu'ya gönderdikleri kuşkusu başgösterdi. Bu olasılığa dikkatleri ilk kez çeken genç bir subaya üstleri, bu Türk Paşa'sının Sultan'ın izni ile yollandığını ve kaygılanacak bir şey ol-

---

(*) Mustafa Kemal bu vedalaşma sahnesini “Söylev”de ayrıntılı bir biçimde anlatır.

madığını açıkladılar. Ama daha sonra Mustafa Kemal'in Londra'daki gizli servis tarafından hazırlanan "uzaklaştırılması gereken kişiler" listesinde yer aldığı anımsanınca, bir İngiliz ataşemiliteri 16 Mayıs gecesi, geç saatlerde Babıâli'ye dayandı ve Türk hükümetini uyarmak üzere Sadrazam'ın makamına çıktı. Hâlâ çalışma odasındaki masanın başında oturan Damat Ferit bu uyarıyı sükûnetle dinledi, iki elinin parmak uçlarını birbirine değdirdi ve son derece sakin bir sesle şöyle dedi: "Ekselansları, çok geç geldiniz. Kuş kafesten uçtu."

Kuva-ı Milliye Hareketine Dönüşen Keşif Gezisi (1919)

Bandırma vapuru rahatsız bir yolculuktan sonra 19 Mayıs 1919 tarihinde Karadeniz'deki Samsun limanına vardı. Mustafa Kemal, İngiliz gemilerinin olası bir takibinden kaçabilmek amacı ile kaptana, kıyıya mümkün olduğunca yanaşmasını söylemişti. Tarihi kahramanların Samsun'a çıkışları efsaneler için vazgeçilmez bir malzeme oluşturmakla birlikte, yolculuğun şiddetli bir fırtınanın eşliğinde gerçekleşmesi sonucu, müfettişlik komisyonundaki beylerin büyük bir kısmını deniz tutmuştu. Başmüfettiş ise herkesin dilinde dolaştığı gibi pırıl pırıl parlayan gözleri ve iki yana açtığı kolları ile teknenin burnunda ya da kıçında durmuş, Samsun'a bakmıyor, sıkıntılı bir şekilde bir köşede oturmuş, konuşmaktan ve hareket etmekten bile kaçınıyordu.

Resmi Atatürk edebiyatının bir bölümü ona, inanılmaz bir azmi, çelik gibi bir iradesi ve delici bakışları olan mitolojik bir dev görünümü vermek amacıyla, bu ulusal kahramanın yaşamındaki bazı dönemleri perdeleyip pürüzsüzleştirmekten yanadır. Kendisi 1927 yılında okuduğu Büyük Söylev'inde, Samsun'a çıkışından itibaren yaşadığı gelişmeleri şu sözlerle anlatmaya başlar: "19 Mayıs 1919'da Samsun'a çıktım." Aynı dökümhaneden çıkmış izlenimini taşıyan tarihi anlatılarda olduğu gibi, biraz da 1927'de hüküm süren şartların yasallığı konusunda son kuşkucuları da ikna etmek maksadıyla, Mustafa Kemal kesin tarihi bilinmeyen doğumgününü 19 Mayıs olarak belirlemiş ve efsane haline getirilmesine kendisi de katkıda bulunmuştur. O günden sonra iyice kök salan ve tekrarlana tekrarlana gerçeğin parıltısına bir nebze de olsa gölge düşüren klişeler tesadüflerin, kişisel kararların ve ırihi girdapların belirlediği Mustafa Kemal'in yaşamını gerçekten ibret erici ve takdire değer kılan olaylar karmaşası ve karşıt sesler arandaki çatışmaları büyük ölçüde önlemiştir.

Samsun ve çevresindeki Türk ve Rum toplumlarının arasındaki erginlik İzmir'in işgal edilmesinden sonra daha da tırmanmıştı. Taaflardan biri uzun zamandır özlemini çektiği bağımsız Pontus Rum)evleti hayallerini gerçeğe dönüştürmek için çabalıyor (Pontus, Kaadeniz'e paralel gelen, İnebolu'nun birkaç yüz kilometre batısından aşlayan ve doğudaki Hopa'ya dek uzanan sıradağlardır), diğeri ise ek çokları için 1912 yılında Balkanlar'da başlamış olan Dünya Savaşı edeni ile içinde bulunduğu bitkinlik ve sefalete karşın bu girişimleri en an alıcı noktasına indirilmiş bir darbe olarak görüyordu çünkü, Osnanlı İmparatorluğu'nun parçalanmasının ardından şimdi de hemen endi kapısının eşiğinde tezgâhlanan olaylarla karşı karşıyaydı. Samun ve bölgesini kontrol altına almaya çalışan iki yüz İngiliz asker ve ubayının Yunan işgal ordusu askerleriyle takviye gördüğü dedikoduarı kol gezerken, Anlaşma Devletlerinin gözünden kaçmış Türk ordusu kalıntıları da Anadolu'nun iç kısımlarında ve Trakya'da son deece dağınık bir vaziyette bulunuyordu.

Mustafa Kemal bir kayıkla karaya çıktığında yalnızca bir grup siahsız asker tarafından karşılandı. Halkın Türk kesimi ve vali, Rum salırılarının daha büyük bir karşılama törenini provoke etmelerinden orktukları için ortalarda görünmemişlerdi. Askerler başmüfettişi komu evlerden ödünç alınan eşyalarla rahat ve kullanışlı bir mekâna dönüştürülmüş olan basit bir aile pansiyonuna götürdüler. Mustafa Kemal'in en büyük yardımcısı İstanbul hükümetine ve Anlaşma Devleterine karşı yıllardır sürdürdüğü çok cepheli savaşlarda olduğu gibi yine, II. Abdülhamit'in izlenme çılgınlığının dürtüsü ile kurdurduğu telgraf sistemiydi. Jöntürk devriminden beri alışık olduğu üzere yine bu yöntemle emir-komuta zincirini kurmaya yönelen Mustafa Kemal karaya çıktıktan hemen sonra Ankara'daki Ali Fuad ve Erzurum'daki (*) Kazım Karabekir'e gereken mesajları telledi. Karabekir'e şöyle yazmıştır: "Ülkenin her geçen dakika daha da kötüye giden durumu hakkında kaygı-

(*) *Ali Fethi değil, Ali Fuad olacak...*

larım çok büyük. Bu yeni görevi (Başmüfettişlik) ülkeme borçlu o duğum son bir hizmet olarak üslendim. En kısa zamanda sizlerin ya nına gelmek arzusundayım ama Samsun ve çevresindeki gerginli öyle yoğun ki, daha birkaç gün burada kalmam icap ediyor."

Kazım Karabekir Paşa 1919 Nisan'ında 15. kolordunun başın döndükten sonra, İngilizlerin birliklerini dağıtması yolunda yaptığı tür baskılara karşı koymuştu. Doğu Anadolu'da kurulabilecek bir Ermen Devleti için uygun zemin yoklaması yapmakla görevlendirilmiş ola Albay A. Rawlinson, Erzurum'da Kazım Karabekir'i ziyaret etti ve onu toplumsal olaylarda gösterdiği inanılmaz aktivite karşısında hayret düştü. Kazım Karabekir, Osmanlı yasaları çerçevesinde aşağı yuka bin tane yetim çocuğu evlat edinmişti. Onları hem devlet okuluna yo luyor, hem de bizzat askeri eğitimleri ile ilgileniyordu. Bu Paşa'nın eğ tim programına müzik dersleri de dahildi çünkü kendisi gayet güze keman çalıyordu. Okulda yetişmiş olan bu delikanlıları grup kendi evir de de topluyor ve silah taşıma izni veriyordu. Yoğun ilgi ve eğitim vermel cezalandırmayı ise minimum dozda tutmak sureti ile Paşa, mane oğullarının bağımsız birer yetişkin olarak hayata atılmalarını arzuluyo du. Albay Rawlinson gördükleri karşısında çok etkilenerek, şöyle yaz mıştı: "Eğer bu eğitim yöntemi ülkenin tümüne yayılırsa, Türkler do ğuştan sahip oldukları cesaret ve sabır duygularının da katkıları ile do ğuda ve belki de batıda öylesine büyük bir güç haline gelirler ki, Batı Devletler savaş sonrası konferanslarında ne yapacaklarını şaşırıp ka lırlar." Paşa'nın kendisini ise şu cümle ile tanımlamaya çalışmıştı: "Ta nışma şansını elde ettiğim birinci sınıf Türk subayının en hakiki örneği.

Samsun'daki İngiliz askerlerinin varlığı, Mustafa Kemal'in halkl daha yoğun ilişkiye girmesini komploculukla suçlanabileceği gerekçes ile engellemişti. Bu arada yeniden böbrek ağrıları da çekmeye baş layınca, 25 Mayıs'ta şehri terketmeye ve resmi teftiş rotası üstünde ye alan Erzurum ile Sivas yönündeki Havza'da bulunan kaplıcalara git meye karar verdi. İçlerinde eski bir Mersedes-Benz'in de bulunduğu ü arabalık konvoy taşlı dağ yollarında neredeyse adım adım ilerlemeye başladı. Böbrek sancılarına ve yolculuğun gereğinden de ağır sey reden hızına karşın Mustafa Kemal'in keyfi yerindeydi çünkü, kısa bi üre sonra ilk kez olarak bazı vatandaşlarına gerçek misyonunu açıklayacak ve yetkileri kendinde toplama olasılığı için girişimde bulunacaktı.

Padişah hükümetinin askeri delegasyonu Havza'da belediye temsilcileri tarafından içtenlikle karşılandı. Adamlar sonunda karşılarında, Pontus Rumlarının ve Lazların kendilerine yönelttikleri saldırıları anlatabilecekleri bir otorite bulmuşlardı. Halkın yaklaşımı dostça ve merak yüklüydü ama, savaş nedeniyle uğradıkları kayıplara gösterdikleri ilgi yeni bir ulus olarak yapılanma fikrine gösterdikleri ilgiden çok daha fazlaydı. Mustafa Kemal suskunlukları ve İzmir'in işgal edilmesine karşı sergiledikleri alakasızlık karşısında epey şaşırmakla birlikte yine de topluma hitaben konuşmalar yaptı ve onlardan Müdafaa-i Hukuk Cemiyetlerine katılarak, ülkeyi tehdit altında tutan galip güçlere karşı Milli Mücadele Hareketine destek vermelerini istedi.

Mustafa Kemal'deki değişimi bir anlamda beklemekte olan İstanbul hükümeti başmüfettişe 8 Haziran tarihinde derhal geri dönmesini emretti. Erzurum yönünde Amasya'ya doğru ilerlemekte olan Mustafa Kemal -Maarif Otel'de aldığı termal banyoları sağlığını yeniden kazanmasına yardımcı olmuştu- 12 Haziran'da Padişah'a bir telgraf yollayarak, her zamanki Osmanlı nezaketi içerisinde ama yanlış anlamaya asla meydan vermeyecek bir şekilde halkını yarı yolda bırakmasının kesinlikle sözkonusu olmadığını bildirdi. Ve aynı zamanda onu doğrudan olmasa bile halkın gücüne karşı uyarmaktan da geri kalmadı: "Yüce Allah majestelerimizi, tahtın sahibini ve halifemizi korusun! Bölünme tehlikesi ile karşı karşıya olan ülkemizin içinde bulunduğu bu şanssız dönemde siz majestelerini yüce milli gücümüzün zirvesinde görmek isteriz. Ülkemizin, devletin ve sizin mukaddes tahtınızın geleceğini yalnızca bu güç kurtarmaya muktedirdir. Halk, bu fikirde birleşmiştir. Siz majesteleri de huzurunuza kabul edildiğim o gün bana bu görevi bizzat vermiş bulunuyorsunuz. Bana yol gösteren bu çizgilerden daha da güç alarak misyonumu sürdürmeye kararlıyım. Geçtiğimiz günlerde Anadolu halkı ile askeri komutanların duygu ve düşüncelerini inceleme fırsatını buldum. Vardığım sonuca göre halkım artık uyanmıştır ve siz majestelerinin mukaddes tahtını ve ulusal bağımsızlığını savunmaya azmetmiştir. İstanbul'da iken bu ulusal kararın gücünü aynı ölçüde tanımlamam mümkün değildi."

Azledilme olasılığını gözönünde bulunduran Mustafa Kemal yolladığı telgrafı, henüz ülke geneline yayılmamış olan Milli Mücadele hazırlıklarına artık bitmiş gözü ile baktığını, tüm kartlarını açık oynadığını ve eğer gerekirse bu uğurda bir Osmanlı subayı olarak kariyerini feda etmeye hazır olduğunu açıklayarak bitirdi: "Majesteleri, tutuklanmış ve sürgüne yollanmış olan bazı komutanların kaderlerini paylaşmak istemiyorum. Eğer çok büyük baskı görürsem, vazifeden derhal istifa eder ve vatanın kurtuluşu gerçekleşene dek basit bir asker olarak halkımın bağrına sığınırım." (*)

Bunu izleyen iki hafta boyunca Mustafa Kemal İstanbul'dan, geri dönmesini, hiçbir şeye karışmamasını ya da en azından -nazik bir çözüm olarak- izne çıkmasını emreden bir telgraf sağnağına tutuldu. Karabekir'in bulunduğu Erzurum yolu üstündeki iki önemli yerleşim merkezi olan Amasya ile Sivas'ın ileri gelenleri ile ilişki kurup kuramayacağından henüz emin olamadığı için mümkün olduğunca bu telgrafları sürüncemede bırakmayı denedi. Çünkü politik planlarına destek verilmesi ve kendisinin Milli Mücadele Hareketinin koordinatörü olarak onaylanması için giriştiği savaş daha yeni başlamış sayılırdı ve özellikle o günlerde kabineyi karşısına almak kendisinde ayrı bir huzursuzluk yaratıyordu. Yeşilırmak kenarında yer alan ve geçmiş tarihte Osmanlı tahtının varisleri ile onları sultanlığa hazırlayan hocaların barınağı olarak bilinen Amasya'da yaptığı görüşmeler büyük bir başarı ile sonuçlandı. Amasya'nın ileri gelenleri ve aralarından temsilci olarak seçtikleri etkin bir İslam teoloğu ve din alimi Mustafa Kemal'i içten bir şekilde bağırlarına bastılar ve Milli Mücadelenin artık şart olduğunu onayladılar. Mustafa Kemal, kendisine Gelibolu Kahramanı diye tezahürat yapan halka vilayet konağının balkonundan seslendi. Onlara Padişah'ın galip devletlerin etkisi altında olduğunu, halkın milli meselelerini yok saydığını ve kendisinin bu soruna ortak bir çözüm bulmak için onlara geldiğini açıkladı.

Buraya vardıktan birkaç gün sonra ricası üzerine yakın silah arkadaşları Ali Fuat (Cebesoy), Hüseyin Rauf (Orbay) ve Miralay Refet

---

(*) Gronau, burada da biraz karıştırmış. "Halkın bağrına sığınma" kavramını daha sonra, askerlikten ve tüm görevlerinden istifa ettikten sonra kullanacaktır.

Bele) Beyler de Amasya'ya geldiler. Vatanın içinde bulunduğu durumu açıklayan, alınması gereken önlemleri sıralayan bir rapor hazırladılar ve Anadolu'nun dört bir yanındaki askeri ve sivil yetkililere gönderilmek üzere, 21 Haziran 1919 tarihinde "Amasya Genelgesi"ni hep birlikte imzaladılar. Ankara'da emri altında hâlâ düzgün bir tümenin bulunduğu Ali Fuat, Hamidiye savaş gemisinin efsanevi kahmanı Hüseyin Rauf ve Mustafa Kemal gibi değerli ve tanınmış kimselerin altına imza koyduğu bu yarı resmi genelge, yasal bir ulusal devlet kurma yolunda atılmış ilk adım olarak devlet memurlarını ve halkı hiç kuşkusuz çok etkileyecekti. Sekiz maddelik Amasya Genelgesinde açıklanan temel ilkelerle birlikte aynı zamanda halkın nabzı da tutulmuş oluyordu çünkü, genelge hem halka, hem padişahlık hükümetine, hem de Anlaşma Devletlerine açık açık meydan okuyor ve bundan sonra hangi prosedürlerin gerekli olduğunu sıralıyordu:

1. Vatanın bütünlüğü ve milletin bağımsızlığı tehlikededir.

2. İstanbul hükümeti üzerine düşen sorumlulukları yerine getirememektedir. Bu durum, dış dünyanın halkımızı yok saymasına yol açmaktadır.

3. Milletin bağımsızlığı yalnızca halkın kendi azmi ve kararı ile kurtulabilir.

4. Dünyaya, milletimizin gerçek yerinin neresi olduğunu ve hangi yasal haklara sahip bulunduğumuzu göstermek için yabancı etkilerden uzak bir yerde milli bir kurul oluşturulması gerekmektedir.

5. Bu amaç için Sivas şehri seçilmiştir. En kısa sürede Sivas'da milli bir kongre yapılmalıdır.

6. Bunun için her bölgeden üç delege seçilecek ve Sivas'a yollanacaktır.

7. Her ne şartta olursa olsun bu hareket milli bir sır olarak saklanacaktır.

8. Doğu bölgelerinde 10 Temmuz'dan itibaren (gerçekten de 23 Temmuz'da Erzurum'da) bölgesel bir kongre yapılacak ve buna katılan delegeler daha sonra Sivas'a gidecektir. (*)

(*) Erzurum Kongresi aslında 10 Temmuz'da toplanacaktı. Ancak bazı gecikmeler nedeniyle toplantı 23 Temmuz'a kaldı.

Mustafa Kemal o an için genel durumdan hoşnuttu. Yapılacak kongrelerde yerinin neresi olacağı ise henüz belli değildi. Bu da onun için, askerlere, çiftçilere, tüccarlara ve bölgelerin ileri gelenlerine, büyük toprak sahiplerine ve üst düzey memurlara kendisini tanıtması anlamına geliyordu. Ayrıca ulusal bazda yeni oluşturulacak bir devlet için yapılan girişimlere kendi açılarından pek de duyarsız sayılmayan Ali Fuat ve Kazım Karabekir Paşa'lar gibi kendi arkadaşları için de aynı şey geçerliydi. Bu farklı grupların büyük çoğunluğunu arkasına almakta gösterdiği başarı, sahip olduğu üstün organizasyon yeteneğinin yanısıra Trablusgarb, Gelibolu ve Suriye'de bir subay olarak gösterdiği çabaların geniş çapta tanınmasına yol açması ile de ilgilidir. Kısmen de olsa böyle bir başarıya ulaşmakta -tarihin dönüm noktalarına lambadan çıkan cin gibi akılla idrak olunamayan bazı şeyler de yansır- kişiliği, azmi, zihinsel konsantrasyon yeteneği ve daha küçük çevrelerde etkisini göstermiş olan kişisel çekiciliği, hem kendisi hem halkı için vatanı kurtarmayı görev edinmesi, Avrupa örneğinde olduğu gibi aydın ve hümanist bir toplum yaratmayı ideal haline getirmesinde de pay sahibidir.

Amasya Genelgesinin imzalanmasından ve yurt sathına telgraflarla yayılmasından birkaç gün sonra, 26 Haziran 1919 tarihinde Mustafa Kemal, Erzincan'ın yeni valisinin Sivas'a (*) geldiğini ve kendisini hükümet adına tutuklamak üzere hazırlıklara başladığını öğrendi. Derhal kendisine eşlik eden heyet ile birlikte Sivas'a doğru yola çıktı ve Tokat'ta kaldığı süre içinde Sivas'a geleceğini bildiren bir telgraf hazırladı ama, bu telgrafın kendisi Tokat'tan ayrıldıktan altı saat sonra çekilmesini istedi. Bu sayede yolda tutuklanmasını önlemek ve hiç beklenmedik bir anda Sivas'a vararak, Ali Galip'i gafil avlamak istiyordu. Sivas'a aşağı yukarı 50 kilometre kala araba konvoyunun bir çiftliğin önünde durmasını istedi. Artık rahat bir nefes alabilirdi çünkü Karadeniz sahili boyunca uzanan aşılması çok güç dağlar kazasız belasız aşılmış, önlerinde bundan böyle Anadolu platosunun dağ etekleri boyunca uzanan yaylalar kalmıştı. Ama soluklanması çok kısa sürdü çünkü emir subaylarından biri Mustafa Kemal'e geç deşifre edilmiş bir telgraf getirdi. Güvendiği arkadaşlarından birisi tarafından yollanan bu telgrafta, hükümetin tüm bölge valilerine görevden alındığını bildirdiği yazıyordu, bu da pratik olarak onun tarafından verilen emirlere artık uyulmaması gerektiği anlamına geliyordu.

(*) Burada Erzincan valisi olarak isimlendirdiği zat, Harput (Elazığ)'a Damat Ferit ve İçişleri Bakanı Ali Kemal tarafından atanan Ali Galip'tir.

Mustafa Kemal'in görevden azledildiğini (*) öğrendiği sıralarda - İs-
ınbul bu kararı kendisine henüz kişisel olarak bildirmemişti -Tokat'tan
ollanmasını istediği telgraf da Sivas valisi Reşit Paşa'nın eline ulaştı.
'aşa bu telgrafı konuğu ve meslekdaşı Erzincan valisine uzatarak,
öyle dedi: "Ali Galip, beklediğimiz kişi yakında geliyormuş, artık onu
ıtuklayabiliriz." Ulusal direnişin şekillenmeye başladığı şu günlerin
ergin atmosferi içinde Gelibolu Kahramanını tutuklamanın sorumlulu-
unu üstlenmek istemeyen Ali Galip Bey'in yanıtı ise şöyle oldu: "Ben
nu tutuklamak istiyorum derken, kendi yetki bölgem olan Erzincan'ı
astetmiştim." Vazifesinden uzaklaştırılmasına karşın hâlâ Mustafa
.emal yanlısı olan ve onun için büyük bir karşılama töreni hazırlayan
łeşit Paşa ise bunun üstüne manidar bir şekilde "Bu durumda onu eli-
ıizden kaçırmış oluyoruz," demekle yetindi.

Reşit Paşa şeref konuğunu karşıladığında -eski Osmanlı törele-
ıne göre bu olay şehir kapılarının önünde cereyan eder ama, bu du-
ımda Mustafa Kemal'in mola verdiği çiftliğin önünde gerçekleşmişti-
/lustafa Kemal onu Mercedes arabanın arka koltuğunda, kendi yanına
turmaya ikna etti. 1927 yılında okuduğu Büyük Nutuk'da sözü buraya
etirmiş ve, "Bu davetimin sebebini anlamak zor değildir", diyerek din-
eyicilerin tebessüm etmesine yol açmıştı. Gerçekten de Mustafa
:emal amacına ulaşmış oluyordu: 27 Haziran akşamı, üstü açık ara-
ada ve yanında vali ile Sivas'a girdiğinde aralarında Gelibolu'dan
ilah arkadaşı olan askerlerin ve subayların da bulunduğu kalabalık bir
ısan topluluğu kendisini büyük tezahüratla karşıladılar.

Başmüfettişken sahip olduğu resmi otorite gücünü ve emir verme
etkisini yitirdiği halde bir şehire -hem de herhangi birisine değil, Milli
<ongre için seçilen bir şehire- görkemli bir şekilde girmeyi başarmış bu-
ınuyordu. Karşısında utanarak duran ve Sivas'a yalnızca onu görmek
e ondan talimat almak için geldiğini açıklamaya çalışan Ali Galip'le
aptığı konuşma sırasında kazandığı bu ilk başarının tadını daha da
ıkarttı. Mustafa Kemal: "Bizi sabaha kadar meşgul etmeyi başardığını

---

*) *İşin bu aşamasında Mustafa Kemal'in görevden alınması (azledilmesi) sözkonusu*
'eğildir. Sadece "İdari makamlara emir verme yetkisi" iptal edilmiştir ki; başta Mustafa
<emal olmak üzere, hiç kimse bu emri tanımamıştır.

itiraf etmek zorundayım." (*) Bu tarihten sekiz yıl sonra, Sivas'a ilk ge lişinde elde ettiği başarıyı, ulusal propaganda kampanyasının ilk atış denemesi olarak addedişinin nedenini ve Kurtuluş Savaşı ile Cum huriyetin ilanının yanında oldukça basit sayılan bu olayı neden bu denli önemsediğini Ankara'da partili üyelerine açıklamak gereğini duy muştur. Amasya'dan Sivas'a yaptığı yolculuğu dakikalarca süren bi konuşma ile en ince ayrıntılarına kadar tek tek anlattıktan sonra ise sözlerini mahcup sayılabilecek şekilde şöyle bitirmiştir: "Zaten yeter kadar can sıkıcı olduklarını tahmin ettiğim bu ayrıntıları daha fazla deşmek istemiyorum." Ama kendisi o günlerde, isimsizliğin çukuru ile (Malta adasında sürgün ya da vatana hıyanetten idam) tarihi şöhretin zirvesi (Sivas'tan Çankaya'daki Cumhurbaşkanlığı köşkü) arasındak yolda ilerlerken yaşadığı rahatsızlığı ve huzursuzluğu hiçbir zaman unutmamıştı.

Sivas'ta bir gece geçiren komisyon yeniden yola çıktı ve Erzurum'a giden beş yüz kilometrelik yolu altı günde aldı. Ne içinde üniformal yolcular taşıyan otomobilleri görmezlikten gelen halk, ne de Mustafa Kemal'in görevinden azledildiğini bilmiyormuş gibi yapan bölge valiler yol boyunca herhangi bir sorun çıkartmadılar. Her telgraf merkezinde Mustafa Kemal'i bekleyen ve hükümetin geri çekilme emrini bildiren yeni bir telgrafın bulunması, çorak ve seyrek nüfuslu bu topraklar üze rinde yaptığı monoton yolculuk sırasında Mustafa Kemal'i Padişah ve kabinesine zıt gitmekle acaba sonunda kaybedenin kendisi mi olacağ yolunda derin düşüncelere sevketmişti. Acaba bir sivil olarak Ana dolu'da başlattığı bu savaşı kazanması mümkün müydü? Yoksa Sivas'ta elde ettiği başarı yalnızca bir tesadüf müydü? Sünni Müs lümanlar kendisini Halife'nin düşmanı olarak görürlerse, direnişe ge çerler miydi? Karabekir kendisine tüm yetkileri alınmış bir subay olarak nasıl davranacaktı?

Konvoy 3 Temmuz'da Erzurum'a yaklaşırken -İmparator Theodosi

(*) Bu olay biraz farklı gerçekleşmiştir. Ali Galip'in Sivas'ta vali Reşit Paşa'yı ikna e meye çalıştığını öğrenen Mustafa Kemal hızla Sivas'a girer ve arada kalmış olan Reş Paşa'yı, Ali Galip'in "telkinlerinden" kurtarır. Ancak aynı Ali Galip Sivas Kongresi s rasında da (Damat Ferit'in talimatları uyarınca) kongreyi dağıtmaya çabalayacak, faka başaramayarak kaçmak zorunda kalacaktır.

us 'un 5. yüzyılda yaptırttığı kalesi, Selçuklular döneminden kalma camileri ve medreseleri ile ünlü eski bir Osmanlı garnizon şehri- ufuktaki toz bulutunun arasından bir süvari alayı belirdi. Kazım Karabekir Paşa ve emrindeki subaylar, Mustafa Kemal'i ve refakatçilerini selamlamak üzere şehrin dışına kadar gelmişlerdi. Erzurum halkının katıldığı esas karşılama töreni ise Sivas'takinden bile muhteşem oldu. Mustafa Kemal'in keyfi yeniden düzeldi ama daha sonraki günlerde yine sıkıntılı düşüncelere dalıp gitti. 8 Temmuz gecesi apar topar telgrafhaneye çağrıldı. Telin öbür ucunda Sultan VI. Mehmet Vahdettin ve Sadrazam Damat Ferit Paşa vardı. Her ikisi de ısrarla geri dönmesi ya da kendi seçeceği bir yerde izne çıkması gerektiğini belirttiler. Mustafa Kemal böylesine pazarlığa zorlandığı durumlarda her zaman ne yapıyorsa yine onu yaptı, çabuk, kesin ve işin amacına en uygun kararı aldı. Havza, Sivas ve Erzurum ona ilk sinyalleri vermişti zaten. Halkın ve üst düzey memurların desteğine güvenebilirdi, bu nedenle Kuva-ı Milliye güçlerinin organizasyonu görevine devam etmemesi için hiçbir neden yoktu. Saat 22.50'de İstanbul'a bir telgraf çekti ve yalnızca görevinden değil, subayı olduğu Osmanlı ordusundan da istifa ettiğini bildirdi.

O günün sabahı sivillerini giydi -yalnız fes yerine hâlâ kalpak takıyordu- ve bu yeni gelişmeyi konuşmak üzere Kazım Karabekir'i beklemeye başladı. Sabahın erken saatlerinde telgrafhaneden gelen bir haberle Savaş Bakanının -Damat Ferit'in milliyetçiler arasına nifak tohumu saçmak için yaptığı usta işi bir karşı hamle- Karabekir Paşa'ya genelmüfettişlik görevini teklif ettiğini öğrenmişti. Bir kez daha ya hep, ya hiç durumuyla karşı karşıya kalıyordu. O sabah orada hazır bulunan Rauf Bey, Mustafa Kemal'i daha önce hiçbir zaman bu denli sinirli ve gergin bir ruh hali içinde görmediğini anlatmıştır. Karabekir yine bir süvari alayının eşliğinde geldi, eve girdi ve artık görevinden azledilmiş olan eski kumandanının bulunduğu odaya adımını attı. Mustafa Kemal'i her zamanki gibi asker selamı ile selamladı, karşısında çakı gibi dimdik asker duruşu ile durarak, şöyle dedi: “Size adamlarımın ve subaylarımın saygılarını sunmaya geldim. Siz tıpkı geçmişte olduğu gibi, şimdi de bizim kumandanımızsınız. Size resmi bir araba ve eskort bir süvari getirdim. Her zaman emrinize amadeyiz, Paşam.”

Karabekir Paşa,1922 yılından itibaren yeni Türk demokrasisini diktatörce müdahalelerden korumayı amaçlayan, Mustafa Kemal'in en kararlı politik muhaliflerinden biri oldu. Eski silah arkadaşları ile yollarının ayrılmasına yalnızca devlet meseleleri neden olmuştu ama, Mustafa Kemal'e yakın çevreler bu ayrılıkla birlikte onu mukaddes bir insan olarak görmeye başladılar. Halbuki olay vatanın kurtarıcısına -pek çok kadın ve erkek bu uğurda yaşamlarından olmuşlardır! -geçirilen o sıkıntılı dönemin ardından yetkilerin tümünün fazlasıyla teslim edilmesinin doğal bir sonucudur. Mustafa Kemal'in "tek başına" aldığı kararlar kendi özel yaşamında etkili olmuşlardır, tıpkı rektifiye güçlerin sürgüne yollanması örneğinin ülkenin demokratikleşme sürecini olumsuz etkilemesi gibi.

Kendi iradesi ile seçtiği komutanına, Kazım Karabekir'in yaptığı ikinci önemli hizmet ise onun emirlerini ve talimatlarını başlangıçta kendi adı ile imzalayarak delegelere aktarmasıdır. Bu delegeler Erzurum'daki bölge kongresine katılmakla yükümlü olmanın yanısıra, Sivas'ta yapılacak Milli Kongre için de en gerekli unsurlardı. Seçilmiş olan delegelerden -tüccarlar, çiftçiler, gazeteciler, avukatlar, din alimleri, Kürt şeyhleri ve Lazların liderleri- Mustafa Kemal ve Hüseyin Rauf için birer vekil tayin etmek Karabekir için kolay iş değildi. Bu iki eski subayın yaptığı hizmetleri herkes biliyordu ama bazıları batıdan gelen bu isyancıların Sultan ve Halife'ye sadık olup olmadıklarını ya da vatanı yalnızca Anlaşma Devletlerinden değil, Osmanlı hanedanından da kurtarmak isteyip istemediklerini sorguluyorlardı. Bazıları ise kendi bölgelerinde bir Ermeni Devletinin kurulmasını yalnızca Doğu Anadolu erkeklerinin önleyebilecek güce sahip olduğu görüşündeydiler. Yine o günlerde Mustafa Kemal'in despotizme eğilimli olduğu çünkü, askerlikten ayrıldığı halde hâlâ üniforma giydiği söylentileri yaygındı ama bunlar aslında boş şeylerdi çünkü Mustafa Kemal'in seyahat gardrobunun önce Erzurum'daki terzihaneler tarafından hazırlanan sivil giyisilerle takviye edilmesi gerekiyordu. Yine dolaşan söylentilerin arasında onun rakıya fazlaca düşkün olduğu da vardı. Başkalarının yanısıra eski "İttihat ve Terakki Cemiyeti" üyelerinin de körüklediği bu eleştirilere karşın Kazım Karabekir kendi popülerliğinden de yararlanarak iki delegeyi makamlarından vazgeçmeye ikna etmeyi başardı.

Erzurum'daki kongre 23 Temmuz 1919 tarihinde, 1908 Meşrutiyet'inin on birinci yıldönümünde bir piknikle ve Karabekir'in subayları ile evlat edindiği gençlerin hazırladığı müzik ve sahne gösterilerinden oluşan sanat yönü kuvvetli bir programın eşliğinde açıldı. İlk oturum sırasında bölge valilerine İstanbul'dan gelen bir emirname ile, parlamento karakteri taşıyan tüm toplantıların yasaklandığı bildirildi. Ama bu gecikmiş bir emirdi, çünkü Milli Hareket artık yapılanma dönemine girmiş bulunuyordu. Gelibolu Kahramanının ve Sultan'ın genelmüfettişinin "Müdafaa-i Hukuk"un ortak hedefleri için resmi görevini ve subay kimliğini feda ettiği gerçeği, delegelerin büyük bir çoğunluğu tarafından Kongre Başkanı seçilmesinde büyük etken oldu. Ana fikri iki hafta sonraki kapanış bültenine geçecek olan açılış konuşmasında Mustafa Kemal, bir milletin mevcudiyetini ve haklarını inkâr etmenin tarih için mümkün olmadığını ve bu nedenle, Türk milletini hedef alan yaptırımların Anlaşma Devletlerini daha baştan başarısızlığa mahkûm ettiğini belirtti. "Milli Pakt" adı altında toplanan ve Türkiye Cumhuriyeti Anayasasının temel taşlarını oluşturan kongre kararları şöyledir:

1. Milli sınırlar içinde vatan bölünmez bir bütündür.
2. Yabancı işgaline ve müdahalesine tamamen karşıyız.
3. Eğer hükümet bunları güvence altına almazsa, millet vatanını savunacaktır. Eğer hükümet vatanın bağımsızlığını savunmazsa, geçici bir hükümet kurulacaktır.
4. Temel prensip milli iradenin hakimiyeti ve milli güçlerin iktidarı ele geçirmesidir.
5. Azınlıklara doğal hakları verilecek ama asla imtiyaz tanınmayacaktır.
6. Manda ve koruyucu rejimleri kesinlikle reddediyoruz.
7. Parlamento derhal toplanacaktır.

Erzurum Kongresi, başkanlığına yeniden Mustafa Kemal'in getirildiği bir Temsilci Kurulu seçtikten sonra, 7 Ağustos'ta kapandı. Bunu bir "isyan" olarak gören Sadrazam, Mustafa Kemal'in derhal tutuklanmasını talep etti ama, Paşa bu kez yeni politikacı kimliği ile cevap telgrafını şöyle yolladı: "Eğer hükümet yasal olan ve desteğini halktan alan milli harekete karşı gösterdiğiniz bu direnişe boyun eğiyorsa, milletin sorumluluğunu taşıyacak ve onun iradesine boyun eğecek bir parlamento garantisi vermelidir." Temmuz sonunda, Sadrazam'ın Erzincan valisini Sivas kongresini silah zoru ile önlemekle görevlendirdiği ortaya çıktı. Bunun üzerine Ali Galip Bey ve onun emirlerine göre hareket eden Kürt gönüllüler, Kuva-ı Milliyeciler tarafından dağlara sürülünce, Haziran ayında yapılan Sevr Barış Antlaşması sırasında dalkavukça tutumu yüzünden Türk milletinin karşısına çıkmaya artık yüzü kalmayan Damat Ferit, Padişah'ı ve vatanı Anlaşma Devletlerine teslim eden adam sıfatı ile ünlendi. (*)

4 Eylül'den 13 Eylül'e dek süren Sivas Milli Kongresinin oturumları sırasında Mustafa Kemal Padişah'a hitaben, Anadolu'da o anda hazır bulunan tüm tümen komutanlarının da imzaladığı bir telgrafı kaleme aldı. Telgrafın en can alıcı cümleleri şunlardır: "Hükümet, bir maşa ile (Ali Galip) Sivas kongresine karşı Müslümanlar arasında kardeş kanı dökülmesini göze almıştır. Milletin böyle bir katliam düzenleyen merkez hükümete artık güveni kalmamıştır. Millet, bu canilere karşı tedbir alınmasını ve şerefli adamlardan oluşacak yeni bir hükümetin kurulmasını talep etmektedir." Sultan, heybeti ile orantılı bir süre bekledikten sonra, Anadolu'dan gelen bu tehdide boyun eğdi ve yeni bir kabine kurulması amacıyla 2 Ekim'de Ali Rıza Paşa'yı sadrazamlığa getirdi. Damat Ferit çekildiği inzivadan 1920'de bir kez daha, birkaç aylığına dışarı çıktı ve uğursuz yönetimini tahrip gücü yüksek Sevr Barış Antlaşmasını imzalayarak taçlandırdı.

Sivas Milli Kongresinde, vatanın savunulmasına ilişkin daha önce Erzurum'da imzalanmış olan Misak-ı Milli kararları onaylandı (**) ve Ali Rı-

---

(*) Dietrich Gronau, burada da biraz karıştırmış. Daha Sevr'in imzalanmasına bir yıldan fazla zaman vardır. Sivas Kongresinin başarıyla sonuçlanmasından sonra Damat Ferit Paşa istifa edecek ve yerine Ali Rıza Paşa sadrazamlığa gelecektir. Damat Ferit, İstanbul "resmen" işgal edildiği zaman yeniden sadrazamlığa getirilecek ve Sevr'i o sadrazamlığı zamanında imzalayacaktır.

(**) Sivas Kongresinde "Misak-ı Milli Kararları" diye bir oylama yapılmamıştır. Belli ilkeler saptanmasına karşın, bunlar daha sonra Mustafa Kemal tarafından Ankara'da belirlenecek ve İstanbul'da toplanan son Osmanlı Mebusan Meclisi, Misak-ı Milli'yi kabul ederek, tüm dünya parlamentolarına bildireceklerdir. Zaten tüm Kurtuluş Savaşımız, bu Misak-ı Milli (Ulusal And) ilkelerini yaşama geçirmek için yapılmıştır ve günümüz Türkiye Cumhuriyeti de bu "Misak-ı Milli Sınırları" içinde varlığını sürdürmektedir.

za Paşa'dan yeni parlamento seçimlerini Ankara'da (*) yapmasının talep edilmesine karar verildi. Sivas'taki oturumlar sona erdikten sonra Sadrazamın temsilcisi ile Mustafa Kemal'in arasında seçim prosedürü hakkında yapılan bir konuşmada, karşı taraf parlamento faaliyetlerinin İstanbul'da sürmesi hususunda diretti. Buna karşın Ali Rıza Paşa milletvekili seçimlerini etkilememeye, parlamento üyeleri tarafından kabul edilme durumunda Sivas kongresi kararlarını onaylamaya ve Mustafa Kemal'e eski rütbesini iade etmeye söz verdi.

Tüm ülkeden seçilen milletvekilleri 7 Kasım'da İstanbul'da toplanırken aralarında ilk kez milliyetçi bir grup da bulunuyordu. Yalnızca Erzurum delegesi Mustafa Kemal namevcuttu çünkü tutucu çevrelere ya da İngiliz Yüksek Komiserliğine kendisini devre dışı bırakmaları için fırsat tanımak istememişti. 22 Aralık 1919 tarihinde araba konvoyu ile, oluşum halindeki milli iradenin zirvesinde bulunduğunun bilincinde olarak, Temsilci Kurulunun Başkanı sıfatıyla Ankara yönünde Sivas'ı terketti.

(*) *"Seçimlerin Ankara'da yapılması" diye bir şey sözkonusu değildir. Son Osmanlı Mebusan Meclisi Seçimleri iki turlu olarak Ekim-Kasım 1919 tarihlerinde yapılmış, Anadolu ve Rumeli Müdafaa-i Hukuk Cemiyetinin adaylarının ezici bir üstünlüğü ile sonuçlanmıştır. Bu arada Mustafa Kemal'de Erzurum milletvekili seçilmiştir. Tartışma Mebusan Meclisinin "toplantı yeri" ile ilgilidir. Ali Rıza Paşa hükümetini temsilen Amasya'ya gelerek Mustafa Kemal'le görüşen Deniz Bakanı (Bahriye Nazırı) Salih Paşa, meclisin İstanbul'da toplanması konusunda ısrar ediyor, buna karşılık Mustafa Kemal, İstanbul'un "fiilen" işgal altında olduğunu ve "ulusun gözbebeği olan Mebusan Meclisinin" tehlikeye düşebileceğini ileri sürerek, başka bir yerde toplanılmasını öneriyordu. Bu yerler arasında Ankara, Kayseri, Sivas gibi merkezleri dile getirmişti. Sanıyorum Gronau'nun yanılgısı buradan kaynaklanmaktadır. Sonunda kendi arkadaşları da toplantı yerinin İstanbul olmasında ısrarlı olunca, Mustafa Kemal boyun eğmiş ama "ben İstanbul'a gitmeyeceğim" diyerek, İstanbul'la demiryolu bağlantısı olan Ankara'ya gitme kararı almıştır.*

Ankara'nın Karşı Tepkisi (1920)

Mustafa Kemal'in küçük araba konvoyu 27 Aralık 1919 tarihinde, Ankara'yı kuş bakışı gören tepeye eriştiğinde, soğuk ama duru bir kış havası hüküm sürmekteydi. Solgun renkleriyle çevrelerine tam bir uyum sağlamış olan gri ve kahverengi boyalı evlerin, Anadolu platosunun 800 metre rakımlı bu bölgesindeki diğer yerleşim yerlerinde rastlananlardan hemen hiç farkı yoktu. Yalnızca bir dağ sırtına dayanarak gökyüzüne yükselmekte olan, kuruluş tarihi milattan önceki yüzyılların içinde kaybolup gitmiş eski Bizans kalesi, Romalılar ve Selçuklular döneminde yaşadığı parlak günlerin artık izi bile kalmamış olan bu ilgi çekici olmaktan çok uzak şehrin yaşını ele veren tek unsurdu.

Mustafa Kemal, tanrılar, ruhlar ve Osmanlı memurları tarafından unutulmuş olan Ankara'yı (Angora ya da Engüriya) daha önce hiç görmemişti. Ama stratejik konumunun korunmaya elverişli olduğunu biliyordu, hem de yalnızca güneybatı yönünden yaklaşmakta olan Yunan ordusu açısından değil, İstanbul hükümetinden gelebilecek herhangi bir askeri saldırıya ya da güç kazanmasında yardımcı olduğu bu adamı biraz kuşkuyla ve hatta biraz da kıskançlıkla (*) izleyen Erzurum Komutanı Kazım Karabekir'in bu gücü kendi amacı ve kendi hedefleri doğrultusunda yönlendirmek için yollayabileceği kuvvetlere karşı da. Yeni başkentin o günlerde 20.000 dolaylarında olan nüfus sayısı birkaç yıl içinde buraya akın eden milletvekilleri, memurlar, askerler ve aydınlar sayesinde dört katı arttı. 1990 yılında Ankara'nın nüfusu dört milyonun sınırlarına dayanmıştı bile.

Askeri doktor Refik (Saydam), Hüseyin Rauf ve Karabekir Paşa'nın emir subayı Ali gibi kimselerin oluşturduğu Temsil Heyeti

---

(*) Kazım Karabekir, ilk günden son güne kadar Mustafa Kemal'i yürekten desteklemiş bir kumandanımızdı. Hiçbir kıskançlık ya da kuşkunun sözkonusu olması mümkün değildir.

üyeleri tepeyi aşarak, vadiye indiklerinde, karşıdan 20. ordunun komutanı Ali Fuat Paşa'nın yanında subayları ile Mustafa Kemal'i selamlamak üzere oraya geldiğini gördüler. Gelibolu Kahramanı ve Temsil Heyetinin Başkanına sokaklarda yapılan sevgi gösterileri yerel gazetelerdeki makalelere şiirsel bir ifade ile konu oldu. Atatürk'ü göklere çıkarmak için heyecanlı, coşku dolu yazılar yazma alışkanlığından bugün bile vazgeçilmiş değildir: "Güne ışık veren güneş, Erzurum'un alacakaranlığından sıyrıldı. Tüm heybeti ile Sivas üstünde yükselerek bugün milleti aydınlattı. Yeni bir hayat vaadinde bulunan bu güneşe tüm yürekler ve ruhlar vatanın her yerinde bağırlarını açtılar. O da Türklerin vatanını parlak bir dünyaya dönüştürdü."

Şehrin hemen dışındaki tarım okulu Mustafa Kemal'e ikâmet ve çalışma yeri olarak hazırlanmıştı. Yakın çevresinde her zaman, olduğu gibi yine "ikizi" Arif Bey, tekrar nükseden böbrek sancıları ile sıtmanın pençesindeki hastasının bakımını üstlenmiş olan Doktor Refik Bey, milli direnişe ve yeni demokratik devlet düzeninin oluşturulmasına katkıda bulunmak amacıyla kocası Adnan Bey'le birlikte İstanbul'dan gelen Halide Edip Hanım ve resmi meselelerde en yakın danışmanları olan İsmet ve Refet Bey'ler bulunmaktaydı. Halide Edip Hanım trenle yaptığı yolculuğun son durağında kendisine hoşgeldin demek için istasyona gelen Mustafa Kemal'le ilk karşılaşmasını şöyle anlatır: "Dikkatimi ilk çeken şey, çökmekte olan gecenin getirdiği gölgelerin karanlığında iyice kasvetli bir görünüm almış olan bir insan topluluğu ve Ankara'nın kuşkulu karanlığından sivrilip çıkmış ince uzun, gri bir siluet oldu. Bu gri siluet elindeki eldivenleri çıkararak, hızlı adımlarla trene yaklaştı. Köşeli bir kalpağın altından görünen yüz hatları gitgide çöken karanlıkta hayal meyal seçilebiliyordu. Babıâli'de, yol ortasında gördüğüm subay Mustafa Kemal siluetinin sert çizgilerini yeniden tanımlayabilmek benim için o anda çok güçtü. Vagonun kapısı aniden açıldı ve Mustafa Kemal trenden inmeme yardımcı olmak üzere elini uzattı. O yetersiz ışığın altında, fiziksel görüntüsünün en karakteristik yanı olan elini seçebildim yalnızca. Dar ve son derece biçimli, ince uzun parmakları ile açık renk, düzgün bir cilt. Kesinlikle bir kadın eline benzemese bile yine de bu elin bir erkeğe ait olduğu düşünülemezdi."

Mustafa Kemal tarafından yollandığı Londra'da geçirdiği sürgün yılları sırasında Halide Edip 1928 yılında anılarını yazmış ve bu anılarında, milletin umudunu bağladığı tek kişi olan Atatürk'ü şöyle anlatmayı sürdürmüştür. "Gri siluet biraz daha yaklaştı ama lambalardan yayılan ışık öylesine yetersizdi ki, onu daha fazla inceleyemedim. Mustafa Kemal kanepeye oturdu ve konuşmaya başladı ama eğer onu kavramak için tek bir günün yeterli olduğunu varsaysaydım, bu ilk konuşmanın son derece düşkırıcı olduğunu söylemem gerekirdi. O, tıpkı bir fener gibi iki taraflıydı. Kimi zaman ışık huzmeleri insanların görmeyi umduğu her şeyi inanılmaz bir netlikle aydınlatırken, kimi zaman da onları şaşırtarak, karanlıklar arasında kaybolmalarına yol açar. O akşam benim için karanlıklar sözkonusuydu. Onu dinlerken aklım karıştı çünkü mektuplarından, çok sık ve çok çabuk değişikliğe uğrayan devrimin ilk günlerinin panoramasını belirleyen ani ve doğru kararlarından dolayı yine öyle olacak diye beklediğim açıklığa o anda sahip değildi. Sözünü yarıda kesip, "Bu sohbeti sürdürmek için yarın tarım okuluna gelir misiniz?", diye sorduğunda, kendi kendime şöyle düşündüm: Bu adam ya umutsuz zorlukların içinde ya da öylesine derin bir ruha sahip ki, ilk hamlede anlamak mümkün değil. Ve kendi kendime son teşhisimin doğru olmasını diledim."

Halide Hanım'ın duyumsadığı ve sonradan tanığı olduğu zorluklar gerçekten de hiç umut vaat etmiyor ve Mustafa Kemal'i öylesine nazik durumlarla karşı karşıya bırakıyordu ki, bunların üstesinden gelebilmenin tek yolu yalnız ve yalnız milli birlikti. 11 Ocak 1920 tarihinde İstanbul'da yeni Meclis-i Mebusan toplandıktan ve milletvekilleri Sivas'ta alınan Misak-ı Milli (Milli And) kararlarını büyük bir çoğunlukla onayladıktan sonra Ankara'daki Temsil Heyetinin pratik olarak herhangi bir fonksiyonu kalmadı. Mustafa Kemal yasal bazda etkisini kaybetmeden önce bu kurulu dağıtmakta tereddüt etti. Parlamento, hükümet ve Anlaşma Devletleri arasındaki barışa güveni yoktu çünkü Padişah tarafından desteklenen tutucularla, Sevr'deki paylaşma antlaşmasını bekleyen yüksek komiserlikler, büyük bir milli fraksiyonun isteklerine tamamen ters düşecek şekilde temsil edileceği bir meclis için söz vermekle ne gibi bir yarar elde edeceklerdi? Kazım Karabekir'in Erzurum'dan yolladığı ve bundan böyle tüm görevlerini parlamentoya bıraktığını açıklayan acil telgrafının bile, Türk ulusunun varlığını sürdürebilme hakkının, Boğaziçindeki bu yılan yuvasını bekleyen delegeler tarafından kesinlikle güvence altına alınmayacağı yönündeki kesin kararının üstünde en ufacık bir etkisi bile olmadı.

Şubat ortalarından itibaren, gergin durumu yumuşatma politikası anlamına gelmeyecek bir şekilde Yunan işgal grupları güçlendirilmeye başlanınca, Mustafa Kemal'in şartları herkesten daha gerçekçi bir gözle değerlendirdiği kanıtlandı. Fransız ve İtalyan hükümetlerinin Türk sorununa yaklaşımlarının daha mültefit olması karşısında -ulusal hareket artık dış ülkelerin de saygı ve onayını kazanmaya başlamıştı-İngilizler, Sevr ve İstanbul'da savundukları kendi çıkarlarının milletvekilleri tarafından ayrıca tehlikeye girdiğini düşünerek daha başka önlemler almaya giriştiler ve bu durum, Mustafa Kemal'in korkularında ne denli haklı olduğuna kesin bir kanıt oluşturdu. İngiliz askerleri 6 Mart'tan (*) itibaren İstanbul'daki hükümet binasını işgal etmeye başladılar. Bunu, ulusal fraksiyon parlamenterlerinin gözaltına alınışı izledi. Tutuklanan milletvekillerinin arasında, daha sonra arkadaşları ile birlikte Malta'ya sürülecek olan Hüseyin Rauf da bulunmaktaydı. Başkent 16 Mart 1920'den itibaren işgal güçlerinin sıkıyönetimi tam anlamı ile uyguladıkları bir yer oldu, yani resmen işgal edildi.

Daha çok tahtından ve Osmanlı Hanedanlığının devamlılığından endişe etmekte olan Padişah, Damat Ferit'i bir kez daha sadrazamlığa getirdi, o da 11 Nisan'da Meclis-i Mebusan'ı dağıttı ve birkaç etkili din adamını, Mustafa Kemal ve taraftarlarının dinlerinden döndükleri ve böylece kanlarının dökülmesinin caiz olduğu yolunda fetva vermeye ikna etti. Bu şekilde dolaylı yoldan ölüme mahkûm edilmiş kişiler listesinde İsmet (İnönü) Bey ile Halide Edip Hanım'ın da isimleri vardı. Bu arada ağır bir hastalığın pençesinde olan Amerika Devlet Başkanı Wilson'un halkların kendi kendilerini yönetmeleri yolundaki talebi, İngilizlerin uyguladığı acımasız işgal politikası ve bu politika sonucunda Sultan'ın kendi kurtuluşu için kendi azınlık hükümetinin iktidarda kalması yolunda gösterdiği ısrar neticesinde Türklere kesinlikle yasaklanmış oldu. Mustafa Kemal, bir Amerikalı gazeteci ile yaptığı söy-

---

(*) 13 Kasım 1918'den beri "fiilen" işgal altında bulunan İstanbul'un "resmen" işgali, 16 Mart 1920'de olmuştur. Mebusan Meclisinin Misak-ı Milli'yi kabul etmesi, İngilizler tarafından "bardağı taşıran son damla" olarak yorumlanmış ve bir yandan da İstanbul "resmen" işgal edilmiş; postane, su şebekesi, elektirik idaresi vb. gibi merkezler kontrol altına alınmıştır.

leşide Wilson'un ilkeleri hakkında şunları söylemiştir: "Bu ilkeler neden Türkiye'ye de uygulanmadı? Halkların kendi kaderlerini kendilerinin belirleme hakkı neden Türklerin elinden alındı ve bu hak neden yalnızca Ermeni ve Rum azınlıklara tanındı? Sevr Antlaşması büyük güçler tarafından adalete hiç önem verilmeden hazırlanmış bir antlaşmadır." (*)

İstanbul'daki Meclis-i Mebusan 11 Nisan tarihinde Babıâli'nin gayrimeşru olduğuna karar verince (**) Mustafa Kemal 11 Nisan'dan itibaren halkın tek ve yasal temsilcisinin Sivas'ta belirlenen Heyeti Temsiliye olduğunu ilan etti. Heyet başkanı olarak Ankara'da toplanacak yeni parlamento için seçim yapılacağını açıkladı. Bunun üzerine 23 Nisan 1920 tarihinde Ankara'daki eski bir okul (***) binasında yeni Türkiye Büyük Millet Meclisi 190 yeni seçilmiş üyesi ve 100 kadar da İstanbul'dan kaçabilmiş olan eski Osmanlı mebuslarından oluşan milletvekilleri ile açılışını yaptı. Mustafa Kemal, ilk oturumda Türkiye Büyük Millet Meclisi'ne başkan seçildi. Büyük yetkilerle donatılmış olan bu meclisin 20 Ocak 1921 tarihinde çıkarttığı yeni anayasanın temel esaslarına göre yasama ve yürütme gücü milletin kendisine aittir -güç ayrılıkları ancak 1961 yılında gerçekleşmeye başlayacaktır! -(****) yani egemenlik kayıtsız şartsız milletindir, daha çok bir parlamento komisyonunu andıran kabinenin üyelerini meclis seçecektir (gizli oylama ve başkanın öneri hakkını kullanmasıyla) ve meclis başkanı ayrıca kabine üyelerinin yani vekiller kurulunun da başkanıdır.

"ChicagoTribune" gazetesinin muhabiri Paul Williams 3 Mayıs 1920'de

---

(*) Sevr, Ağustos 1920'de imzalanacaktır. O dönemde Sevr koşulları diye bir şey sözkonusu değildir. Olsa olsa San Remo'da varılan ilke kararlarından söz edilebilir.

(**) Mebusan Meclisinin Babıâli'yi gayrımeşru sayması diye bir şey yoktur. İstanbul işgal edilip kimi milletvekilleri tutuklanınca, Mebusan Meclisi 18 Mart 1920'de "uygun bir zaman ve yerde toplanmak üzere" toplantılarına "ara vermişler" (talik etmişler)'dir. Aynı gün Mustafa Kemal "Heyet-i Temsiliye Başkanı" sıfatıyla meclisi Ankara'ya davet etmiştir. Ankara'ya kaçabilen milletvekilleri ve "yeni seçilenlerle" birlikte ve "olağanüstü yetkilerle" toplanan Türkiye Büyük Millet Meclisi, 23 Nisan 1920'de toplantılarına başlayacaktır ve hiç tartışmasız bir biçimde İstanbul Mebusan Meclisinin "ara verdiği" toplantıları sürdürdüğü için "yasal" ve "meşru"dur.

(***) Bugün Ankara'da Ulus Meydanından gara giden caddenin sağ üst köşesinde müze olarak gezilebilen bu güzel bina "okul" değil, İttihat ve Terakki Kulübü olarak yapılmıştı. Okullardan getirilen sıralarla açılan bu salonun aydınlanması da, gene Ankara'da bir kahveden ödünç alınan büyük bir gaz lambası ile sağlanıyordu.

(****) Gronau burada da ciddi karıştırmalar yapmış. 1921 Anayasasından sonra, 1924 Anayasası yapılacak ve bu anayasa 1961'e dek yürürlükte kalacaktır.

Türkiye Büyük Millet Meclisi'nin açılışı ie ilgili olarak şunları yazmıştır: "Bugünü (23 Nisan'ı) Türklerin 14 Temmuz'u (14 Temmuz 1789'de Parisliler Bastille'i ele geçirmişlerdi) olarak adlandırabiliriz. Camilerden yükselen sabah ezanı bile başka bir anlam taşıyordu sanki. Kısa süre sonra caminin halılarla kaplı zemininde paşalar, genç askerler, din adamları ve herhangi bir rütbesi olmayan sıradan vatandaşlar yan yana diz çöktüler. Hoca bugün dini konular yerine günün önemini anlattı. Sabah namazından sonra Millet Meclisinin açılışı yapıldı. "Ya İstiklal ya ölüm" yemini eden milletvekilleri, son Türk ferdi de toprağa düşene dek Anadolu'yu yabancı güçlerin elinden kurtarıncaya kadar savaşma kararı aldılar. Topluluğun büyük bir kısmı ulaşılması zor, uzak dağlık yörelerden gelmişlerdi ve nafakalarını çıkartmak için terlerinin son damlasına kadar çalışmaya alışkındılar. Yamaçlar otlayan binlerce hayvanla ve vadiler henüz yeşillenmeye durmuş ekinle kaplıydı. Bu bile, yarı boş mideleri ile ellerinden gelenin en iyisini yapmaya hazır olan bu iddiasız ve kibirsiz adamlar için yeterliydi. Sokaklarda, bellerindeki kuşaklara süngülerini sokmuş, omzuna silahını asmış erkeklerle karşılaştım. Hepsi de o andan itibaren tüm Türkiye'de egemen olduklarının ve kendi hükümetlerinin vatanı kurtaracağının bilincindeydiler. Milletvetkilleri, çakılarla kazınmış okul sıralarında oturuyorlardı. Kürsünün yanında oturan hoca elinde bir Kur'an tutuyordu. Meclis Başkanı Mustafa Kemal bu kürsüden, Anlaşma Devletlerinin Wilson ilkelerine karşı geldiklerini ve halkın milli direniş hareketinin buna bir tepki olarak doğduğunu söyledi."

Teorik olarak Osmanlı İmparatorluğu'na son veren ve yeni Türk Devleti'nin başlangıcı olan ilk milli parlamentonun başarılı bir şekilde yapılanmasına karşın Mustafa Kemal'i elde ettiklerine tehdit unsuru oluşturabilecek başka birtakım güçlükler bekliyordu. Milletvekilleri ile ayaklanmacılar arasında çıkan çatışmalarla geçen aylar boyunca her zamankinden fazla sigara ve kahve içerken, şimdilik kaydıyla, Kurtuluş Savaşı sırasında da olduğu gibi, çok sevdiği rakıdan vazgeçmişti. Sultan ve Halife'yi hâlâ devletin başı olarak gören Sünni Müslüman milletvekilleri fazlasıyla sorun yaratıyordu. Mustafa Kemal onları rencide etmemek ve anlaşmazlıkları önlemek için ilk meclis toplantısında yaptığı konuşmada şunları iyice vurguladı: "Vatan kurtulduktan sonra Sultan-Halife, parlamentonun kendisini uygun gördüğü yere getirilecektir."

Cumhuriyete giden yolda atılan ilk adımları kamufle etmek için gerekli olan bu açıklama, tutucu dindarlar için yeterli olmadı. Selçuklular zamanında Konya'da kurulmuş olan Mevlevi tarikatı üyesi sözcüleri, Sultan'dan telgrafla Ankara'daki "geçici" hükümet için onay istemeyi önerdi.

Mustafa Kemal'in bu isteği kabul etmesi mümkün değildi çünkü milli devletin temsilcisi olarak, yerini aldıkları feodal (*) hanedanlığın başkanından, hem de ona karşı hükümet ettikleri bir zamanda izin istemek olacak şey değildi. Ayrıca olumsuz yanıt alacağı da daha baştan belliydi: Vahdettin, başlarında Mustafa Kemal'in bulunduğu Kuva-ı Milliyetcileri ölüme mahkûm ettiğini açıklamış ve bir liste yayınlamıştı. Öte yandan dini grupları suskunlukla karşılamak ya da görmezlikten gelmek, parlamentoda ikilik çıkması anlamına gelirdi ki, materyal ve askeri zayıflığın hüküm sürdüğü böyle bir zamanda bu da felaket demek olurdu.

Ama Mustafa Kemal, büyük başarı kazanmış pek çok insan gibi, "talihi yaver gidenler" grubundandı. Bu kez şans Nisan başında Anlaşma Devletlerinin baskısı ile azledilmiş olan Savaş Bakanı Fevzi Paşa'nın kimliğinde yüzüne güldü. Paşa, işgal kuvvetlerinin kendisine yaptığı bu haksızlığa isyan ederek Ankara'ya gelmiş ve bir asker olarak yeni milli hükümetin emrinde olduğunu bildirmişti. 1910 yılında Arnavutluk'da çıkan bir isyanın bastırılması sırasında General Fevzi Çakmak'la tanışmış olan Mustafa Kemal ondan kaderin önüne sürdüğü bir adam olarak yararlanmayı bildi, tıpkı ilerde satranç taşları gibi gördüğü pek çok adama yaptığı gibi. Onu parlamentoya getirdi, kürsüye çıkarttı, milletvekillerine İstanbul ve Sarayda hüküm süren şartlar hakkında bilgi vermesini rica etti. Fevzi Paşa trajik bir yüz ifadesi ve titreşimler yayan sesi ile kendisine yapılan haksızlığı ve başkentte artık İngilizlerin egemenliğinin geçerli olduğunu uzun uzun dile getirdi. Konuşmasını şu teşhisle sona erdirdi: "Padişah pratik anlamda işgal kuvvetlerinin emri altındadır ve ne özgürce konuşabilecek, ne de özgürce hareket edebilecek durumda değildir." Halife'ye ne denli inandığı ve bağlı olduğu herkes tarafından bilinen Paşa'nın yaptığı bu konuşmadan fazlasıyla etkilenen ve şok geçiren Sünni Müslüman

---

(*) Osmanlı düzeninin bir "feodalite" olup olmadığı hususu da oldukça tartışmalıdır.

gruplar tekliflerini geri çektiler ve Yıldız Sarayında izole edilmiş şekilde yaşayan "Allah'ın yeryüzündeki gölgesine" telgraf çekmekten vazgeçtiler. 25 Mayıs 1920 tarihinde Padişah çıkarttığı ölüm listesine Fevzi Paşa'nın da ismini ilave etti.

Lozan Barış Antlaşmasına dek hayalet bir ülke olan genç Milli Devletin varlığını sürdürebilmesinde, neredeyse bir iç savaş karakterine bürünen ve İstanbul'da da bir hayli huzursuzluğa yol açan sayısız isyanlar hatırı sayılır bir tehlike oluşturuyordu. Asilerin hedefleri ve gerekçeleri, Türklerin o zamanlar pençesinde oldukları çok yönlü anlaşmazlıkların kanıtlarıdır. Bazı gruplar, ulusal nedenlerden dolayı hem Padişah'a, hem de aynı zamanda özgürlüklerini kısıtlayan otoriter Ankara rejimine karşıydılar, bazıları ise kendileri için hâlâ şan ve şöhret anlamına gelen Osmanlı Hanedanını savunuyorlardı. Kimileri ise çeteci olarak elde ettikleri bağımsızlıklarından askeri disiplin karşısında ödün vermek istemiyorlardı ve bu listenin en alt basamağını her şeye yalnızca kendi çıkarları doğrultusunda bakanlar oluşturuyordu.

1920 yılında oluşturulan altmış kadar "Özel Ordu"nun en güçlü olanlarından biri de eski "İttihat ve Terakki Cemiyeti" üyeleri tarafından kurulan ve Büyük İslam İmparatorluğuna ait eski düşlerini, 1917 Rusyasını örnek alarak sosyalizme dönüştürmeyi hedefleyen "Yeşil Ordu" geliyordu. Asker kökenli komutanları Çerkes Ethem başlangıçta milliyetçileri desteklemiş ama Mustafa Kemal kendisini bir rakip olarak görmeye başlayınca, onun için gerçek bir tehdit unsuru haline dönüşüvermişti. 19. yüzyılın ortalarında pek çok vatandaşının yerleştiği, Marmara Denizinin güney bölgelerinde eylem yapan yine Kafkasya kökenli Çerkes Anzavur ise hem İstanbul'a, hem de Ankara'ya karşı savaşan güçlü bir askeri birliğe sahipti. (*)

Asilerin arasında komünizm taraftarları özellikle politik açıdan ciddiye alınması gereken bir grup oluşturuyorlardı çünkü, parti halinde organize olmayı başarmışlardı. Savaş suçlusu olarak bulunduğu Urallar'daki çalışma kamplarından birinde entelektüel Bolşeviklerle ilişkiye geçmiş ve 1918 Temmuz'unda Moskova'da Türk Komünist Parti-

---

(*) Yazarımızın "Yeşil Ordu", "Çerkes Ethem" ve "Anzavur"la ilgili açıklamalarının tümü yanlış. Ama bu çalışma, bir kaynak-tarih kitabı olmayıp, edebi yanı ağır basan bir biyografi olduğu için, tüm yanlışlarını düzeltme yönüne gitmiyorum.

si'ni kurmuş olan başkanları Mustafa Suphi, Sovyetler Birliği'nden geri döndükten sonra Türkiye'deki etkin sosyalist hücreleri, İstanbullu işçileri ve "Yeşil Ordu"nun önemli üyelerini kendine bağlamayı başardı. TKP'nin "Emperyalistlere karşı savaşmak gibi milliyetçilerle ortak bir hedefi olduğu için başlangıçta Ankara tepkili olmadı ve Suphi, Büyük Millet Meclisi'nden aldığı icazetle 20 Aralık 1920'de İstanbul Merkez Komitesi oturumunu yapabildi. (*)

Prensipte milli direnişe karşı olan "Yoldaşlar" tarafından maddi olarak desteklenen komünistlerin aktiviteleri yoğunlaşınca, sonunda Ankara hükümeti, ileri gelen TKP üyelerini 1921 Ocak'ında vatan haini olarak mahkeme önüne çıkarttı. Uzun müzakerelerden sonra "Emperyalistler"e karşı açılan bu bağımsızlık savaşını silah yardımı ile teşvik etmeye hazır olduğunu bildiren Sovyet hükümetini (buna ait anlaşma 1921 Martı'nda imzalanmıştır) fazla kızdırmamak için çok sert cezalar yerine biraz daha yumuşak olanlarında karar kılındı.

Ankara'nın izni ile Sovyetler Birliği'ne gitmek üzere kendileri için Karadeniz kenarındaki Trabzon'da hazır bekletilen teknede gerçekleştirilen Mustafa Suphi ve on dört yoldaşının katli -cesetleri tekneden denize atılmıştı- grup çatışmalarının Anadolu'ya egemen olduğu o günlerde sık sık yaşanan bölgesel başına buyrukluğun bir göstergesidir. 1924 yılında yeni parti kurulmasına karşı uygulanan genel yasaklamadan daha önce- Mustafa Kemal tarafından kurulan Halk Partisi devrimlerin yerleştirilmesi ve uygulanması için tüm ulusal güçleri kendi bünyesinde birleştirecekti- 1922 Temmuz'unda TKP yeraltına inmek zorunda kaldı.

İstanbul ve Ankara hükümetleri tarafından "Özel Ordu"ların yarattığı tehdite karşı alınan önlemler bir yandan da iç savaş tehlikesini arttırıyordu. Sultan, İngilizlerin de desteği ile, "Sultan Türkiyesi"ne ya da özerklik hedefleyenlere karşı, Anadolu'da çıkan isyanları bastırmak üzere, "Hilafet Ordusu" adı altında özel bir askeri birlik kurdu. Resmen

---

(*) Bir önceki notta da belirttiğim üzere, bu kitap edebi yanı ağır basan bir biyografi. Çok ciddi tarih hataları var. Örneğin TKP ve Mustafa Suphi olayını da tümüyle yanlış ele alıyor ve yanlış değerlendiriyor. En basitinden Mustafa Suphi, Sovyetler Birliği'ne giderken değil, Sovyetler Birliği'nden gelirken boğdurulmuştur ve bunun Atatürk'ün buyruğuyla olduğu konusunda elimizde hiçbir tarihsel belge bulunmamaktadır. Ankara'daki TKP ise, Mustafa Kemal tarafından güvenilir arkadaşlarına kurdurtulmuştur.

"teftiş gezisi" olarak açıklanan bu seferler milliyetçilerden yana olmaya karar vermiş bulunan çeteleri ve eski Osmanlı tümenlerini dolaylı yoldan da olsa etkiliyordu. Türkiye Büyük Millet Meclisi, ulusal olmayan her isyana karşı 29 Nisan 1920'de yürürlüğe koyduğu bir yasa ile kendini savunmaya geçti ve bunun fazla yararını görmeyince, olay çıkan bölgede derhal toplanması mümkün olan "İstiklal Mahkemeleri" adı altında özel mahkemeler kurdu. Büyük bir sıkıntıya o anda acil çözüm getiren bu mahkemeler Kurtuluş Savaşından sonra genç Cumhuriyetin başına büyük bela oldu.

22 Mayıs 1920 tarihinde Sevr Antlaşmasının şartları (*) ilk kez Büyük Millet Meclisi'nde okununca, ulusal direniş hareketinde büyük bir patlama yaşandı çünkü en tutucu Osmanlılar bile antlaşma şartlarına göre Mustafa Kemal'in partizanları addediliyorlardı. "Müdafaa-i Hukuk" için oluşturulan ortak cephe kendi ideallerinin, aslında ana hatları "Misak-ı Milli" ile belirlenmiş olan "Kemalizm"de birleştiğini farketti: Ulusal bağımsızlık, ülke sınırlarının bütünlüğü (Trakya'daki Edirne ile Kuzeydoğu Anadolu'da Kars ve Güneydoğu Anadolu'da İskenderun arasında kalan çekirdek Osmanlı toprakları) ve hakimiyetin millette olması.

Ankara hükümetinin tüm karşı çabalarına rağmen Damat Ferit ve onun kabine üyeleri tarafından 10 Ağustos 1920 tarihinde imzalanan Sevr Antlaşması genel olarak şu şartlardan oluşuyordu: Osmanlı İmparatorluğu sınırları içinde bulunan Arap ülkeleri ayrılacak; Edirne'de dahil olmak üzere Doğu Trakya-Çatalca hattına kadar- (İstanbul'un 40 kilometre batısı), İzmir ve çevresi Yunanistan'a verilecek; İtalyanlar Rodos ve On İki Ada'da söz sahibi olacaklar; Ermeniler bağımsız bir devlet olarak tanınacak; Fırat'ın kuzeyindeki Kürt bölgelerine bir yıl içinde özerklik tanınacak; Boğazlarda (İstanbul ve Çanakkale) asker bulundurulmayacak ve Boğazları uluslararası bir komisyon yönetecek; uzun zaman önce Padişah tarafından yabancılara tanınan kapitülasyonlar yürürlükte kalacak; Anlaşma Devletleri tarafından kurulan komisyonlar devlet bütçesini (devlet sözü ile İstanbul hükümeti kastedilmektedir) kontrol altında tutacak. Bu son paragrafta vergi, gümrük ve mali kaynaklardan elde edilen gelirler sözkonusudur ve yapılacak ilk iş, Avrupa bankalarına eski Osmanlı borçlarının geri ödenmesidir.

(*) Burada sözkonusu olan Sevr şartları değil, San Remo şartlarıdır.

Osmanlı Devleti'ne kala kala başşehir İstanbul, dört bir yanı budanmış Anadolu -Fransa ve İtalyan askerleri Kuva-ı Milliyeciler tarafından 1920 yazının başlarına dek Güneydoğu Anadolu'dan önemli ölçüde kovalanmışlardı- 50.000 askerle kısıtlanmış bir ordu ve idari mekanizma kalıyordu. Damat Ferit ve bazı bakanları 1920 Ağustos' unda Türkiye için ölüm kararı demek olan bu antlaşmanın altına imzalarını koyduktan sonra Ankara'daki parlamento onları vatan haini ilan etti. Padişah hakkında Halifelik sıfatına duyulan saygı nedeni ile dava açılmadı.

1920 yılının ikinci yarısında Mustafa Kemal ve Ankara'daki hükümeti üzerine kurulan senaryo çok girift ve akla hayale sığmayacak olaylarla doludur. Yukarıda da değindiğimiz gibi bazı "Özel Ordu"lar çift hükümetli bu dönemden kendi amaçları doğrultusunda yararlanmışlar ve bunun üstüne İngiliz hükümeti de Türk halkının büyük bir çoğunluğunun Mustafa Kemal'den yana olmadığı sonucuna varmış ve bu nedenle onu yeni iktidarın şefi olarak görmediği gibi, Barış Antlaşması şartlarını pratik olarak değiştirebilecek nitelikte bir tehlike olarak da kabul etmemiştir. Bazı milli güçler silahlanarak savunmaya geçtikleri için -Çukurova'da Fransızlara karşı Batı Anadolu'nun kuzeyinden gelen Yunanlılara karşı, İzmit Körfezinden Anlaşma Devletlerine karşı ve Ekim ayında, Kazım Karabekir'in komutasında Ermenilere karşı Aralık 1920 tarihinde Leninakan'da Ankara ile Sovyetler Birliği arasında yapılan barış antlaşmasına göre Ermenilerin oturduğu Doğu Anadolu bölgeleri Türklere geri verilirken, Erivan ve çevresi Sovyetlere katıldı) İngiliz Başbakanı Lloyd George, eğer gerekirse milliyetçileri silah zoruyla Sevr Antlaşması şartlarına boyun eğdirmek amacıyla yeni Yunan işgal planlarına destek verdi.

Çok sayıda İngiliz parlamenteri ile İtalyan ve Fransız kabine üyeleri antlaşma şartlarının yumuşatılmasında bir hayli direndiler ama Lloyd George Yunan birliklerinin ülke topraklarında ilerlemesi gerektiğini savundu. Bunun üzerine Yunanlılar 1920 yılının sonlarında ilk Osmanlı başkenti olan Bursa'yı işgal ettiler. Bu senaryoyu "Hilafet Ordu"sunun gözdağı seferleri tamamlarken, Sovyetler Birliği'nin, milliyetçilere silah yardımı yapma konusunda verdiği güvence, Lozan'daki Barış Antlaşması görüşmelerine dek, Mustafa Kemal'in Bolşeviklerin uydusu olduğu tahminini kuvvetlendirdi. En tehlikeli rakip görünümündeki İngiliz hükümeti niyetini kesinlikle yanlış anlamaya meydan vermeyecek şekilde bir muhtıra ile açıkladı: "Mustafa Kemal gibi bir haydut istiyor diye Konstantinopol'den çekilecek değiliz, aksi halde davranırsak doğudaki saygınlığımıza kuvvetli bir darbe indirmiş oluruz."

Mustafa Kemal'in asabi ruh hali şiddetli depresyonlarla, yoğun çalışma dönemleri arasında gel-gitler yaşıyordu. Ona ve çevresine büyük huzursuzluk veren şeylerin başında, şehrin çok uzağında bulunan tarım okulunu yabancı çetelerden koruyan silahlı adamların azlığı geliyordu. Ordu Komutanı Ali Fuad'ın karargâhı batı yönüne çok uzakta olduğu için, Başkanın ve çalışma arkadaşlarının emrine açık arazide kolayca pusuya düşürülebilecek, ancak birkaç yüz kişiden oluşan bir gönüllü birliği verilebilmişti. Geceleri sık sık kentle bağlantıyı sağlayan telgraf telleri kesilmeye başlanınca ve hatta okul civarındaki bekçi köpekleri zehirlenmiş olarak bulununca Mustafa Kemal, tren istasyonunun yanındaki küçük bir binaya geçmeye karar verdi çünkü, içinde bulundukları korku psikozu öyle bir boyuta erişmişti ki, okul sakinleri akşamın alacakaranlığında tepelerde görünen koyunları bile bulundukları yere yaklaşmakta olan haydutlar gibi görmeye başlamışlardı. (*)

Mustafa Kemal'in diplomatik olarak "Yönetim" diye bahsettiği yeni karargâh, tüm grubun birarada kalabilmesi için fazla küçüktü. Durum böyle olunca Ankara Müftüsü Büyük Millet Meclisi'nin Başkanına şehir adına, kenar tepelerden biri olan Çankaya'da yazlık bir ev tahsis etti. Mustafa Kemal geniş bir bahçenin içinde bulunan ve bugün yanında Cumhurbaşkanının modern köşkünün yer aldığı bu kır evinin, tam anlamı ile içine yerleşmeden önce kendi zevkine göre restore ettirdi ve döşetti. 1921 yılında ise bu villayı orduya vasiyet ederek, kişisel mülk sahibi olmaya hiç ilgi duymadığını bir kez daha kanıtlamış oldu.

Evin idaresi, başlangıçta "Yönetim" ile Çankaya arasında gidip gelen, taptığı kahramanı ve kuzeninin yokluğuna daha fazla dayanamayıp kendi isteği ile 1920 yılında İstanbul'dan Ankara'ya göç etmiş olan yirmi iki yaşındaki Fikriye tarafından sağlanıyordu. Mustafa Kemal'in yakın çevresinde herhangi bir kadın olmadığı için -Halide Edip

---

(*) Mustafa Kemal ve arkadaşlarının Ankara'daki ilk günlerinin çok zor koşullar altında olduğuna hiç kuşku yoktur. Ama bu durumlarını "ileri bir korku psikozu" ile açıklamak da doğru değildir.

evliydi ve kocası ile birlikte şehirdeki dostlarından birinin yanında kalıyordu- Fikriye'nin First Lady, kahya ve refakatçi olarak yanında kalma önerisini Mustafa Kemal hiç düşünmeden kabul etti. Kendisi daha çok motorize araçlara binmeyi yeğlediği için başkanlığa ait atları ve arabayı ona bıraktı, böylece kısa süre sonra Ankara'nın alışılmış görüntülerinin arasına üstü açık atlı arabada gezen Fikriye de dahil oldu. Kızkardeşi Jülide'nin ölümüne neden olan tüberküloz belirtileri Fikriye'de de görüldüğü halde, genç kadın en kötü hava şartlarında dahi yine bu arabaya binerdi. Halide Edip soğuk kış günlerinden birinde atla Ankara'ya giderken (o sıralarda Ankara'da çok az otomobil olduğundan, yiğit kadınlar bir yerden bir yere giderken ata binerlerdi) ilk kez Fikriye ile karşılaştı: "Başkanın atlı arabası neredeyse atıma değecek kadar yakınıma geldiğinde, içinde Mustafa Kemal'in değil, yorgun ve üşümüş görünmesine karşın çok güzel bir yüze sahip olduğu hemen anlaşılan genç bir kadının oturduğunu gördüm. Bu kadının burnunun ucu soğuktan morarmış, dudakları bembeyaz kesilmişti. Siyah örtü, oval yüzünün zarif hatlarını daha da belirginleştiriyordu sanki. Gözleri koyu kahverengiydi, uzun kirpikleri ise anlamlı bir kıvırcıklığa sahipti." Kocası Doktor Adnan Adıvar'a bu karşılaşmadan söz ettiğinde, onun Fikriye'yi tanıdığını, atlı arabadaki bu aşırı solgun ve gözleri çukura kaçmış kadının büyük bir olasılıkla ince hastalıktan muzdarip olduğunu öğrendi.

Mustafa Kemal de olasılığı gözönünde bulundurarak Fikriye ile evlenmemiş ya da annesinin arzusuna boyun eğerek daha önce hiç el değmemiş, dul olmayan bir kadını kendisine eş yapmak istemiş olabilir; gerçek ne olursa olsun her zaman bir sır olarak kalmıştır. Mustafa Kemal'in, biyografların ve efsanelerin göstermek istediği gibi bir kadın avcısı olmadığı ise kesin. Ama kendi özel istekleri açısından kişisel mutluluğu yakalayamadığı ve askeri bir komutan, devlet adamı, diplomat ve devrimci olarak kendisinden çok şeyler verdiği milli hareketin başına geçmesi ile birlikte şahsi arzularını daha da fazla geri ittiği ise bir gerçek.

Kurtuluş Savaşının İlk Dönemi (1921)

Mustafa Kemal için 1921 yılı, neredeyse trajediye dönüşebilecek bir olayla başladı. Özel ordusuyla Anadolu'nun dört bir yanına yayılmış olan Çerkes Ethem sözde milli direnişçiler için savaşıyor, emri altındaki baldırıçıplak grubu sayesinde gitgide artan bir oranda başarı kazandıkça, önemi de aynı oranda artıyordu. Milli hükümet 1920 sonbaharında inisiyatifi ele alarak düzensiz silahlı birliklerden organize bir ordu oluşturma ve Ali Fuad ile Kazım Karabekir'e bağlı Osmanlı tümenlerinden arta kalanları gerçek bir savaş gücü haline sokma çabalarını başlatınca, Ethem kendi silahlı çetesinin milli orduya dahil olmasına karşı çıktı. Kendi etkisini güvence altına alabilmek için, rakip olarak gördüğü Mustafa Kemal'i karalayıp, küçük düşürme yolunu seçti ve onun 20. tümenin komutanı Ali Fuad'ı Moskova'ya elçi olarak yollayıp (Sovyetler Birliği Ankara hükümetini tanıdığını açıklamıştı) başkomutanlığı üstlendiği ve böylece de diktatör olmaya adaylığını koyduğu söylentisini çevreye yaymaya başladı. Bu yalan, Yunan işgal ordusuna karşı vatanı savunacak askeri güçlerin artık toparlanmaya başladığı bir zaman için özellikle düşünülmüş alçakça bir kurnazlıktan başka bir şey değildi çünkü Millet Meclisi'nde ikilik yaratma ve hatta düşman ordularına karşı korkunç bir güçsüzlüğe düşme pahasına, meclis başkanlığına gerçek dindar bir Müslümanın getirilmesini isteyen tutucu milletvekilleri tarafından yeteri kadar ilgi görmüştü.

Ocak ayının ilk günlerinden birinde Çerkes Ethem aniden yanında (*) nöbetçileri ile birlikte "Yönetim" binasının önünde boy gösterdi. Yakasını bir türlü kurtaramadığı sıtma krizlerinden biri ile yatağa çakılmış olan Mustafa Kemal, vatana hıyanetten çoktan tutuklatabileceği Et-

---

(*) Çerkes Ethem değerlendirmesi de çok tartışmalı ve eksik.

hem'i yatak odasından içeriye girerken görünce, hastalık nedeni ile pek de kendinde olmamasına karşın, fena halde şaşırdı. Yüksek ateşine rağmen soğukkanlı ve hızlı davranmayı yine de başararak, yastığının altında duran tabancasını çektiği gibi büyük bir olasılıkla suikastçisi olacak adamın üstüne silahını çevirdi. Ethem bir anda değişik bir yüz ifadesi takınarak, üzüntüsünü dile getirdi ve yalnızca ona geçmiş olsun demek ve Yunan işgalcilere karşı kendisini destekleyeceği konusunda güvence vermek için geldiğini açıkladı. "Yönetim"i koruyan gönüllüler sayıca çok az oldukları için Mustafa Kemal'e Çerkes'in söylediklerine inanmış görünmekten başka yapacak bir şey kalmadı ve birkaç gün sonra, İnönü muharebesinin tüm şiddeti ile sürdüğü günlerde Ethem iki kardeşi ve adamları ile birlikte düşman tarafına geçti. Kurtuluş Savaşı bittikten sonra ise yurt dışına kaçtı. Bu olay, Mustafa Kemal'in çoktandır çevresi tarafından beklenen kararı almasına ve kendisine güçlü korumalar edinmesine neden oldu. Bu adamlar, Doğu Karadeniz sahillerinde yaşayan Lazlardan oluşuyordu. Siyah giysilerinin ve siyah başlıklarının daha bir bakılmaya değer kıldığı, sırım gibi ince uzun yapılı ve esmer tenli bu erkeklerin güzelliğine dair övgüleri ise Mustafa Kemal her zaman büyük bir gururla dinledi. (*)

Yunan birlikleri 1920 Ekim'inden 1921 Ocak'ına dek aşama aşama Bursa'dan çinileri ile ünlü, demiryollarının bağlantı noktası Eskişehir'in doksan kilometre güneyindeki Kütahya önlerine kadar gelince, Ankara hükümeti kısıtlı olanaklarına rağmen -cephane ve acemi er noksanlığına karşın- karşı bir saldırıda karar kıldı. Ali Fuad'ın görevine getirilmiş olan İsmet Paşa, Eskişehir'in batısından, Refet (Bele) Paşa ise güneyinden birer hücum hattı oluşturdular. Başarısız olma durumunda hükümetin ve parlamentonun Sivas'a (**) nakledilmesi planlanmıştı. İlk savaş 6 ile 10 Ocak arasında Eskişehir'in güneybatısındaki İnönü'de gerçekleşti. Türkler burada elde ettikleri başarıyı, kendisini deneyimli bir strateji uzmanı olarak kanıtlamış bulunan ve henüz ulusal bir hükümet ordusuna dönüşememiş farklı birlikleri ortak bir hedef için harekete geçirmeyi ve birarada tutmayı ustaca başaran İsmet Paşa'ya borç-

---

(*) Mustafa Kemal'in "laz korumaları" Ankara'daki ilk günlerinden beri vardı ve komutanları, daha sonra milletvekili Ali Şükrü'yü öldürecek olan ünlü çeteci Topal Osman'dı.

(**) Düşünülen yer Sivas değil, Kayseri idi. Hatta Kayseri Lisesi'nin konferans salonuna bir kürsü hazırlanmıştı.

ludur. Donanım kaybı ve hayatta kalabilmiş olan askerlerin bitkinliği öylesine büyük boyutlara varmıştı ki, İsmet Paşa, Bursa'ya geri çekilen Yunan askerlerini izlemekten vazgeçmek zorunda kaldı.

Yunan işgalcilerine karşı kazanılan bu ilk ve başarılı savaştan sonra Ankara biraz olsun rahat bir soluk alabildi. Halkın sevinç gösterilerinde bulunması için henüz bir neden yoktu çünkü üstünlük hâlâ düşman güçlerindeydi ve onların da yeniden saldıracaklarından hiç kimsenin kuşkusu yoktu. Anlaşma Devletleri, Birinci İnönü Muharebesine hayret verici diplomatik bir aktivite ile tepki verdi, Yunan ve Türk hükümetlerinin temsilcilerini, yani Ankara'daki "asileri" Londra'da topladığı bir konferansa çağırdı. Amaç, Fransızların ve İtalyanların müzakereler yaparak yumuşatmak istedikleri, İngilizlerin ise kelimenin tam anlamı ile dikte ettirdikleri, Sevr Antlaşmasının şartlarını bir kez daha tartışmaya açmaktı.

23 Şubat'tan 12 Mart'a kadar süren Londra Konferansından beklendiği üzere herhangi bir tatmin edici sonuç çıkmadı. Ve hemen her şey eskisi gibi kaldı: İngiliz hükümeti Yunanistan'ın işgal politikasını desteklemeyi sürdürdü ama Roma ve Paris hükümetlerinin hatırına yaptığı silah yardımını kısıtlı tuttu. Ülkesine daha fazla destek verilmesini talep eden Yunanistan delegesi konferanstan sonra şöyle dedi: "Yunanistan hükümetinin Londra'da diplomatik bir zafer elde ettiği söylenemez." Yalnızca Mustafa Kemal'in hanesine diplomatik düzeyde bir başarı puanı verilebilirdi: Anlaşma Devletleri, milliyetçileri Londra Konferansına çağırarak, onları Türkiye'nin gerçek sahibi olarak tanıdıklarını ilk kez belli etmiş oluyorlardı.

Mustafa Kemal, İngiltere'den geri dönen delegeleri Ankara istasyonunda beraberindeki bir heyetle karşıladı. Konferansa katılan diplomatlardan biri bu karşılama töreni hakkında şunları yazmıştır: "Pırıl pırıl bir hava vardı ve Asya ilkbaharının gülümsemesi doğayı büyülemiş, her şeyi parlak bir ışıkla kucaklaşmıştı. Tren durduğu anda Başkan, duru bir zekânın sahibi, iki buçuk yıldan bu yana kaderimizi elinde tutan adam, vagonumuza yaklaştı. Orta boylu, ince yapılı, sarı saçlı, delici ve araştırıcı bakışlara sahip mavi gözleri ve geniş bir alnı olan Mustafa Kemal genellikle enli ve büyük bir siyah kalpak takar. Bu kez de üstünde inanılmaz derecede şık, koyu gri bir takım elbise vardı, eldivenleri ve bastonu ise kıyafeti ile aynı renkteydi. Sert adımlarla bize doğru ilerledi ve çok dostane bir konuşma yaptı. Bunun üstüne delegasyon şefimiz öne eğildi ve onu içten bir şekilde kucakladı. Seremoni ancak birkaç dakika sürdü.

Daha sonra herkes Büyük Şef'in evine gitti. Mustafa Kemal Paşa evden içeriye girince, herkesin hayran olduğu koruma birliği silahları ile onu selamladı. Bu Lazlar esmer, güçlü kuvvetli ve kusursuz bir disipline sahip harika adamlar. Gümüş rengi bir kuşağın çevrelediği, bedenlerine mıh gibi oturmuş siyah yünlü kıyafetleri ince uzun hatlarını iyice vurguluyor. Sert yapılı gurur ifade eden suratları, bir ucunda kenarları simli, ince nakışlı bir bandın sarktığı siyah türbanların gölgesinde kalıyor.

Büyük Şef, kabul salonunun bulunduğu birinci kata çıktı. Oradaki her şey milli ruhun varlığını simgeliyor sanki. Mobilyalar, halılar, perdeler ve süs eşyaları bile bu ruhun birer aynası: Anadolu'da tehlike içinde yaşanan yıllar boyunca biriktirilmiş, o günlerin anısını hâlâ canlı tutan vatana has elişleri."

Bundan birkaç hafta önce, 20 Ocak 1921 tarihinde önemli bir iç politik olay daha cereyan etmişti: Büyük Millet Meclisi yeni anayasasından vazgeçmiş, güç dağılımını belirleyen kuralların dışında 1909 Anayasasına dönmüştü. Ulusal devletin içinde bulunduğu geçici dönem nedeni ile ve Sultan-Halife'nin ismen de olsa yasal Devlet Başkanı sıfatı ile koruma altına alınmasını sağlamak için parlamentoya beklenenden çok daha fazla yetki tanınmıştı. Bundan böyle Meclis yalnızca bakanları ve aynı zamanda hükümete de şeflik yapan Meclis Başkanını kontrol etmekle kalmayacak, padişahlık dönemine göre daha fazla haklar tanınan bölge valilerini de kontrolu altında tutacaktı. Misak-ı Milli şartları gereğince milli harekete karşı gelenlere uygulanan ceza yasası da gerçekleştirilen yenilikler arasındaydı. (*)

Vatanın en önemli kısımlarının işgal tehlikesi altında olması ve Yunan politikasının gitgide saldırganlaşması sonucunda farklı gruplardan gelmelerine karşın milletvekilleri ulusal direniş döneminde birbirlerine kenetlendiler. Ama Mustafa Kemal'e Kurtuluş Savaşları boyunca

---

(*) Gronau burada da bazı şeyleri karıştırmış. 20 Ocak 1921 tarihli kısa metin, "ilk anayasa" olarak kabul edilir.

tam yetki verilmesi önerisi yine de muhalefet gördü ve sert tartışmalara yol açtı. (*) En büyük gruplara ait üyelerin yüzde 40'ını askeri ve sivil devlet memurları oluştururken, yüzde 20'si politikacılardan, zengin tüccar ve toprak sahiplerinden ve yüzde 17'si de etkin dini liderlerden meydana geliyordu. Bir Türk gözlemci parlamentoyu oluşturan bu farklı doku hakkında şunları yazmıştır: Laisizm ve dini duyarlıklar arasında, radikaller ve reaksiyonerler arasında, Cumhuriyetçiler ve Monarşistler arasında, dili Türkçe olan halklardan oluşturulacak imparatorluk ile Osmanlı halklarından müteşekkil imparatorluk yanlıları arasında muazzam görüş ayrılıkları vardı. Türk birliğini savunanlarla, Müslüman birliğini savunanlar karşı karşıyaydı. Ve kendi görüş ve inançları çerçevesinde ayrı ayrı taleplerde bulunan bu gruplar birbirleriyle mücadele ederek ve mücadeleyi kimi zaman biri, kimi zaman diğeri kazanarak her gün aynı meclisin çatısı altında biraraya geliyorlardı."

O yıllarda Türkiye'de yaşayan Alman bir mühendis, Büyük Millet Meclisi hakkında şunları yazmıştır: "Türkiye, parlamenter düzene geçtiğinden bu yana, parlamentarizmlerinin ikide bir ateşli çocuk hastalıklarına yakalandığını söylemek âdet olmuş. Günün aşırı hassasiyet gösteren konuları ile meşgul olan bugünkü parlamento oturumuna katılsaydınız eğer, yukarıdaki teşhise katılmanız mümkün olmazdı. Acil durum gereği ülkenin çeşitli kesimlerinden apar topar parlamentoya yollanan, aralarında işgalci askerlerin karılarının kızlarının ırzına geçtiği, inanılmaz acılara sebep olduğu adamları görüp onlara kulak verdiğinizde, kişisel olarak ne denli başarılı oldukları izlenimini ediniyorsunuz.

16 Mart 1921 tarihinde, Moskova'da Rusların Sovyet yönetimi ile Ankara arasındaki Dostluk Antlaşması iki tarafın dışişleri bakanları tarafından imzalandı. Türk milliyetçilerine verilen önemli hakların başında hükümetlerini tanımak, Boğazlar üstündeki Türk egemenliğini kabul etmek ve Sevr Barış Antlaşması şartlarının aksine, Doğu Anadolu'nun bazı bölgelerinde hak iddia eden Ermenilerin kimi Çarlarla yaptıkları antlaşmaların hükümsüz kılınması, o an için özellikle önem

---

(*) Mustafa Kemal'e geniş yetkileri veren yasa önerisinin ilk kabulü 6 Ağustos 1921' de tartışmasız kabul edilmişti. Ancak üç ayda bir uzatılması gereken bu yetkiler, ilerde tartışma konusu olacak, hatta bir keresinde TBMM uzatma önerisini kabul etmeyecektir.

taşıyan silah sevkiyatının sürdürülmesi ve on milyon altın Ruble'nin üzerine (6.5 milyon altın Ruble aynı yıl kullanıma sokulmuştu) bir yardım fonu oluşturulması vardı. Dışişlerden sorumlu Halk Komiseri, Lenin'in Moskova Konferansı sırasında her gün telefon açıp, günün olaylarını sorduğu Georgi Vasilyeviç Tschitscherin 9 Ocak 1922 tarihinde şu açıklamayı yaptı: "Doğu ülkelerine karşı sürdürdüğümüz politika, doğu halklarının ekonomik ve politik alanlarda bağımsız bir şekilde gelişmesini hedeflemektedir ve bu halklar tarafımızdan her şekilde desteklenecektir."

General Michail Vasilyeviç Frunse 1921 Kasım'ının sonundan, 1922 Ocak'ının ortalarına kadar Ankara-Türkiye'ye ziyarette bulundu ve Moskova Antlaşmasını pekiştirmek için Ukrayna Sovyet Cumhuriyeti ile milli hükümet arasında bir Dostluk Antlaşması daha imzaladı. Tschitscherin Moskova'ya gitmeden önce Frunse'ye şöyle dedi: "Bizim için Mustafa Kemal Paşa Türkiye'si ile olan dostluğumuz konjonktür gereği değil, belli bir prensip çizgisidir." Moskova Antlaşması yapıldıktan sonra Mustafa Kemal Paşa başkanlığındaki bakanlar kurulu, Rusya ile sağlanan politik yakınlığın kesinlikle iki devlet sisteminin yakınlaştığı anlamına gelmediğini açıkladı. Türkiye dış politikası için bugüne değin geçerli olan, Rusya'yı provoke etmemek ve kendi bağımsızlığını korumak bazındaki temel kurallar hâlâ geçerliydi.

Sovyetler'den gelen yardım sayesinde Türk hükümeti, Eskişehir'e doğru yeniden ilerlemeye başlayan Yunan kuvvetlerine silah donanımı daha mükemmel olan askerleriyle direniş sağlamayı başardı. 27 Mart 1921 tarihinde yine İnönü önlerinde savaş başladı ve Türk askerleri yine İsmet Paşa'nın komutasında bu savaşın da galibi oldular. Her iki savaşın anısına İsmet Paşa 1934 yılında İnönü soyadını aldı. Savaş çizgisinin güney kesiminde bulunan Refet Bey (Bele) bu alanda daha şanssız olduğu için savaştan hemen sonra Savunma Bakanlığına getirildi ve o güne değin Savunma Bakanlığı yapmış olan Fevzi (Çakmak) Bey milli ordunun başkomutanlığını üstlendi. 1 Nisan'da İsmet Paşa, Fevzi Paşa'ya şu telgrafı çekti: "Sabah, saat 6.05. Görülen durum: Sağ kanadımızın yaptığı karşı hücumdan sonra düşman kuvvetleri düzensiz olarak geri çekilmekteler. Bozüyük (İnönü'nün batısı)

anıyor. Savaş alanı binlerce ölü ile silme örtülmüş durumda. " Mus-
ıfa Kemal'in tellediği mesaj ise şu yöndeydi: "Tarihte, sizin İnönü'de
üklendiğiniz ağır sorumluluğu kaldırabilecek çok az şahsiyet bu-
ınmaktadır. Halkımızın tüm geleceği sizin ellerinizdedir. Siz yalnızca
üşmanı değil, halkımızın makus talihini de yendiniz. Düşmanın işgal
ırsı sizin zafer arzunuz karşısında yerle bir oldu. Adınız, tarihin şeref
efterine büyük harflerle geçecektir."

Üç aylık bir aradan sonra Yunan ordusu bu kez de kalkıp Ana-
olu'ya gelmiş olan Kral Konstantin'in komutasında yeniden Es-
işehir'e hücum etti. İşgal ordusu, bu kez Ankara'yı kesinlikle devre
ışı bırakmak amacıyla, eskisinden daha da güçlendirilmiş durumda
lduğu için Türk kuvvetleri bir hayli zorlandılar. Rusya'nın desteği, der-
al karşı saldırıya geçme riskini göze almak için yeterli değildi ve dev-
ıtin silah üretmesi için belirli bir zaman gereksinmesi vardı: Acil
urum gereği kurulan cephane fabrikalarında her yaştan kadınlar ve
rkekler gece, gündüz hiç durmadan çalışıyorlar ve nakil araçlarının
etersizliği yüzünden kağnılar, develer, traktörler ve yük hayvanları ile
ağlık yollardan cepheye silah ve asker taşıyorlardı.

Böylesine zor bir durumda Mustafa Kemal'in aldığı bir karar yal-
ızca Büyük Millet Meclisi'nde korkunç bir başkaldırıya yol açmakla
almadı, halk arasında da büyük şok yarattı. Mustafa Kemal Paşa, Yu-
anlıların bir sonraki saldırı hedefi olan Eskişehir'de yaşayan halkın
atıdan gelen bazı kıtalarla birlikte, Ankara'nın batısındaki Polatlı'dan
üneybatı yönüne doğru akan (ve iki kez yön değiştirdikten sonra Ka-
asu mevkiinden Karadeniz'e dökülen) Sakarya nehrinin doğu kıyısının
.rdına çekilerek, şehri tahliye etmelerini istedi. Kazım Karabekir'den
le destek alan pek çok milletvekili, Başkanın kimseye danışmadan
endi başına aldığı bu kararda, askeriyenin de yardımı ile diktatör
ılma hevesinin yattığını sezinlediler ve halk arasında, Yunan kuv-
etlerinin Ankara'ya yürümekte olduğu, Türk ordusunun ise Doğu Ana-
lolu'ya çekilme hazırlıkları yaptığı dedikoduları yayıldı. Bu panik hali,
'unan işgal kuvvetlerinin yaptıkları katliamın ve pek çok kaçağın ge-
rdiği haberlerden öğrenildiği üzere Güneybatı Anadolu'daki çok sa-
ıda köyü ateşe vererek, yakıp yıkmasının bir sonucuydu.

Mustafa Kemal 1927 yılında okuduğu Büyük Nutuk sırasında, halkın onaylamadığı bu tahliye önlemlerine şöyle bir açıklama getirdi: "Düşman hiç durmadan bizi izlerse, doğal olarak harekât üssünden uzaklaşacak ve yeni bir ateş hattı organize etmek zorunda kalacaktır. Durum ne olursa olsun, bu şartlarda hiç hesaba katmadığı bir yığın zorlukla uğraşması gerekecektir. Bu arada ise bizim ordumuz toparlanacak ve daha müsait şartlarda düşmana karşı çıkma olanağı bulacaktır. Bu tarz bir taktiğin en olumsuz tarafı ise düşmana büyük bir toprak parçasının ve Eskişehir gibi önemli yerlerin bırakılmasıdır. Ama bizim hesabımıza kaydedilmiş gibi görünen bu zararlar pek çok mutlu olay sonucunda kendiliğinden silinecektir. Bu nedenle, savaş sanatının gereği neyse onu hiç duraksamadan yerine getirmek zorundayız."

Büyük Millet Meclisi'nin çatısı altında gerçekleştirilen ateşli oturumlarda büyük çoğunluk, Mustafa Kemal tarafından yönetilen seferin sona erdirilmesini isterken, bazıları da onun askeri yenilgiye uğrayarak, dünya sahnesinden silinip gideceğini umuyordu. O ise her seferinde Meclisten tam yetki isteyerek oturumların daha da ateşlenmesine yol açıyordu. Sonunda 6 Ağustos 1921 tarihinde Millet Meclisi'nde isim isim yapılan bir oylama ile Mustafa Kemal Paşa'nın başkomutanlık süresi ve tam yetkili olma hali üç ay daha uzatıldı (*) -bu süre birkaç kez daha uzatılacaktı-. Tüm emirleri verme yetkisi bir tek ondaydı. Bir diktatör için gerekli şartlar o anda en mükemmel şekli ile oluşmuş durumdaydı ama, Mustafa Kemal'in kendi kendisine belirli kısıtlamalar getirmek ve yalnızca yapılabilir olana yönelerek, her bakımdan gerçekçi olmak gibi, kişiliğinden kaynaklanan iki harikulade yetenek, özel yetkilerini suistimal etmesine karşı büyük bir engel oluşturuyordu. Oylamadan sonra milletvekillerine şu sözlerle seslendi: "Beyler! Talihsiz milletimizi yeryüzünden silmek isteyen düşmanlarımıza karşı ebedi bir zafer kazanabilecek güçte olduğumuza dair duyduğum güven ve kanaat bir an için bile eksilmemiştir. Bu inancımı burada şimdi sizlerin, milletimin ve dünyanın karşısında bir kez daha haykırıyorum."

Ertesi gün Mustafa Kemal her hanenin çamaşırlarını ve her kumaş tüccarının elindeki tüm kumaşları askerlerin ihtiyaçlarının karşılanması için devlete vermesini emretti. Aynı şekilde gıda maddeleri ile nakil

---

(*) Bir önceki notta da belirttiğim üzere, 6 Ağustos 1921 yetki yasasının "uzatma" değil, ilk kabul edilmesinin tarihidir.

ıraçlarına da askeriye adına el koydu. 12 Ağustos'tan itibaren kendisi-
ıin ve Fevzi Paşa'nın genel karargâhlarını kurdukları Polatlı dolayla-
'ında yaptığı bir arazi gezisi sırasında sigara yakınca atı ürktü ve onu
ırtından yere attı. Sonuç kaburga kırığıydı. Ankara'da kırılan ke-
niklerini bandaja aldırdı ve doktoru Refik Saydam'ın sağlığına büyük
zarar verdiği yolundaki uyarılarına kulak tıkıyarak yirmi dört saat için-
de Polatlı'ya geri döndü. Göğsünün sol tarafına kurşun isabet ettiği
Gelibolu'da olduğu gibi burada da, verdiği emirlerin yerine getirilip ge-
tirilmediğini kendi gözleriyle denetleyecek ve gerekli durumlarda mü-
dahale edebilecek güce sahip olduğu sürece cepheyi terketmek iste-
miyordu.

Sakarya nehri kenarındaki savaş 23 Ağustos 1921 tarihinde
Yunan ordularının oluşturduğu, aşağı yukarı yüz kilometre uzun-
luğunda ve yirmi kilometre eninde bir cephede başladı. "İkizi" Arif Bey
emir subayı olarak her zamanki gibi yanındaydı. Halide Edip ise baş-
çavuş rütbesi ile (*) geri hizmetteydi. Genç yazar bu pasif görevi hiç
sesini çıkarmadan kabullenmişti. Bir mebus Ankara'da kendisine,
'Mustafa Kemal Paşa, yumuşak yüreğinizin cebri hareketleri kaldıra-
mayacağını söylüyor" deyince, onu şöyle yanıtladı: "Paşa'nın zayıflık
diye nitelediği şey, benim en güçlü yanımdır. Dünyanın tümü genel
olarak cebri hareketlere eğilim gösterdiği zaman, onları bu yönde yü-
reklendirmemek gerekir, buna da yalnızca benim sahip olduğum güçle
karşı durulur."

13 Eylül'de Yunan ordusu tekrar geri çekilmek zorunda kaldı. Mus-
tafa Kemal'in, durum savaşı uygulamayıp, geniş bir alana yayılarak sa-
vaşma taktiği -harp stratejisinde bir yenilik olarak kendisinden söz ettir-
miştir- düşmanı bitkin düşürmüştü. Mustafa Kemal: "Hatt-ı müdafaa
yoktur, sath-ı müdafaa vardır. Ve bu satıh vatanın tamamıdır. Kanı-
mızla ıslanmadan önce bir avuç vatan toprağı bile terkedilmeyecektir."
Her iki tarafın da binlerce ölü vermesine karşın Kral Konstantin ve hü-
kümeti, fanatikçe körüklediği rüyasından, antik Yunan İmparatorluğunu
yeniden canlandırma "megalo idea"sından bir türlü vazgeçmek bilmi-
yordu. Geri çekilmelerinin nedeni ise zayıf düşen kıtalarını güçlendirmek

---

(*) Halide Edip Adıvar'a verilen rütbe başçavuşluk değil, sembolik anlamda onbaşılık idi.

ve donanımlarını yenilemekti. İngiliz hükümeti "dayanıklılıklarına" öv güler düzerken, bir yandan da yaptığı yardımları durdurmuştu çünkü Türk milletinin Sakarya'da kazandığı zafer, tüm gücü ile varoluşunu ve bağımsızlığını savunan Ankara devletinin kaçınılmaz sonuca yakında ulaşacağının en önemli işaretiydi. Londra hükümetinin temsilcisi ile Refet Bele'nin arasında 1921 Eylül'ünde, Karadeniz bölgesindeki İnebolu'da gerçekleştirilen karşılıklı bir zemin yoklama görüşmesi, savaş esirlerinin değiş tokuş yapılmasını hızlandırmaktan başka bir sonuç vermedi ve İngiliz hükümetinde önemli sayılacak bir pozisyon değişikliğine yol açmadı. Mustafa Kemal'i, Yunanistan'ın yardımı ile dizlerinin üstüne çökertmek ve Türkiye'ye karşı alınan kararları tüm sertliğiyle uygulamaya sokmak için hâlâ bir şans vardı.

Milli ordunun kazandığı üçüncü zafer Ankara'da büyük kutlamalara yol açtı. Büyük Millet Meclisi, eskiden yalnızca dinsizlerin ordularını yenilgiye uğratan sultanlara verilen gazi unvanını Mustafa Kemal'e verek, onu mareşal yaptı. Bir zamanlar Osmanlı hükümetinin elinden aldığı ve geri vermeye bir türlü yanaşmadığı paşalık rütbesi (*) ile askeri üniforma giyme hakkı, şimdi kendisine layık görülen bu yeni mertebenin gölgesinde kalıyordu. Sakarya Savaşı sırasında onu yalnızca gri sivil elbiselerinin içinde görebilmişlerdi, eski askeri kariyerinin anısını yaşatan tek şey ise hiçbir zaman başından eksik etmediği kalpağıydı.

Türkiye'nin Sakarya kenarında sınava tabi tuttuğu bağımsızlık ve özgürlük arzusu, Fransa'nın Ankara hükümetini tanıyan ilk Batılı devlet olması için esaslı bir neden sayıldı. Aynı yılın ilk aylarında yapılan Londra Konferası sırasında milli Türk delegeleri ile ilişki kurmuş olan Fransız diplomat Henri Franklin-Bouillon birkaç haftalığına Ankara'ya geldi. Mustafa Kemal'le baş başa yaptıkları sayısız görüşmelerden birinde Gazi ona şunları söyledi: " Eski Osmanlı İmparatorluğu'ndan yepyeni bir devlet meydana gelmiştir ve bu devleti herkes tanımak zorundadır. Sevr Antlaşması Türk milleti için öylesine uğursuz bir ölüm kararıydı ki, bu ismi bir dostun ağzından duymayı hiç beklemiyorduk. Avrupa'nın Misak-ı Milli şartlarımızı bilmemesi mümkün değil, hedefle

---

(*) Mustafa Kemal, Ekim 1919 seçimlerinde Erzurum milletvekili seçildiği zaman rütbes ve tüm "itibarı" geri verilmiştir.

mizi ve amacımızı açıklayan bu şartları mutlaka öğrenmiştir. Avrupa'ın ve tüm dünyanın her geçen yıl biraz daha fazla kendi kanımızda boğulmamızı seyretmesi, bu korkunç savaşlara yol açan nedenler üstünde düşünmemesi olanaksız bir şey."

Mustafa Kemal ile Franklin-Bouillon arasında gelişen dostluğa Mustafa Kemal Paşa şöyle demiştir: "Sanırım, birbirimizi gerçek yüzümüzle tanımayı, düşüncelerimizi, duygularımızı ve karakterimizi öğrenmeyi ancak şimdi başardık." Bu dostluk görüşmeler bittikten sonra da sürdü. Mustafa: "Bunu izleyen günlerde Bay Franklin-Bouillon birkaç kez daha Türkiye'ye geldi ve Ankara'da birbirimizi gördüğümüz ilk günlerde aramızda yeşermiş olan dostluk duygularını her fırsatta dile getirmeyi unutmadı." 20 Ekim 1921 tarihinde Paris ile Ankara arasında imzalanan antlaşmaya göre yalnızca milli hükümet ve Misak-ı Milli kararları tanınmakla kalmıyor, Fransa, Adana, Urfa, Maraş gibi bölgelerden çıkmak ve buraları yeni Türkiye'ye bırakmak için garanti de veriyordu. Böylece ordunun bir bölümünü Güneydoğu Anadolu'dan çekmek ve Sakarya cephesine sürmek de mümkün oluyordu. Fransa'ya geri dönen askerlerin bıraktığı cephane ve silahlar da ayrıca Türk ordusu için büyük önem taşıyordu. İngilizler, Fransa'nın tek başına böyle bir tavır içine girmesini protesto ettiler ama sonunda, Antlaşma Devletlerine bağlı orduları bölüm bölüm Türkiye'den çekmeyi ve barış görüşmelerini başlatmayı kendileri önerdiler. Mustafa Kemal ise bu önerinin kabul edilebilir olmadığını açıkladı ve görüşmelerin başlatılması için yabancı askerlerin tümünün Türkiye sınırlarının dışına çıkmasının şart olduğunu bildirdi. İngiltere'nin Dışişleri Bakanı Lord Curzon bu şartı reddettiğini gücenmiş bir şekilde elini sallayarak belli etti. Ulusal Türkiye'yi çevreleyen halkanın çıkış noktası Kral Konstantin'in ve generallerinin elindeydi.

1921 yılının son aylarında, Malta'daki tutukluluk halleri son bulan Hüseyin Rauf ile Ali Fethi'nin yanısıra (*) Mustafa'nın İstanbul'dan getirdiği annesi Zübeyde de Ankara'da buluştular, Sakarya ve Paris'le yapılan antlaşmadan sonra Mustafa Kemal böyle bir lüksü artık kendisine çok görmemişti. Zübeyde, Çankaya'daki başkanlık köşkünün yanındaki kendi evinde kalıyordu. Fikriye'nin üzüntüsü iki katına çıkmış-

---

(*) Malta'dan dönenler, "cezalarını tamamladıkları" için değil, yapılan anlaşma gereğince "mübadele" ile geri gelmişlerdir.

tı çünkü kendisi ile rüyalarının kahramanının arasında her gece bir bardak ılık sütle gidermeye çalıştığı bitkinliğinin yanısıra artık İstanbul'dan getirdiği yardımcısı ile birlikte oğlunun evinin idaresini üstlenmek için harekete geçmiş olan Zübeyde Hanım da vardı. Bir ziyaretçinin edindiği izlenime göre, iki dost büyük güç gibi yan yana yaşayan ana ile oğulun arasında karşılıklı saygı olmakla birlikte, taraflardan biri diğerinin sınırına tecavüz ettiği anda her ikisi de dişlerini göstermekten asla geri durmuyorlardı. Böylece Fikriye, Mustafa'nın evinin anahtar şahsiyeti olma şerefinden yoksun kalmadı. Beyaz yas giysisini ancak kendi memleketi Selanik kurtulduktan sonra üstünden çıkarmakta kararlı olan Zübeyde Hanım ile oğlu "Mustafam" arasında ölçülü bir yakınlık ve buna bağlı olarak hiç aksatılmadan sürdürülen gelenek ve görenekler vardı, oğulun her sabah annesini ziyaret ederek elini öpmesi de bunlardan biriydi. Günün birinde Fikriye artık bekleme durumundan çıkarak, son kozunu oynayıp, evlilikten söz edince Mustafa ona kendisinin zaten Türk milleti ile evli olduğu yanıtını verdi.

Kurtuluş Savaşının İkinci Dönemi (1922)

Eskişehir ve Kütahya'nın güneyinde haşhaş ekili alanları ile ünlü bir eyalet başşehri olan Afyon'da siper almış olan Yunan kuvvetlerine saldırıya geçmek için yapılan hazırlıklar hemen hemen bir yıl sürdü ve bu da Ankara'nın biraz nefes almasına, yaşamın neredeyse normale dönmesine yol açtı: Parlamentodaki çekişmeler hâlâ sürüyor, şehrin imarına hız veriliyor ve tüm dünyadan gelen meraklılar Osmanlı İmparatorluğu'nun, bugüne değin hiç bilmedikleri bu köşenin nasıl modern bir kente dönüştüğünü kendi gözleri ile görmek istiyorlardı. Almanya ile diplomatik ilişkilerin 1924 yılında yeniden başlamasına karşın biyograf Emil Ludwing (notları ne yazık ki yayınlanmamıştır) gibi ünlü ve yetenekli Alman gözlemcilerin çok ender olarak Ankara'ya gelmelerinin nedenlerinden biri Almanya'nın yirmili yıllarda savaş sonrası döneminden kaynaklanan kendi öz problemleri ile boğuşması ve otuzlu yıllarda nasyonal-sosyalist propagandanın Türkiye Cumhurbaşkanlığını örnek bir diktatör olarak tanıtıp, kendi entelektüellerini bu yolla etkilemeye kalkmasıdır. Modern Türkiye'nin oluşumu ve kimliği hakkında güvenilir bilgi kaynaklarının eksikliği de, bu ülkeye bugüne değin çok ender olarak anlayışlı bir ilgiyle yaklaşılmasına yol açan nedenlerden biridir. Atatürk'ün bir "Lider" olarak yalnızca tek yönlü tarif edilmesi öylesine sağlıksız ve yalnızca kendine yarar sağlayacak şekilde etkili olmuştur ki, gerçeği tam olarak yansıttığı asla söylenemez. Çağdaşları Hitler, Mussolini ve Stalin'e göre daha başka bir tarzın sahibi olan Atatürk'ün üstünden parlamentonun kontrolu hiçbir zaman eksik olmamış ve o, çağdaşlarının saldırgan fetih politikalarının aksine hem kendisi, hem de bugüne değin Türkiye için bağlayıcı olan "Yurtta sulh, cihanda sulh" ilkesini uygulamaktan asla vazgeçmeyerek, diğer devletlere ve hatta bir zamanlar en büyük düşman olan Yunanistan

(1930 yılında Ankara'da Venizelos ile dostça görüşme) ve İngilter
(Kral VIII. Edward'ın Atatürk tarafından 1936'da İstanbul'da kabulü) il
bile barışık olmayı yeğlemiştir.

Nasyonal-sosyalistlerin Atatürk ve Türkiye hakkında sahip ol
dukları bilgilerin ne denli bulanık olduğunu, Führer'in karargâhında ya
pılan masa sohbetlerinden alınmış cümlelerden anlayabiliriz. Hitler'in
yabancı ülkeleri fethetmenin ve yabancı halklara egemen olmanın ge
rekliliğinden söz ederken ve bu arada kendi planları için yararlı ola
bilecek herkesi ari Germen ırkından sayarken, Atatürk'ü de aklından
geçirdiği kesindi. "Önemli olan, küçük burjuva ruhunun dar kalıpların
dan dışarıya çıkabilmektir. Bu nedenle Norveç'te ya da şurada bura
da oturduğumuzdan dolayı memnunum. İsviçreliler, halkımızın iyi ter
biye almamış bir dalıdır yalnızca. Kuzey Afrika'da Berberler ve Ana
dolu'da Kürtler olarak yaşayan Germenleri yitirdik. Onlardan biri de
Türklerle hiçbir alakası olmayan, mavi gözlü Mustafa Kemal'dir."

Büyük Millet Meclisi'nde 1922 yılının ortalarına dek süren ateşl
tartışmalar artık biraz durulmuş gibiydi. Mustafa Kemal özel yetki sü
resinin üç ay daha uzatılmasını yeniden talep edince tartışmalar da
tekrar alevlendi. Mustafa Kemal bu talebini, ülkenin hâlâ tehlike içinde
bulunduğu, özgürlük ve bağımsızlığa ebediyen ulaşmak için Sa-
karya'daki gibi askeri bir harekâtın şart olduğunu açıklayarak savundu
Karabekir, Rauf ve Refet Paşa'ların çevresinde toplanan ve "İkinci Mü-
dafaa-i Hukuk Cemiyeti" (*) adı altında birleşen muhalifler, vatanın
içinde bulunduğu acil durumun ve askeri bir hücumun gerekliliğinin
Büyük Millet Meclisi Başkanına milli ordu başkomutanı payesini ver-
mek ve özel yetkilerle donatmak anlamına gelmediğini ileri sürdüler.

İkilemin boyutları çok büyüktü çünkü bazıları, yeni devlete bir şans
daha vermek için askeri girişimlere ve emir gücünün belli bir kimsede
yoğunlaştırılmasına öncelik tanırlarken, bazıları da her zamanki gibi
nazik ama hedef seçtiği alanda alabildiğine inatçı İsmet Paşa'nın da
aralarında bulunduğu bir grup (**) ideal devletin geleceğinin demokra-

---

(*) "İkinci Müdafaa-i Hukuk Cemiyeti" diye bir şey yoktur. Yazarın burada kastettiği, "2. Grup"tur.

(**) İsmet Paşa'nın TBMM içinde herhangi bir grupla ilgisi olmamıştır. Tüm savaş boyunca (ve daha sonraları tüm yaşamı boyunca) Mustafa Kemal'le kader birliği içinde olmuş ve aynı çizgiyi izlemiştir.

tik olmayan bir doğum hatası ile zedelenmemesi gerektiğini ileri sürüyorlardı. Mustafa Kemal mebuslar arasındaki bu fikir ayrılığının farkındaydı: Pratik sorunlar karşısında gerçekçilikten asla ayrılmayan, soğukkanlı ama aynı zamanda sahip olduğu özellikleri bir virtiöz gibi kullanmayı bilen bir eylem adamı olur; teorik sorunlar karşısında ise, geniş kapsamlı devrimlerini açıklarken olduğu gibi, moral sorumluluğu çok fazla neredeyse naiv bir tarzda, vatandaşlarının zihinsel özgürlüğünü ve maddesel bağımsızlığını kapsayan gençlik hülyalarını gerçekleştirmeyi amaçlayan bir erkeğe dönüşürdü.

Bir yanda, tahrip edici ve yaralayıcı etkisinden kaçınmanın mümkün olmadığı atak hamleler; diğer yandan ağır adımlarla İslami-Osmanlıların laik-milli topluma dönüştürülmesi: Hemen hiç kimsenin mutlu sona ulaşamayacağı hatta tam tersine trajik bir şekilde tepeüstü geleceği bir girişim. Bugün bile Türkiye'de Atatürk'ün, devrimlerinin gerçekleştirilmesinde yaşanan ağır temponun üzüntüsüne dayanamayarak hayata erken veda ettiği ileri sürülen tahminler arasındadır. Ölümünden az önce şöyle demişti: "Eğer günün birinde söylediğim ve amaçladığım şeyler gerçekleşirse, gelecek kuşaklardan ve çağdaş dünyadan tek bir şey rica ediyorum: Beni hatırlayın. İki Mustafa Kemal var, bir tanesi fani; bir tanesi ise halkın yüreğinde ebediyen yaşayacak." (*) Atatürk yürüyemeyecek denli hasta olduğunda, bir öğrenci grubu (**) Dolmabahçe Sarayındaki odasının penceresinin altında bir Cumhuriyet Bayramı gününde (29 Ekim) en sevdiği marşı söyleyerek ona, 1919 yılının Mayıs'ında Samsun'dan Havza'ya yaptığı o umut dolu, coşkulu yolculuğu amınsatmışlardı: "Dağ başını duman almış.." Açık pencerenin önüne getirilmesini isteyen Mustafa Kemal Atatürk, onlara el sallamış, "Sevinmek en doğal hakkınızdır" diye seslenmiş ve gözlerine dolan yaşların yanaklarından aşağı süzülmesine engel olamamıştı. Onun başladığı şeyleri, başkaları bitirecekti.

1922 yılının Temmuz'unda meclis ortak bir çözümde nihayet anlaşabildi. Mustafa Kemal'e, sınırsız bir süre ile ordulara başkomutanlık etme yetkisi tanındı, buna karşın sahip olduğu özel yetkilerden vazge-

---

(*) Mustafa Kemal, içinde bu sözcüklerin de geçtiği ünlü konuşmasını, o dönemde değil İzmir Suikastını izleyen dönemde yapmıştır.

(**) Bu öğrenci grubu, Kuleli Askeri Lisesi öğrencileridir.

çecek, başbakanlık görevinden (*) ayrılacak -onun arzusu ile bu göreve Hüseyin Rauf Bey getirildi- ve milletvekillerinin oturdukları yerden gizli oyla bakanları seçme uygulamasına son verilecekti. Ama askeri kuvvetlerin Şef'i ve Büyük Millet Meclisi'nin Başkanı olarak zaten her alanda kendi isteklerini kabul ettirebilecek güce sahipti. Muhalefet, ancak 1924 ve 1930 yıllarında, Anlaşma Devletlerinin yenilgiye uğratılmasından ve dış tehlikeler bertaraf edildikten sonra bir daha toparlanabildi. (**)

Yunan kuvvetlerine karşı yapılacak büyük taarruzun hazırlıkları sürerken -Sovyetler Birliği'nden gelen Ruble'ler ve silahlarla, Fransızların Çukurova'dan çekilirken bıraktıkları savaş malzemesi büyük yarar sağlamıştır- Mustafa Kemal yabancı ziyaretçilerle ve diplomatlarla ilişki kurmaya büyük önem veriyordu. Aşırı hassas ve melankolik olmayan kişiliği sayesinde çok farklı insanlarla arasında derhal dostluk bağları kurabiliyor ve kendi kavramlarına uymadığı anda ilişkileri aynı hızla sona erdirebiliyordu. Fransız kadın gazeteci Berthe Georges-Gaulis ve vatandaşı yazar Claude Farrere'e ayrı bir sempatisi vardı. George-Gaulis Ankara'daki Çankaya Köşkünde konuk olarak uzun zaman kalmış ve bunu kitaplarında uzun uzun anlatmıştır. Lozan'daki barış görüşmeleri sırasında ise, diplomatik ortama ve toplumsal ilişkilere başlangıçta yabancı olan İsmet İnönü ile eşine kendi bilgi birikiminin ışığında çok yardımcı olmuş ve onlarla yakından ilgilenmiştir. Berthe Georges-Gaulis'in Mustafa Kemal'le ilk karşılaşması Sakarya Savaşından sonraki 1921 yılının sonbahar bitimine rastlar. Önce Paşa'nın yakın çevresini, dostlarının ve mesai arkadaşlarının onunla ne tarzda konuştuklarını tanıdı ve öğrendi: "Anadolu platosunun sayısız yükseltilerinden biri olan Çankaya tepesi Ankara'nın birkaç kilometre dışındadır. Geniş virajlarla tepeye doğru çıkan, yapımı henüz bitmiş yol Paşa'nın evini şehire bağlar. O gelirken, muhafızları hemen silahlarını kaldırıp selama dururlar. Günün her saatinde yaşanan yoğun fa-

---

(*) Mustafa Kemal, hiçbir zaman başbakan olmadı. 1921 Anayasası uyarınca meclis başkanı hem bakanlar kurulunun başkanı, hem de devlet başkanı statüsünde görünmekteydi. Bu durum sanıyorum yanlış anlaşılmaya neden olmuş.

(**) 1924 ve 1930 yıllarında muhalefetin "toparlanabildiğini" söylemek pek doğru değildir. Gerek Terakkiperver Cumhuriyet Fırkası ve gerekse Serbest Fırka deneyimleri, muhalefetin toparlandığını değil, toparlanamadığını göstermektedir.

aliyetler, Çankaya'yı Ankara'nın bir parçası haline getirmiştir. Asmaların arasında, kendine has özellikler taşıyan ufacık evler görünmektedir. Daha uzak çevreye yayılmış olan dağ kulübesi ya da yazlık villa görünümündeki evlerin aralarında yüzleri peçesiz yalnızca saçları baş örtüsüyle kapatılmış kadınlar atla ya da yaya olarak gezinirler. Çankaya'da kırsal yaşam biçiminin izleri hâlâ silinmemiştir.

Büyük evin (Mustafa Kemal'in evi) ve teras biçimli kat kat bahçesinin birkaç adım ötesinde benim kaldığım oryantal tarzda küçük bir pavyon bulunmaktadır. Orada tam anlamıyla serbestim, günümü kendi arzuma göre istediğim gibi değerlendirebilir ve çalışabilirim. Konuk kabul edip, canım istediğinde şehre gitmek gibi her türlü rahatlığa sahip olduğum evde kendimi yabancı bir ülkede gibi değil, kendi vatanımda gibi hissediyorum. Bu konukseverlikte gerçek bir doğululuk havası sezinliyorum. İnsanı sıkmıyor ama her zaman yanıbaşında, konuğun arzuları her şeyden önde geliyor, istirahati her zaman temin ediliyor ama hiç kimse onu herhangi bir şeye zorlamıyor, herkes çok saygılı ve çok dikkatli."

Berthe, kendi pavyonundan izlediği Paşa'nın "Büyük Ev"indeki yaşamı ve oradaki günlük faaliyetleri şöyle anlatır: "Kendisine nefes aldırmayacak bir işi olan herkes gibi, Mustafa Kemal Paşada belli bir zaman planına bağımlıdır. Sabahın erken saatlerinde, otomobil ya da atla gelen milletvekillerini ve bakanları kabul eder. Sonra Ankara'daki komutanlarla ya da askeri şahsiyetlerle uzun görüşmeler yapar ve genelkurmaylık subaylarının getireceği raporları bekler. Ziyaretçilerin birkaçı mutlaka öğle yemeğine kalırlar ve uzun konuşmalara ancak böyle ara verilir.

Öğleden sonra saat bir ile iki arasında duyulan motor homurtusu, şehre inme zamanının geldiğini belli eder. Paşa birkaç arkadaşının eşliğinde sert adımlarla büyük evden arabaya doğru ilerler, ama daha önce birkaç dakikalığına da olsa bahçesini seyretmekten ve güneşin ışınlarını biraz olsun üstünde hissetmekten asla geri kalmaz. Birkaç saniyenin içinde, siren sesleri ile birlikte yolculuk da başlar, otomobil ve atlar konvoy halinde hareket ederler ve Çankaya derin bir sessizliğe gömülür. On iki saat hiç aralıksız süren faaliyetlerden sonra arabanın homurtuları evsahibinin geri döndüğünü bildirir. Çok ender olmakla birlikte zaman zaman ona asmaların arasındaki dar yollardan birinde rastlamak da olasıdır. Elleri ceplerinde, ya yürüyüş yapar ya da komşularını şaşırtır, normal bir yaşam sürme, kendisinin ve zamanının efendisi olabilme hayallerini gerçekleştirmek istermişçesine."

Fransız gazeteci, o sıralarda var gücüyle Yunan işgal kuvvetlerine karşı nihai sonu hazırlayacak taarruzun planları ile uğraşmakta olan Mustafa Kemal'in kendisi hakkında şunları yazmıştır: "Her şeyden önce o, yorulmak bilmeyen bir savaşçıdır; tüm kararlarını büyük bir soğukkanlılıkla alır ve hemen uygulamaya koyar, işine büyük bir ihtirasla bağlıdır ve bu arada başkalarının kendisi hakkında ne düşündüğü onu fazla ilgilendirmez; öte yandan da öylesine bencillikten uzak bir kişiliği vardır ki, şahsına yöneltilen övgüler karşısında duyduğu şaşkınlığı saklayamaz. Başkalarının katılıklarını ve duyarsızlıklarını saklamaları gibi, o da aşırı duyarlılığını ve herkesin acısını kendisininkiymiş gibi içinde duyduğunu saklar. Hem çok hareketli, hem de aynı zamanda sabırlıdır ve onlar tarafından yönetilmeyi asla istememekle birlikte dostlarına da çok sadıktır. Bir tanesi bana bir gün şöyle demişti: Arkadaşlarını asla övmez ama tehlike ile karşı karşıya olan bir dostuna da tüm enerjisi ile yardım etmekten geri kalmaz.

Tumturaklı laflardan ve gösterişli bir yaşam tarzından nefret eder ama herkesten de saygılı ve özenli olmalarını bekler, ihmalkârlık yapılmasına asla tahammülü yoktur. Seyrek desenli halılar, eski siyah ve el yazması kitaplar gibi güzel şeyleri sever ama bir köy evinde ya da kışlada da aynı şekilde rahat edebilir. Onun kişiliğine ait anılarımda kalan ise: Argumantasyon yaparken ki netliği ve açıklığı, kararlarına ağırlığını koyması, asla yükselmeyen ama yine de çelik gibi bir tınıya sahip, kulağa hoş gelen melodik sesi.

Bu denli başarılı olmasının bence üç nedeni var: Sezgi gücü, dikkati ve hazırlık yapmaya büyük özen göstermesi. Gözlem gücü ise inanılmaz boyutlarda ve hemen hiçbir şeyi asla tesadüflere bırakmıyor. Sarsılmaz bir özgüvene sahip, kendisine onun kadar inanan bir başka kimse daha olamaz ama, her durumda beklemeyi ve düşmanının sabrını tüketmek için zamandan yararlanmayı çok iyi biliyor. Bazı anlarda inanılmaz derecede yalın, sonra yeniden bilmece gibi çok girift ya da hiç beklenmedik bir anda müthiş coşkulu. Bir bakıyorsunuz tekrar içine kapanmış bir kişiliğin yansıttığı, askeri ya da politik cephede tüm silahlarla savaşmayı mübah kılan inanılmaz bir kararlılık."

Yeni milli devletin henüz tehlikeler ve korkularla iç içe olduğu başlangıç döneminin diğer bir konuğu ise Claude Farrere'di. Türkiye üzerine yazdığı yazıları ve romanları -örneğin "Ankara'nın dört kadını"-ona öylesine büyük bir sempati kazandırdı ki, İstanbul'daki bir caddeye onun ismi verildi (Sultanahmet Meydanı'na yakın adliye binasının arkasındaki Klotfarer Caddesi). Mustafa Kemal'le lik kez Marmara Denizinin doğusundaki İzmit Körfezinin kenarında kurulmuş bulunan ve ordunun kontrolu altındaki Anadolu'nun batı noktasını oluşturan aynı isimli liman şehrinde tanıştı. Gazi oraya yeni gelmiş olan birlikleri teftiş ediyor, yaptığı konuşmalarla halka Yunan güçlerinin vatan topraklarından atılacağına dair güvence vererek, moralini yükseltiyordu. Georges-Gaulis gibi Farrere de Gazi'nin kişiliğinden ve konukseverliğinden müthiş etkilenmişti: "İnanılmaz bir serinkanlılık, çelik gibi bir irade, sabır ve dikkat. Herhangi bir zamanda güldüğünü görmek olası değil ama yine de, aniden yüzünden öyle bir gülümseme geçer ki, yumuşaklığı karşısında şaşırıp kalırsınız. Mustafa Kemal Paşa beni uzun uzun dinledi, bir süre düşündü ve kısa bir yanıt verdi. Kendimden söz etmeye başladığımda, notlar aldı, yine bir an düşündü ve beni öğle yemeğine, ikindi çayına ve akşam yemeğine davet etti, hem o gün, hem de ertesi gün için, kısacası orada kaldığım tüm zaman için. Konuşması net, kararlı, Fransız milletvekillerinin imreneceği ve Fransız gazetecilerinin artık unuttuğu kadar kibar." Farrere sonra Gazi'nin yemek sohbetlerini anlatmaya geçer: "Askeri bir öğle yemeği. Üç kişinin dışında geri kalan herkes asker. Çok ilginç bir tezat: Tüm askerler sivil giyimli, en başta da Gazi'nin kendisi. Ve ast-üst düzeni yok, teğmenler sanki aynı düzeydeymişler gibi generallerle sohbet ediyor, işin diğer bir ilginç yanı ise herkesin yirmi beşle, otuz yaş arasında olması. Yemekler son derece basit: Yoğurt çorbası, İzmit Körfezinden tutulmuş balık ve klasik ızgara koyun eti. Su içiliyor ve isteyen masadaki bir kâseden kaşıkla yoğurt alabiliyor. Mustafa Kemal gülümseyerek özür diledi: "Maalesef şarabımız yok, Anadolu çok kurak."

Mustafa Kemal'in, İzmit'te kaldığı sürece ikâmet ettiği evin terasında içilen bir ikindi çayı sırasında Farrere, Gazi ile halkın biraraya gelişini şöyle anlatır: "Benim ve Mustafa Kemal Paşa'nın çevresinde en azından elli konuk var -generaller, müsteşarlar, subaylar, şehrin ileri gelenleri, gazeteciler- uzun masadaki ikram sade ve Türk geleneklerine uygun: Çay ve limonata. Ev, yer yer kiraz ağaçlarının bulunduğu çimlerle kaplı dümdüz bir arazinin üstünde. İzmit'in ve çevre köylerin neredeyse tüm halkı, aşağı yukarı yirmi bin kişi, yarım daire şeklinde masamızın çevresini almışlar, sık aralıklarla geniş alanda dizilmişler."

Mustafa Kemal, Fransız konuğuna yaptığı ziyaret için teşekkür etmek bahanesiyle bölge halkına bir konuşma yapıyor. Bu bir promiyer adeta çünkü, bundan önce Osmanlı tarihinde iktidarın başındaki kimsenin, yani sadrazamın ya da padişahın basit halk karşısında konuştuğu ve devlet meselelerini kişisel olarak anlattığı asla görülmemiş bir şey. Ve tıpkı Avrupalı meslekdaşları gibi, Türkiye Büyük Millet Meclisi'nin Başkanı olduğu için aynı zamanda fiilen Devlet Başkanı da. Başbakan ise -o sıralarda Hüseyin Rauf Bey- bakanlar kurulunun başkanı olarak daha güçsüz bir pozisyonda. Mustafa Kemal, yaptığı bu resmi konuşma ile (18 Haziran 1922), adı geçen devletlere de dolaylı yoldan gönderme yapıyor: "Ve konuşmaya başladı. Çok sade bir şekilde, bulunduğu yerden. Bana döndü, gülümsedi, sigarasını bile elinden bırakmamış hatta tam tersine derin bir nefes çekmişti. Sonra sigarasını söndürdü, yeni bir tane yaktı, neredeyse bitene kadar içti ve iki, üç dakika kadar süren bu zaman zarfında halkın arasında merak dolu bir gerginlik oluştu, insanlar hiç kıpırdamıyor, hiç konuşmuyor, o inanılmaz, harikulade ve yoğun dikkatlerinden hiçbir şey eksilmeden bekliyorlardı... Mustafa Kemal vatandaşlarına hitap ederken çok etkileyici. Vatandaşlarının onu dinlemesi ise çok daha fazla etkileyici.

Süslü püslü laflara kaçmadan, parlak cümleler kullanmadan konuşuyor, hatta ikna etme sanatını bile kullanıyor diyebilirim; eğer bu sanat içten olmak anlamına gelmese ve eğer trajik duyguları sesinin tonunu bile yükseltmeden söylediği kısa ve güven verici sözcüklerine yansımasa. Suskunluğuyla bile anlatmak istediklerini anlatmasını biliyor kısacası. Söylediği her şeyi, dinleyenlerin onaylamasından daha doğal bir şey olamaz: Türklerin atalarına ait bu topraklara sahip olma hakları, ya istiklal ya ölüm, ya düşmanı bu vatandan kovmak ya da ölmek. Ne daha fazlası, ne daha azı".

Mustafa Kemal, ağzından çıkan her sözü kendi ülkelerinde yayınlayacaklarından hiç kuşku duymadığı Fransız konuklarına gösterdiği yoğun ilginin aynısını Ankara'daki Sovyetler Birliği'nin diplomatik temsilcilerine de gösteriyordu. Rus Elçisi Aralov'un verdiği votka ikramlı davetler yolu ile canlı tuttuğu bu ilişkiler toplumda genel bir öfkeye yol açtı. Fısıltı gazetesi komünist rejime yakınlık duyduğunu yaydı ve Sovyetlerin başlarından atmak istedikleri Enver Paşa'yı günün birinde burnunun dibine dayamak için Gazi'ye yaltaklandıkları dedikodusu çıktı. Enver Paşa yurt dışına kaçtıktan sonra Berlin'den Orta Asya'ya geçmiş, orada sürgünde bulunan Buhara Emirini temsil ederek, diplomatik ve askeri yollardan Emirliğin, Rus kıtaları tarafından işgal edilmesini önlemeye çalışmıştı. Enver Paşa'yı Anadolu' ya geri yollayarak, Müslüman topraklarına çıkartma yapma faaliyetlerine sekte vurulmasını önlemek gibi bir Rus planının gerçekten olup olmadığı ise bugüne değin aydınlanmamıştır. Enver Paşa 4 Ağustos 1922 tarihinde, komutası altındaki süvari alayının din kardeşleri uğruna sürdürdüğü savaşta hayata veda edince, o günden sonra hakkında yapılabilecek başka bir spekülasyon da kalmadı. (*)

Kurtuluş Savaşı sırasında Sovyetlerden maddi yardım almasının dışında, Mustafa Kemal'in komünizme yakınlık duymasının lafı bile olamaz. 1921 yılında, yardım kaynakları aradığı sıralarda bulunduğu en zayıf dala bile sarılırken, Moskova ile yaptığı Dostluk Antlaşmasını şu sözlerle savunmuştu: "Sovyetlerle olan ilişkimizde ne kapitalizmden, ne de komünizmden söz edilmiştir. Hiç kimse bize komünist olmamız gerektiğini söylememiştir ve biz de hiç kimseye komünist olacağımızı söylemedik." Stalin'in mutlak egemenliği ve Anlaşma Devletlerine karşı Türklerin elde ettiği zaferle birlikte sesinin tonu değişmiş ve 1924 yılında biraz da iğneleyici bir tarzda şöyle konuşmuştur: "Politikamız, serüvencilikten çok uzaktır" ve 1931 de: "Türkiye'de Bolşevizm olmaz çünkü Türk hükümetleri halkının refahı için çaba gösterir." Ölümünden iki yıl ve II. Dünya Savaşının patlak vermesinden üç yıl önce ise şöyle bir uyarıda bulunmuştur: "Eğer Avrupalı devlet adamları kendilerini milliyetçi bir egoizmden kurtaramazlarsa, sanırım dünya için felaket kaçınılmaz olur. Böyle bir savaşta ne İngiltere, ne de Almanya galip gelir, zafer Bolşevizmin olur. Bolşevizm, Avrupa

---

(*) Enver Paşa'nın "yurtdışı macerası" tam bir dramdır. Eğer Mustafa Kemal Yunan ilerlemesini Sakarya'da durduramasaydı, mutlaka Anadolu'ya gelecek ve hareketin liderliğini üstlenecekti. Daha önceleri Ankara'ya katılma yolundaki taleplerini Mustafa Kemal geri çevirmişti. Bunun öznel ve nesnel bir dizi nedenleri vardır.

Devletleri arasındaki anlaşmazlıkları körüklemek ve dünya devrimini alevlendirmek için maddi ve manevi tüm güçlerini harekete geçirmiş durumdadır."

Manevi desteğin yanısıra maddi desteklerini de esirgemeyen Müslüman, Afganistan ve Hindistan temsilcileri ile Mustafa Kemal'in karşılaşmaları da en azından diğerleri kadar önem taşımaktadır. Aynı şekilde işgal altında olan bu ülkelerin, Türklerin Kurtuluş Savaşını büyük bir dikkatle izledikleri gözlemlenmiştir. Radikal Müslümanlar tarafından 1981 yılında Kahire'de öldürülen Mısır Devlet Başkanı Enver Sedat 1979 yılında yayınladığı otobiyografisinde; baba evinde Mustafa Kemal'in bir resminin bulunduğunu ve babasının "Büyük önder Atatürk"ten her zaman derin bir hayranlıkla söz ettiğini anlatmıştır.

Mustafa Kemal'in bitip tükenmek bilmeyen tartışmalarla zaman yitirilmemesi için uzun süre Büyük Millet Meclisi'nden sakladığı, Eskişehir ve Afyon'daki Yunan istihkâmlarına uygulayacağı taarruz planı, 1922 Temmuz'unun sonuna doğru gerçekleştirilebilir hale geldi. Farklı birliklerin askerlerinden oluşan iki takımın yapacağı bir futbol maçını seyretmek bahanesiyle Afyon'un doksan kilometre güneydoğusundaki Akşehir'de, orada karargâh komutanı olan İsmet İnönü ve Fevzi Çakmak'la buluştu. Her iki ordu komutanına da bir yanıltma manevrasına dayanan kendi savaş stratejisini açıkladı. Yunanlılarda, esas taarruzun Eskişehir'e yapılacağı kanısını uyandırmak için, kıtalar gündüz saatlerinde batı yönünde ilerleyecekler, kamuflaja girecekler ve gece doğuya geri döneceklerdi. Bu manevra etkili oldu. Ağustos ayının ortalarında taarruz planları açıklandıktan sonra, ordunun yeni bir savaş için yeterli olmayacağı görüşü hem parlamento içinde, hem de dışında daha fazla taraftar toplamakla birlikte, milletvekilleri pek de istekli sayılmayacak bir şekilde gereken onayı verdiler. General Trikopis'in komutası altındaki Yunan genelkurmaylığı yaptırttığı keşif raporlarına göre, Türklerin herhangi bir taarruza yeltenmeyecekleri çünkü parlamentodan gerekli onayı alamadıkları ama eğer böyle bir şeye kalkışırlarsa, saldırı hedefinin Eskişehir olacağı sonucuna vardı. Yunan ordusu bu durumda Afyon tarafındaki iyi korunmayan hatları kolayca aşabileceğini ve Ankara'ya girebileceğini varsayıyordu. (*)

(*) Yunan ordusunun o dönemdeki kumandanı Trikopis değil, Hacıanesti idi.

Mustafa Kemal bu kez Yunan casuslarını kuşkulandırmamak için gizlice Ankara'dan, Akşehir yönüne hareket etti ve işgal altındaki Afyon'a yapılacak taarruzun son ayrıntılarını İsmet ve Fevzi Paşa'larla tartıştı. Akşamları, ulusal direniş hareketi çerçevesinde Anadolu'ya kaçan genç bir Türk kızının hayatının anlatıldığı bir romanı okuyarak yorgun zihnini dinlendiriyor, iyice gerilen sinirlerini gevşetmeye çalışıyordu. Taarruz başlamadan bir gün önce Fevzi Paşa ile birlikte bir kez daha Afyon önlerindeki arazinin keşfine çıktı ve 26 Ağustos sabahı, saat üçte Afyon'un yalnızca altı kilometre dışındaki Kocatepe'de mevzilendi. Bunu izleyen ve zaferle sonuçlanan, kuşatma planına dayalı "Başkomutanlık Meydan Muharebesi" modern Türk tarihi için en can alıcı olaydır çünkü, vatanın işgal güçlerinden kurtuluşunu sağlayıp, Sevr Antlaşması şartlarını yok sayarak, Kuva-ı Milliyecilerin isteklerini gerçekleştiren Lozan Barış Antlaşmasının yapılmasına neden olmuştur. Ali Fuad Cebesoy ile uzaktan akraba olan, komünist fikirlerinden dolayı 1938 ile 1950 yılları arasındaki ömrünü Türk hapisanelerinde geçiren ve Mustafa Kemal'in en radikal politik muhaliflerinden biri olan şair Nazım Hikmet, Kocatepe'deki sabahın o erken saatlerini "Kuva-ı Milliye Destanı"nda şöyle dile getirmiştir:

"Birdenbire beş adım sağında onu gördü.
Paşalar onun arkasındaydılar.
O, saati sordu.
Paşalar: "üç" dediler
sarışın bir kurda benziyordu.
Ve mavi gözleri çakmak çakmaktı.
Yürüdü uçurumun kenarına kadar,
eğildi, durdu.
Bıraksalar
ince, uzun bacakları üstünde yaylanarak
ve karanlıkta akan bir yıldız gibi kayarak
Kocatepe'den Afyon Ovası'na atlayacaktı."

Mustafa Kemal, sırtında basit bir asker üniforması ile 29 Ağustos tarihinde İsmet ve Fevzi Paşa'larla, düşmandan artık kurtulmuş olan

Afyon'da buluştuğunda, halk kendisini kelimelerle tarif edilmeyecek bir coşku ve sevinçle sarıp sarmaladı. Kesin sonuca iki gün sonra, Afyon'un elli kilometre batısındaki Dumlupınar önlerinde yapılan savaşla ulaşıldı. Üst üste ağır darbeler yiyen Yunan kuvvetleri, arkalarında yarattıkları vahşetin izlerini bırakarak, panik içinde İzmir yönüne doğru kaçmaya başladılar. Halide Edip, anılarında İzmir'in batısındaki Alaşehir'i şöyle tarifler: "Şehir bir kül yığınından başka bir şey değildi. Ne Yunanlılar, ne de bizimkiler ölülerini gömecek zaman bile bulamamışlardı. Türk ordusu son hızla ilerliyordu ama, önü sıra kaçanlar duydukları nefretin şiddeti ile geçtikleri her yeri ateşe veriyor ve her zamanki gibi yalnızca korku saçıyorlardı. Cehennem, yeryüzüne çıkmıştı."

Mustafa Kemal daha ilerde bir gazeteciye Dumlupınar muharebesinden sonra savaş alanının nasıl olduğunu şöyle anlatmıştır: "Savaş alanına yürüdüğümde, ordumuzun kazandığı büyük başarının düşmanlarımız için ne denli korkunç bir trajedi olduğunu anlayarak, neredeyse hareketsiz kaldım. Vadiler, nehirler ve dağlar düşman askerinin arkasında bıraktığı toplar, araçlar, cephane ve malzeme ile silme kaplanmıştı ve bütün bunların arasında da ölü bedenler uzanmış yatıyordu. Hareket halindeki tek şey, karargâhlarımıza götürülen esir gruplarıydı. Kıyamet orada kopmuştu sanki."

Gazi'nin gençliği ve mesleki açıdan dostça yaklaşımı karşısında büyük şaşkınlığa uğrayan, Anadolu'daki Yunan kuvvetlerinin esir düşmüş başkomutanı (*) General Trikopis'le yaptığı bir konuşmadan sonra Mustafa Kemal, kıtalarına güneybatı yönünü gösterdi. 9 Eylül tarihinde, İzmir'i çevreleyen tepelerin üstüne varmıştı bile. Ama Anlaşma Devletlerinin konsoloslarından kendisiyle görüşmek istediklerine dair bir telgraf gelince, bugünkü ismi Kemalpaşa olan Nif'te geceledi: "Görüşme tarihi olarak 9 Eylül'ü ve buluşma yeri olarak da İzmir yakınlarındaki Nif kasabasını seçtim. Ve tam zamanında gereken yerde oldum ama konsoloslardan hiçbiri ortada görünmedi. Belki de şaka yaptığımı zannettiler."

(*) Savaşın bu aşamasında başkumandanlığa gerçekten Trikopis getirilmişti. Ancak bundan kendisinin haberi yoktu. Başkumandan olduğunu tutsak olarak getirildiği Uşak'ta öğrenmişti.

Esasında Lloyd George Türklerin kazandığı zafere ilişkin gelen haberleri bir “şaka” daha doğrusu bir blöf zannetmiş ama, Dışişleri Bakanı Lord Curzon İzmir'deki İngiliz Konsolosunun yolladığı, Yunan işgal kuvvetlerinin büyük kayıplar vererek yenildiğini ve “barbarlık ve canavarlık dalında nefret uyandırıcı bir rekor kırdıklarını” açıklayan ayrıntılı bir raporu masasının üstüne koyunca, partiyi kaybettiğini anladı ve 19 Ekim 1922 tarihinde kabinesi ile birlikte hükümetten çekildi.

Koca ve Devlet Başkanı Latife ile Evlilik ve Cumhuriyetin İlanı (1922 - 1923)

Mustafa Kemal'in dışında hiç kimsenin inanmak istemediği kurtuluş hareketlerinin bitip tükenmek bilmeyen dinamiği sonunda amacına ulaşmıştı. Yalnızca Osmanlı İmparatorluğu'nun çöküşünün değil, çekirdek Türk topraklarının Batı Avrupalı Anlaşma Devletleri tarafından paylaşılmasının da altına mührünü basan Mondros Mütarekesinden aşağı yukarı dört yıl sonra, 11 Ekim 1922 tarihinde İngiltere, Fransa, İtalya, Yunanistan ve Ankara'daki Türkiye Büyük Millet Meclisi'nin temsilcisi İsmet İnönü arasında Mudanya Ateşkes Antlaşması imzalandı ve Türk milliyetçilerinin vatan toprakları ilk kez güvence altına alındı: Doğu Trakya topraklarının Meriç nehrine kadar tahliyesi, Yunan birliklerinin padişahlar şehri Edirne'den çıkmaları; askeri hareketlere son verilmesi ve milli Türk ordularının yeni yapılacak bir barış antlaşmasına kadar Boğazların birkaç kilometre yakınında bekletilmeleri karara bağlandı.

Anadolu halkının en ağır şartlarda büyük kayıplar vererek gerçekleştirdiği Kurtuluş Savaşı, Mustafa Kemal'in 10 Eylül 1922'de İzmir'e girmesi ile görkemli bir sona ulaştı. Şehrin sakinleri bir yandan ağlayıp, bir yandan gülerek Gazi'nin arabasının çevresini aldılar, ayaklarının dibine kırmızı beyaz güller ve karanfiller attılar, bu gri üniformalı Kahramana yanaşabilenler ellerini, yanaşamayanlar ise arabasının karoserini öptüler. Aynı sevinç gösterileri diğer askerlere de yapıldı. Kadınlar, erkekler ve çocuklar askerlere çiçekler verdiler, herkes onlara dokunmak istiyordu, süvarilerin atlarına dahi sarılanlar oldu.

Daha sonraki günlerde ise daha az mutlu sahnelerin de yaşandığı görüldü. Yunan askerleri ve sivilleri limanda yaşanan büyük hercümerçten istifade ederek, limanın dışında bekleyen yük gemilerine ulaşabilmek amacıyla sandallara binmek için büyük uğraş veriyorlardı. Bazıları, şehrin gerçek halkının öç alma girişimlerinde bulunmasından korkarak, kendilerini Ege'nin sularına attılar, bazıları ise tıklım tıklım dolu kayıkların ardından yüzmeye çalıştılar çünkü Anlaşma Devletlerinin gemileri, hiç kimsenin güverteye çıkmasına izin vermiyordu ve boş Yunan gemileri de henüz gelmemişti. Kara tarafından geri çekilen ve bağlı oldukları birliklerden ayrı düşmüş olan Yunan askerleri ise İzmir'in Türkler tarafından geri alınmadığı yanılgısına kapılıp, kentin dış bölgelerinde sokak çatışmaları başlatarak, bu uğursuz seferin kapanışını son bir facia yaptılar: Evlerinin çoğunluğu tahtadan yapılmış, eski Osmanlı şehirlerinin en güzellerinden biri olan İzmir cayır cayır yanmaya başladı. Bu yangından yalnızca tepelerde kurulmuş olan yeni mahalleler kurtulabildi.

Mustafa Kemal yangın çıkmadan önce limanın kuzey tarafındaki bir eve yerleşmişti. Arabasından inip, ana kapıdan geçerek eve doğru ilerlemek istediğinde, ayaklarının altına serilmiş olan bir Yunan bayrağı ile karşılaştı. Bunun ne anlama geldiğini sorunca, refakatçisinden, bu evde daha önce Kral Konstantin'in kaldığını ve bir Türk bayrağını çiğneyerek içeri girdiğini öğrendi. Gazi sert bir sesle bayrağın derhal yerden kaldırılmasını emrettikten sonra çevresindeki adamlara dönüp, şöyle dedi: "Bayrak bir ülkenin şerefinin sembolüdür ve asla ayaklar altında çiğnenemez." Kral Konstantin'in profilini gözler önüne sermek için Kramer Otel'de verilen bir akşam yemeği hoş bir fırsat daha yarattı. Aralarında zengin İzmirli Rumların da bulunduğu kalabalık bir grup yine siviller içinde olan Mustafa Kemal'i tanıyınca, Paşa yerinden kalktı, elindeki rakı kadehini konukların şerefine kaldırdı ve sordu: "Kral Konstantin hiç buraya gelip, bir kadeh rakı içti mi?" Sorusunda olumlu yanıt alamayınca ise konuşmasını şöyle sürdürdü: "Öyleyse İzmir'i fethetmek için neden bunca zahmete girmiş?"

İzmir'in zengin tüccarlarından Muammer Bey'in büyük kızı Latife Hanım ile Mustafa Kemal'in ilk karşılaşması, İzmir'e girdiğinin hemen ertesi günü gerçekleşmiştir. Genç kız yirmi dört yaşındaydı, yurt dışında mükemmel bir eğitim görmüştü, kültürü ve özgüveni ile çağdaş Türk kadınının ideal bir modeliydi. Diğer pek çok genç Türk kızı gibi o da Sakarya, Afyon ve Dumlupınar Fatihine duyduğu büyük hayranlık yüzünden Paris'te gördüğü hukuk eğitimini yarıda bırakmış ve ülkenin kurtarıcısını yakından görmek, ona hoşgeldin demek için koşa koşa vatanına geri dönmüştü. Kendisini Gazi'nin yanına bırakmak istemeyen Yaver Salih Bey'e şiddetle karşı koydu. Salih Bozok bu genç kızın muazzam inadı karşısında çaresiz kalıp, sonunda durumu Paşa'sına bildirdi. Mustafa Kemal tam, kendisini İzmir'den çıkmaya zorlamak için Anlaşma Devletlerine ait gemilerin toplarını İzmir limanına çevirdikleri böyle bir anda, genç kadınların taşkınlıkları ile uğraşacak zamanının olmadığını söylüyordu ki, kapı açıldı ve Latife Hanım enerjik adımlarla içeriye girdi. Kendisini Gazi'ye takdim etti ve eğer onu evinde ağırlama şerefine nail olamazsa, onu bir an bile rahat bırakmayacağına dair kendi kendisine yemin ettiğini açıkladı. Sonra boynunda taşıdığı altın bir zincirin ucundaki madalyonu açtı ve Paşa'ya içindeki resmini gösterdi. Bu resmi bir Fransız gazetesinden kestiğini ve Sakarya Savaşından beri de boynundan hiç eksik etmediğini anlattı.

Mustafa Kemal, gençlik heyecanından kaynaklanan böylesine bir ataklığa ve bu denli disipline edilmiş bir irade gücüne kesinlikle alışık değildi. Ne o an için, ne daha sonraki günlerde, ne de Latife ile evleneceği ilerdeki dört ay içinde. Masanın üstünde Türk birliklerine İzmir'den çekilmeyi ihtar eden bir İngiliz ültimatomu duran, her saniyesini çalışma ile geçiren Mustafa Kemal'i Selanik'deki o efsanevi günlerden tanıyan yaveri Salih Bozok, Şef'inin tepeden tırnağa siyahlar giyinmiş bu genç kıza odasında yer gösterdiğini ve kendisinden söz etmesini istediğini duyunca, şaşkınlığından ne yapacağını bilemedi. Latife gösterilen koltuğa yerleşti, eğitimini, şu anda hâlâ Biarritz'de olan ailesini ve Türkiye'ye geri dönerken Yunan askerlerinin kendisine uyguladıkları art niyetli kontrolları anlattı. Sonunda Mustafa Kemal'den, ailesinin İzmir'e kuş bakışı tepeden bakan evinde kalmasını rica etti çünkü, körfezin güney ucunda, bu resmi villadakinden çok daha iyi şartlarda korunması mümkündü. Gazi genç kızın ısrarlarına daha fazla dayanamadı ve sonunda davetini kabul etti.

Şehri kül eden alevler sonunda Mustafa Kemal'in oturduğu villaya kadar ulaşınca, Muammer Bey'in "Beyaz ev"ine taşınmak kaçınılmaz oldu. Genç evsahibesinden rica ettiği ilk şey İngilizlerin yolladığı ültimatomun çevirisiydi. Fransız ve İtalyan orduları Gelibolu yarımadasını çoktan boşalttıklarına göre, İngiliz Filo kumandanlığından, Anlaşma Devletlerinin İzmir ve Batı Anadolu'yu işgal ederek suç işlediklerini ve bu suçu daha fazla sürdürmemek için yirmi dört saat zarfında altmış dört düşman gemisi ile birlikte çekip gitmelerini istemek, büyük bir riziko sayılmazdı. Komutası altındaki paşalar savaş hâlâ sürecek diye korkarlarken o, sakin bir şekilde tahliye için verdiği tarihi beklemeye başladı. Karşı ültimatomunun kabul görmesinin ve Anlaşma Devletleri ile Yunan gemilerinin toplarını son kez veda anlamında ateşledikten sonra İzmir limanından ayrılmalarının önemli nedenlerinden biri de, bazı Balkan ülkeleri ile İngiliz Milletler Camiasının İngilizlerin askeri yardım ricasını reddetmeleridir.

İşgal güçlerine ait gemilerin İzmir limanını terketmeleri, Mustafa Kemal'in askeri anlamda kazandığı son başarıdır. Strateji ve taktik yeteneğini, soğukkanlılığı ile pervasızlığının düşüncesizliğe dönüşmesine asla izin vermeyen tedbirliliğini artık bundan böyle politika ve diplomasi alanlarında konuşturacaktı. On yıldan beri büyük umutlarla beklediği devrim çalışmalarını ve Türk toplumunun modernleştirilmesi ile demokratikleştirilmesini gerçekleştirmek için artık gün be gün, yasalar ve antlaşmalar, zıt fikirler ve kökleşmiş geleneklerden oluşan girift bir ormanda bambaşka bir savaş verecekti. Gazetecilerin, vatanını kurtarmakla amacına ulaşıp ulaşmadığı sorusuna şöyle yanıt vermiştir: "Hayır, asıl savaş bundan sonra başlıyor." Yine o sıralarda Hüseyin Rauf Bey'e aslında en büyük arzusunun barış sağlanır sağlanmaz Ege Denizi kenarında küçük bir arazi edinip, sebze meyve üretimi ile uğraşmak olduğunu itiraf etmişti.

Kendine ait özel bir yaşam kurma düşlerine daldığı anlardan birinde, kendisini bekleyen devrimlerle ilgili yapması gereken çalışmaların kişisel desteği olmadan da yürüyebileceğini düşünüp, evliliği bir çare olarak görmüş olabilir. Yaşamını huzur ve sükûnet içinde, normal bir vatandaş gibi sürdürmeye duyduğu derin özlem bir an için bile olsa onu pençesine almıştı ama artık bu sade, basit ve rahatlatıcı mutluluğu yakalayabileceği günler onun için çok gerilerde kalmıştı. Askeri akademide öğrenciyken Büyükada'da yıldızların altında içinde var gücü ile duyumsadığı sanat aşkını geri plana itmişti çünkü, bundan çok daha güçlü bir dürtü ile, önce askeri faaliyetler sonra ulusal direniş hareketinin örgütlenmesini koordine etmek ve en sonunda da okuma yazma bile bilmeyen, yalnızca Kur'an okullarında eğitim alabilen halkının eski İslamcı temel üstüne modern ve Avrupai bir devlet inşa etmesini gerçekleştirmek gibi bir yoldan başarıya ulaşmıştı. Herhangi bir sanat dalına yönelerek kişisel doyuma ulaşmaya ilişkin gençlik hülyaları onun gibi duyarlı ve güçlü karakterlerin her zaman bir parçası olmuştur. Normal bir aile yaşantısına eğilim göstererek, kendi açısından bilinçli, eğitim almış ve politik görüş sahibi bir kadınla evlenerek, devrimlerini hayata geçirmek için yaptığı sistematik çalışmaların bir parçası olan resmi nikâh ve kadın özgürlüğü hareketine de iyi bir örnek oluşturabileceği kanaatini taşıyordu. Ama o an ki cazibenin yarattığı zayıflıkla, İsmet ya da Ali Fethi Bey'ler gibi çok genç yaşında aile sahibi olmadan, yirmi seneden fazladır yalnızca asker olarak yaşadığını ve tüm kişiliğini yeniden şekillendirici görevlere, o anda da Türk toplumuna adadığını unuttu.

Sakin ve güvenilir bir koca ve baba örneği olan İsmet Bey, Mustafa Kemal ile Latife Hanım arasındaki ilişkinin daha özel bir boyuta sıçramasını büyük bir memnuniyetle yakından izliyordu. Ama ne o, ne de Gazi'nin diğer yakın arkadaşları Şef'lerinin sabahlara dek süren ve rakı ile zenginleştirilen "sofra sohbetleri"ne kurallarla düzenlenmiş bir özel yaşamın bile engel olamayacağının bilincindeydiler. Gençliğinden beri uykusuzluk çeken Mustafa Kemal bu tip akşam yemeklerine fazlasıyla alışıktı. Arkadaşlarından birine bu konuda şöyle yazmıştır: "Evet, her gün biraz rakı içiyorum. Beynim öylesine hızlı, öylesine dur durak bilmeden çalışıyor ki, hiçbir zaman huzur bulamıyorum ve uyuyamıyorum." Ve muhalifleri yirmili yılların sonlarına doğru bu alışkanlığını politik amaçlarla kendisine karşı bir silah olarak kullandıklarında da onlara şu açıklamayı yapmıştı: "Benim içki müptelası olduğum söylenir. Evet, gençliğimden beri içki içerim ama ben istediğim zaman durmasını da bilirim. Önemli kararlar arefesinde ağzıma asla içki sürmem. Alkol yüzünden işlerimi ihmal ettiğim görülmemiştir. Genç bir subayken arkadaşlarımla buluşur, sabahın erken saatlerine dek sohbet eder ve içerdik. Ama ben her sabah tam vaktinde kalkar ve bir dakika bile gecikmeden görevimin başında olurdum. Alkol ve görev benim için apayrı iki şeydir. İkisi çatıştığı anda insan görevini seçebilmelidir."

İzmir'in düşman işgalinden kurtuluşunu kutlamak amacıyla Latife' nin babasının evine davet ettiği konukların arasında yüzbaşılığa yeni terfi etmiş olan Halide Edip de vardı. (*) Gazi onu arabasıyla almış, ikisi birlikte Muammer Bey'in görkemli evine gelmişlerdi. Zengin tüccarın diğer evleri, kendisinin Biarritz'de bulunduğu sırada kentin eski mahallelerinde çıkan büyük yangın sırasında yanıp kül olmuştu. Halide Edip anılarında şöyle yazar: "İzmir'i bir baştan bir başa geçerken, Mustafa Kemal Paşa Latife Hanım'dan büyük bir saygı ile söz ediyordu. Bana ne denli iyi yetiştirilmiş olduğunu, kibarlığını, çok iyi yol yordam bildiğini ve vatanseverliğinin, babasının uğradığı maddi kayıplara bile hiç önem vermeyecek düzeyde olduğunu anlattı. Duyduklarımdan, bu sert askerin artık bir ev düzeni kurmaya kararlı olduğu sonucuna vardım.

Körfezin mavi sularına bakan, çok güzel düzenlenmiş bir bahçeden geçtik. Verandaya çıkan basamaklar ve verandanın kendisi yemyeşil sarmaşıklarla kaplıydı, yaseminler, güller, hanımelleri çok hoş bir düzensizlikle iç içe geçmişlerdi. En üst basamakta duran siyahlar giyinmiş, ufak tefek bir genç hanım bizi karşıladı. Yirmi dördünde ya var ya yoktu ama, sakin tavırları ve olgunluğu ile yaşından büyük gösteriyordu. Selamlaşma tarzındaki şekilcilik, eski Osmanlı dünyasının soyluluğuna ve büyüsüne sahipti. Saçlarını örten siyah eşarp, vücudu gibi biraz topluca olan yüzünün hatlarını daha bir belirgin kılmıştı. Sert, ince ve pek de sevgi ifade etmeyen dudakları inanılmaz gücünün ve iradesinin simgesi gibiydi ve güzel, ciddi bakışlı, pırıl pırıl parlayan gözlerinden zekâsı okunuyordu. Grimsi kahverengi gözlerinin kendisini daha da çekici kılan çok özel bir ışıkla yanıp tutuştuklarını bugün bile çok iyi anımsıyorum.

Mustafa Kemal Paşa birkaç dakikalığına yanımızdan ayrıldı ve sonra beyaz bir takım elbise giymiş olarak geri döndü. Renksiz bir ışıkla

---

(*) Halide Edip Adıvar'ın yüzbaşılığı sözkonusu değildir. O hep Halide Onbaşı olarak kalmıştır.

parlayan saçlarını geriye doğru fırçalamıştı, kıvırcık kaşları ise her zamanki gibi inatçıydı. İçki şişeleriyle dolu masanın yanında dururken, som mavi gözlerinin içten gelen bir hoşnutlukla pırıl pırıl parladıklarını farkettim. Latife kanepede benim yanımda oturdu ve gözlerini bir an bile ondan ayırmadı. Ona taptığı belliydi ve o da görünüşe göre Latife Hanım'a âşık olmuştu. İçimden, Paşa'nın zevkli olduğuna kanaat getirdim. Onun özel ilişkileri beni hiçbir zaman ilgilendirmemiş olmakla beraber, ne Fikriye'nin, ne de Latife'nin, yani bu iki özel kadının da onun gerçek duygularını harekete geçiremediklerini itiraf etmek zorundayım. Fikriye için merhamet duydum çünkü Paşa'nın bu yeni ilgi odağını öğrendiği anda çok üzüleceğini ve acı çekeceğini biliyordum."

Mustafa Kemal, 11 Ekim'de Mudanya'da imzalanması gereken Ateşkes Antlaşmasını Franklin Bouillion ile görüştükten hemen sonra, yanına Latife'yi almadan 2 Ekim 1922 tarihinde Ankara'ya geri döndü. Latife Hanım 12 Ekim'de, kurtuluş şenlikleri yapılacak olan Bursa'da kendisini bekleyecekti. Gazi 4 Ekim'de Büyük Millet Meclisi'nde bir konuşma yaptı ve İstanbul ve Doğu Trakya'da milli hükümetin haklarını ve isteklerini halka anlatmak üzere Refet Bele'ye tam yetki vererek kendisine vekil tayin ettiğini açıkladı. Bu amaç için Gazi'yi her zaman eleştirenlerden biri olan Refet Bey'in seçilmesinin iki nedeni vardır: Mustafa Kemal, onu böylesine şerefli bir işle görevlendirerek, karşısındaki muhalefeti yumuşatmak istemişti ve Fikriye'yi de onunla birlikte İstanbul'a yollayacaktı. Kendisine hayran iki kadın yüzünden Mustafa Kemal'in içine düştüğü durum onu, kesin sonucu sağlayan askeri zaferinden bu yana halkın büyük çoğunluğunun adeta taptığı bir otorite olarak gören politik rakiplerine karşı kullandığı diplomasi becerisinin aynısını uygulamaya yönlendiriyordu. Bu arada tüberküloz teşhisi konan Fikriye, İsviçre'de tedavi görmeyi, daha önce Bursa'da Gazi'ye eşlik etme şartıyla ancak kabul etmişti. Bu nedenle Latife'nin daveti iptal edildi ve Refet Bey, akrabaları ile vedalaşmak isteyen Fikriye'yi Bursa'dan İstanbul'a götürmekle yükümlü kılındı.

Mustafa Kemal, 12 Ekim'de, çevresinde Kazım Karabekir, Refet, Fevzi ve İsmet Bey'ler olduğu halde Bursa'da sayısı on bini bulan bir halk topluluğunun karşısına çıktı. Rüyalarının kahramanı ile Belediye Başkanının evinde misafir edilen Fikriye o gece bir sinir krizi geçirdi.

Geç saatlere dek süren şenliklerden sonra eve gelen Mustafa Kemal' in odasına gece yarısı girdi ve "Paşam, Paşam" diye ona yalvararak, yanında kalması için izin vermesini, çünkü öleceği günün çok yakında olduğunu hissettiğini söyledi. Ama yüreğinde Latife'yi taşıyan Paşa, Fikriye'yi İstanbul üzerinden İsviçre'ye yollamakta kararlıydı. Genç kadın sinirlerini yatıştırıcı bir ilaç aldıktan sonra Gazi'nin emrine boyun eğdi.

Marmara Denizinde kısa bir yolculuktan sonra Refet Bey, Fikriye Hanım ve onları korumakla görevli yüzlerce askeri polis 19 Ekim'de İstanbul'da karaya çıktılar ve ellerinde kırmızı beyaz Türk bayrağı ile yeşil İslam bayrağı taşıyan şehir halkı tarafından büyük bir coşku ile karşılandılar. Fikriye kendi yolunda giderken, Refet Bey Mustafa Kemal'le kararlaştırdıkları programa göre hareket etti: Önce İstanbul'u alan Fatih Sultan Mehmet'in türbesi başında bir konuşma yaparak, bu şehrin bir daha asla dinsizlerin eline düşmeyeceğine söz verdi sonra İngiliz Yüksek Komiserine bir nezaket ziyaretinde bulundu ve Ankara'nın isteği üzerine halifeliğin saltanattan ayrıldığını açıkladı. (*) Ama önce halifelik makamının temsilcileri ile bir görüşme yapmış, Mehmet VI. Vahdettin'i Yıldız Sarayında ziyaret etmiş ve ondan hükümetini dağıtmasını çünkü egemenliğin millette olduğunu ve Büyük Millet Meclisi'nin de milletin temsilcisi olduğunu bildirmişti. Padişahlık hükümetini yok sayıyordu artık.

Refet Bey henüz İstanbul'dayken saltanat tarihe karıştı. Bundan önceki yıllarda olduğu gibi Padişah Vahdettin aldığı bazı kararlarla, elinde olmadan bu son girişimin hızla gerçekleştirilmesine yol açmıştı. 1909 başlarında olduğu gibi, 1919 başlarında da sadrazamlığa getirilmiş bulunan Tevfik Paşa kanalıyla Barış Konferansına -20 Kasım' da Lozan'da başlayacak olan- katılan Avrupalı delegeleri, İstanbul hükümetinin de Lozan'a çağrılması yolunda etkilemeye çalışmıştı. Pek çok kez olduğu gibi yine hanedanı, Türk ulusu pahasına kurtarmayı amaçlayan ve hiçbir haklı yanı olmayan bu talep Ankara'da büyük tepki uyandırdı, dini nedenlerden ya da Mustafa Kemal'in gücünün daha da artacağına dair duyulan korkudan, halifeliğin saltanattan ayrıl-

---

(*) Böyle bir açıklama yoktur. Gronau 2 Kasım 1922'de hilafet ve saltanatın birbirinden ayrılması ve saltanata son verilmesi hakkındaki kanunla, Refet Paşa'nın İstanbul'daki konuşmalarını karıştırıyor. Aslında Refet Paşa, "İstanbul hükümeti diye bir hükümet tanımadıklarını" söylemiştir.

masına karşı çıkan milletvekillerini bile galeyana getirdi. Gazi, hâlâ inatçılık yapan bazı muhaliflerini susturabilmek için, 1 Kasım günü yapılan meclis oturumunda (*) red oylarının çok olması halinde "Bazı kafaların gidebileceği" tehdidini açık açık söylemekten çekinmedi. Bu diktatörce tavır etkisini kısa sürede göstermekte gecikmedi. Daha aynı gün Mustafa Kemal Paşa, Büyük Millet Meclisi'nin Başkanı olarak saltanatın kaldırıldığını açıkladı.

Padişah hükümetinin mebusları 4 Kasım tarihinde son kez toplandılar. Özel yetkilerle donatılmış olan Refet Bey, Osmanlı bakanlarının da görevlerinden azledilmiş olduklarını açıkladı. Mehmet VI. Vahdettin 17 Kasım tarihinde oğlu ve kısıtlı sayıda saray erkânı ile gizlice İngiliz bandıralı bir gemiye bindi ve İstanbul'dan kaçtı. O günden dört yıl sonra da Cote d'Azur'da hayata gözlerini kapattı. Onun kaçışı ile birlikte altı yüz yıllık bir Osmanlı hakimiyeti de son bulmuş oluyordu. Bir gün sonra Büyük Millet Meclisi eski Padişah'ın artık Halife de sayılmayacağını açıkladı ve Osmanlı prensi Abdülmecit'i halifeliğe getirdi. Abdülmecit herhangi bir etkinliği olmaksızın bir buçuk yıl kadar halifelik unvanına sahip oldu.

Saltanat görüşülürken Mustafa Kemal'in hiç çekinmeden söylediği o tehdit dolu cümleye karşın meclisteki muhalif mebuslar 1922 yılının Aralık ayında parlamentonun Başkanının, Başkomutanın ve milletin Kahramanının yetkilerini kısıtlamak için bir girişimde daha bulundular. Büyük Millet Meclisi seçimlerine katılacak olanların bugünkü Türkiye sınırları içinde ya da eski Osmanlı eyaletlerine dahil olan Türk ya da Kürt Emirliklerde doğmuş olduklarını kanıtlamalarını, beş yıldan beri vatan topraklarının üstünde ve belirli bir seçim bölgesi sınırlarında yaşıyor olmalarını öngören bir yasa tasarısı hazırladılar. Bu tasarının tek hedefi Selanik'de doğmuş olan Mustafa Kemal'in ta kendisiydi ve onu mizahi bir konuşma yaparak, Selanik'de doğduğu için özür dilemeye ve dikkatleri, Çanakkale Boğazı, Doğu Anadolu ve Suriye'deki askeri başarılarına ve ulusal direniş hareketinde oynadığı role çekmeye yöneltti.

(*) Mustafa Kemal'in bu sert konuşması TBMM genel kurulunda değil, komisyonda yapılmıştır. Anayasa komisyonunun kimi üyeleri, işi sürüncemede bırakmak için karma komisyon önerisini getirince, Mustafa Kemal kendini tutamamış ve müdahale etmek zorunda kalmıştır.

Gazi, konuşmasını şu soruyla bitirdi: "Beyler, benim vatandaşlık haklarımı elimden alma yetkisini size kim verdi? Bu soruyu, bulunduğum bu kürsüden tüm mebuslara, bu bayların bağlı oldukları seçim bölgelerinin halklarına ve milletin tümüne soruyor ve cevabını bekliyorum." Sonuç, tüm seçim bölgelerinin tüm delegelerinden yağan ve Gazi'ye sevgilerini, bağlılıklarını dile getiren bir telgraf bombardımanı oldu. Seçim yasasının değiştirilmesini öngören yasa tasarısı da oybiriğiyle reddedildi.

İsmet İnönü'nün büyük bir sebat ve zekâ kıvraklığı ile Türkiye'nin çıkarlarını temsil ettiği, 20 Kasım 1922 tarihinde başlayan Lozan Barış Konferansında Ankara'da saltanat ve seçim yasası alanlarında yapılan değişiklikler tartışılırken, Mustafa Kemal'in özel yaşamı ile ilgilenecek fazla zamanı yoktu. Latife ile evlenmek istediğini kanıtlamak ve genç kızı daha fazla bekletmek istemediği için, her zaman olduğu gibi yine stratejik kararlar almaktan vazgeçmedi ve kendine iki hedef belirledi. Şiddetli artrit ağrıları çeken annesini sıcak ve kuru Akdeniz ikliminin hüküm sürdüğü İzmir'e yolladı Uygun hava şartları hem yaşlı kadının sağlığına iyi gelecek, hem de Zübeyde Hanım, Latife'nin ailesinin evine konuk gidip, oğlunun yapacağı bu evliliğe olumlu baktığını göstermiş olacaktı. Konuğa armağan olarak sunulan "Sakarya" isimli siyah cins at Zübeyde Hanım'ı pek fazla memnun etmemişti çünkü Latife'nin de çok iyi anladığı gibi, atı kabullenmekle, gelini esaslı bir şekilde tanımadan önce bu evliliği onaylamış görünmekten kuşku duyuyordu.

Diz ağrılarından dolayı tekerlekli bir iskemle ile kompartımanına yerleşmiş olan Zübeyde Hanım yolculuk boyunca pencereden Kurtuluş Savaşı sırasında yerle bir olmuş şehirleri, köyleri seyretti ve Gazi'nin annesine sevinç gösterileri yapmak amacıyla ve Ankara'nın yeni âdetine uyum sağlayarak eşleriyle birlikte istasyonlara toplanmış olan, geçtiği şehirlerin ileri gelenlerini hayretler içinde izlerken, onu ilk kez gören insanlar da, heybetli ve vakur görüntüsü karşısında bir hayli şaşırdılar. Zübeyde Hanım beyaz bol bir elbise giymiş, saçını yine beyaz bir tülbentle örtmüştü. İlerlemiş yaşına karşın cildi kırışıksız ve ışıltılıydı, metal çerçeveli gözlüklerinin ardındaki iri lacivert gözlerinde ise hem derin bir ciddiyet, hem de aynı zamanda muzip bir gülümseme seziliyordu.

Kendisini karşılamak üzere kompartımana kadar gelen Latife Hanım ile Zübeyde Hanım'ın aralarındaki tezatın tek nedeni salt yaş farkı olamazdı. Yaşam deneyimine karşı eğitim, kaderciliğe karşı kaderini kendi belirleme isteği ve yoğun bir duyarlılığa karşı soğuk bir mantık. Pek de güzel denemeyecek bu genç hanım, Zübeyde'ye daha ilk andan itibaren itici geldi; kendisine eşlik eden Mustafa Kemal'in yaveri Ali Bey'e itiraf ettiği gibi, kendisine gelin olarak Latife'nin küçük kardeşini tercih ederdi. Çeşitli olaylarla dolu kırk yıl boyunca oğluna en yakın kadın olma özelliğinden kaynaklanan anaca bir kıskançlığın da bunda önemli bir payı olabilir. Yine de gerçek duygularını kendisine sakladı. Ankara'dan tanıdığı ve güvendiği Yaver Ali'ye yalnızca bir kez şu soruyu sordu: “Bu genç hanımın Mustafam'ı mutlu edeceğine inanıyor musun?”

Zübeyde Hamın'ın sağlığı İzmir'e geldiğinin ilk on günü içinde ne gariptir ki kötüye gitti. Ankara'ya geri dönmeyi çok istedi ama doktor tren yolculuğunu kendisine kesinlikle yasakladı. Yaşamının sonuna geldiğini belki de hissettiği için ve oğlunu bir kez daha göremeyeceğinden korkarak, bir din görevlisi, bir hoca ile son kez görüşmek, içini ona boşaltmak istedi. Yazılı bir vasiyet yaparak oğlu Mustafa'ya da (zaten çok az olan malını) elmas yüzüğünü bıraktığını bildirdi.

Ali Bey bu gelişmenin verdiği rahatsızlıkla Ankara'ya döndü ve Gazi'ye durumu anlattı. Mustafa Kemal aynı gece 14 Ocak 1923'de İzmir'e gitmek üzere akşam trenine bindi ama sabah şafak sökerken Zübeyde Hanım, yatağının çevresinde Muammer Bey'in aile üyeleri olduğu halde, hayata gözlerini kapattı. Mustafa Kemal'e annesinin öldüğünü bildiren telgraf, trenin yataklı vagonunda ulaştı ve o telgrafı okumadan önce şöyle dedi: “Annemin artık hayatta olmadığını biliyorum.” Telgrafı okuduktan sonra ise Ali Bey'e birkaç saat önce gördüğü rüyada, annesi ile birlikte yemyeşil kırlarda koştuklarını ve aniden çıkan sert bir fırtınanın onu yanından çekip aldığını anlattı.

Çankaya'daki kendi evinde taşra kökenli dindar Müslüman kadınlara özgü sade bir yaşam süren Zübeyde Hanım'ın ölümünün, Muammer Bey'in eleştirdiği lüks ve modern bir hayat sürülen evinde meydana gelmesi ne denli garipse, Mustafa Kemal'in annesinin ölüm haberini aldıktan sonraki tepkisi de o denli gariptir. Paşa yine telgraf yolu ile annesine İzmir'de İslam geleneklerine uygun bir cenaze töreni yapılması talimatını verdikten sonra -halifeliğin kaldırılması ve din ile devlet işlerinin birbirinden ayrılması çoktan uygulamaya konulmuştu- duyduğu büyük acı ile derhal Latife'ye gidecek yerde, İzmir'e giden trenin yönünü İzmit'e çevirdi. Orada iki hafta boyunca halka hitap etti, Lord Curzon'un inatçılığı yüzünden temposu gitgide düşen Lozan görüşmelerini, askeri birlikleri işgal güçlerince tam anlamı ile boşaltılmış olan batıya kaydırarak, etkilemeyi denedi. İzmir'e ise ancak 27 Ocak'ta gelebildi ve trenden iner inmez derhal annesinin kabri başına gitti. Orada yaptığı kısa konuşmayı ise şu cümlelerle bitirmiştir: "Annemin ölümünden dolayı acım büyüktür. Tek tesellim ise vatanımın, mahvına sebep olan ve onu, çıkışı olmayan bir durumla karşı karşıya bırakan saltanat hakimiyetinden kurtulmuş olmasıdır. Annemin mezarı üstüne ve Allah adına yemin ederim ki, bu denli kan dökerek elde ettiğimiz milletin egemenliğini korumak uğruna kendimi feda etmekten ve aynı mezara girmekten bir an bile çekinmem."

İki gün sonra, 29 Ocak 1923 tarihinde Latife Hanım ve Mustafa Kemal Bey, Kazım Karabekir ve Fevzi Çakmak'ın tanıklıklarıyla, İzmir Kadısı tarafından evlendirildiler. Eski bir Kur'an buyruğuna göre imam nikâhının gerçekleştirilmesi için en alt sınır olan "otuz gümüş dirhem" geline vaat edildikten sonra, taraflar anlaşmış oldular, karşılıklı olarak birbirilerini istediklerini hocaya bildirdiler -Sünni geleneklerin aksine çift, hocanın karşısına birlikte çıkmışlardı- ve Kadı, Mustafa Kemal'in arzusu ile yeniden formüle edilmiş bir dua okuyarak, yalnızca yeni evli çift için değil, onların aileleri ve millet için de Allah'tan iyilik niyaz etti. Birkaç yıl sonra uygulamaya konulan resmi nikâh müessesesi ile dini törenlerden ve geline paraca "değer" biçilmesinden vazgeçildi. Gün, aile içinde yenen bir yemekle sona erdi. Herkes gittikten sonra Mustafa Kemal, Karabekir ve Fevzi Paşa'larla masa sohbetini biraz daha sürdürdü ve Kurtuluş Savaşının en zor günleri hep birlikte yadedildi.

Latife Hanım o gece, damadın kendisine biçtiği rolü şaka mahiyetinde diğer Paşa'lara da aktarmasına hiç ses çıkarmadı: "Bir askerin karısı, zifaf gecesini bile mutfakta geçirebilir." Ama çift 20 Şubat'ta Ankara'ya döndükten sonra ise, bulundukları mertebeye layık bir evlilik yaşamı konusundaki fikirlerini gerçekleştirmek üzere harekete geçti. Fikriye'nin izlerini hâlâ taşıyan Çankaya'daki evin sadeliği karşısında büyük düşkırıklığına uğrayan Latife Hanım, iç dekorasyonu yeniletti, erkek hizmetlilerden yemek servisi sırasına beyaz eldiven takmalarını istedi ve yaverlere, Gazi'nin yatak odasına yalnızca kendi izni ile girebileceklerini belirtti. Biraz daha zaman geçince, Mustafa Kemal'in ünlü "sofra sohbetlerine" ne denli karşı olduğunu ve sinirlendiğini göstererek- bir keresinde akşam yemeği boyunca yapılan konuşmalar fazla uzayınca yemek salonunun üstündeki kendi odasında topuklarını yere vura vura yürüyüp, protestosunu belli etmişti- hayatının ve vatanın Kahramanı olan bu erkeğin özel yaşam biçimine ne denli uyumsuz kaldığı iyice belirgin hale geldi. Gazi de bu konuda eşine herhangi bir ayrıcalık tanımayacağı yolunda tavrını koyunca, kişisel ihtirasın ikinci derecede rol oynadığı, modern ve vatanperverlik duygularının ağır bastığı bu evliliğin yolunda gitmemesi kaçınılmaz oldu.

31 Ocak 1923 tarihinde Mustafa Kemal, Latife Hanım ile birlikte Anadolu'da bir geziye çıktı. Halkının dini inançları bir hayli güçlü olan Balıkesir şehrinde, camide dahi ulusun geleceği selameti ve bağımsızlığı için dua edilmesinin gerekliliği hakkında bir konuşma yaptı. Bu epey dindarca denilebilecek balayı yolculuğu, 19 Şubat'ta, İsmet İnönü tarafından karşılandıkları Eskişehir'de sona erdi. Lozan Konferansının görüşmeleri 4 Şubat'ta tıkanmış ve İsmet Bey, daha Gazi Ankara'ya ulaşmadan önce bazı önemli noktaları görüşmek üzere Eskişehir'e gitmişti. Türkiye'de yabancılara verilen kapitülasyonlar, Osmanlı borçlarının ödenme şekli ve Musul'daki petrol yataklarının kime ait olacağı konularında taraflar arasında henüz bir anlaşma sağlanabilmiş değildi. İngiliz delegelerinin başkanı olan Lord Curzon, işitme yetersizliğini bahane edip, sürekli sorular sorarak zaman kazanma taktiği uygulayan İsmet Bey'e karşı bir hayli sertleşmişti. Konferansın gözlemcilerinden biri şunları yazmıştır: "Lord Curzon, aptal bir öğrencinin kafasına bir şeyler sokma çabasında olan bir öğretmene benziyordu. Ama İsmet Bey öğrenmemekte kararlıydı. Amerikalı delege, kapitülasyonları hukuksal yönden tartışmak üzere bu iki adamı biraraya getirince, Lord Curzon avaz avaz bağırıp, bastonu ile duvarlara vurmaya başladı. Hiçbir kısıtlama olmaksızın salt egemenlikten yana direnen İsmet Bey ise ayrıntıların netleşmesi için daha hâlâ zamana gereksinmesi olduğunu söylüyordu."

Latife Hanım ve Mustafa Kemal ile birlikte Ankara'ya dönen İsmet Bey, pek çok mebustan sert tepki gördü. Barış Konferansını sonuçlandıramadığı gibi, Türkiye'nin çıkarlarını savunurken fazla bir ağırlık gösteremediği konusunda da ağır eleştiriler aldı. Trabzon milletvekili Ali Şükrü Bey daha da ileri giderek, eleştirilerin dozunu arttırdı ve şöyle dedi: "Türklerin süngü ile elde ettikleri zafer, Lozan'da yenilgiye dönüşmüştür." Lozan'da o güne değin elde edilen sonuçlardan kendisini sorumlu tutan Mustafa Kemal bu aşağılamayı sert bir konuşma ile yanıtlayarak, Ali Şükrü Bey'e hangi amaçla böyle bir yıpratma kampanyası başlatıldığını açık açık sordu. Ertesi gün Trabzon milletvekili ortadan yok olunca, Mustafa Kemal'in huzuru bozan bu adamı öldürttüğü ve Büyük Millet Meclisi toplantılarından birinde muhaliflerine, milletin şerefinin lekelendiğini ve bunun sorumlusunun da ölümü hakettiğini anlattığı yolunda dedikodular türedi.

Ali Şükrü Bey'in cesedi bulunduktan ve Karadeniz yöresinin törelerine göre, hemşehrisi ile aralarındaki bir kan davasından dolayı Gazi'nin Lazlardan oluşan muhafız alayının komutanının (*) onu öldürdüğü ortaya çıktıktan sonra, Mustafa Kemal'in durumu daha da nazikleşti. Kendilerini şiddetle savunmalarına karşın, Laz muhafızların hükümetin askerleri tarafından Çankaya'da bertaraf edilmelerinden sonra -olayın faili arbede sırasında intihar etmişti- Mustafa Kemal kendisine yöneltilmiş olan bu iftiralardan aklandı, bu tarz iftiracıların, milletvekilleri olarak vatana hizmet etmeye uygun kimseler olmadığını açıkladı ve seçimlerin yenilenmesine karar verdi. Daha sonra "Türkiye Büyük Millet Meclisi altında yaşanan karışıklıklar böyle bir zaman farklı bir karakter almıştır," diye açıklama yaptı. "Ve bu durum ilerde çok ciddi sonuçlara meydan verebilir. Milletin ve vatanın ciddi ve sorumluluk gerektiren meselelerini, milletvekilleri yenilenmedikçe, halletmek mümkün değildir." Seçimlerin yenilenmesi teklifi oy birliğiyle yasallaştıktan sonra -bundan böyle her dört yılda bir yeni seçim yapılacaktı- Mustafa Kemal önemli bir zafer kazanmanın bilinci ile şu açıklamayı yaptı: "Millet Meclisi'nde oy birliğiyle alınan bu karar inkılap tarihimizde önemli bir dönüm noktasıdır çünkü, mebuslarımız böyle bir karara vararak kötülüğün varlığını yadsımadıklarını ve halkın böyle bir

---

*) *Burada sözü edilen kişi ünlü çete reisi Topal Osman'dır.*

tezgâha karşı gösterdiği duyarlılığı tam anlamı ile kavradıklarını kanıtlamış oldular." 11 Ağustos 1923 tarihinde işbaşına gelen ikinci parlamentoda Kemalistler çoğunluktaydı.

İsmet Bey yeniden disiplin altına girmiş olan milletvekilerinin tam desteği ile 23 Nisan 1923 tarihinde tekrar başlatılan Lozan Konferansı görüşmelerine katıldı ve Türkiye'nin çıkarlarını bu kez her zamankinden daha da kararlı bir şekilde savunmaya başladı. Birkaç hafta sonra Gazi telgraf çekerek, Türkiye'nin istediklerini elde edecek askeri güce sahip olduğunu ordunun hazır beklediğini ve halkın daha fazla sabredecek gücünün kalmadığını açıkladı. Telgraf daha Türk delegelerinin eline geçmeden, İngiliz Gizli Servisinin şifre çözücüleri tarafından okundu ve Lord Curzon'un halefi Sir Horace Humbolt'a iletildi. İngilizlerin gizli faaliyetler konusunda ne denli yetenekli olduklarını iyi bilen Mustafa Kemal'de zaten bunu amaçlamış, henüz yeni yapılanmakta olan Türk milletini böyle bir zamanda savaşa sokmanın ne denli tehlikeli olduğunu iyi bildiği halde bu yöntemle İngilizlere gözdağı vermek istemişti. Lozan Barış Antlaşması 24 Temmuz tarihinde son şeklini buldu ve imzalandı. Ve yine 24 Temmuz tarihinde yeni seçilen Türkiye Büyük Millet Meclisi milletvekilleri tarafından da yalnızca on dört muhalif sese karşın, kabul edildi. (*)

Dokuz yıl süren bir savaşın ve yaşanan sefaletin Lozan Barış Antlaşması ile son bulduğu haberi 25 Temmuz'da Çankaya'ya ulaştığında, Mustafa Kemal ve Latife Hanım, Şubat ayında ara verdikleri Anadolu gezisini tamamlayıp, Ankara'ya henüz dönmüş bulunuyorlardı. Gazi, sabahın alacakaranlığında daha robdöşambrını bile çıkarmadan, Hüseyin Rauf ve Ali Fuad Bey'leri kabul ederek, Lozan Barış Konferansının bu memnuniyet verici sonucunu onlarla kutladı. Rauf Bey, Türk tarafının yabancılara gereğinden fazla imtiyaz verdiği yolunda eleştiriler yaparak aniden Başbakanlık görevinden çekildi. Bu feragatın esas nedeni ise Mustafa Kemal'in yılın başından beri yeni bir parti kurmak için yaptığı hazırlıklardan ve bunların kısa bir süre sonra parlamentonun dışında halkı etkilemeye dönük olacağından duyduğu rahatsızlıktı. Çankaya'da o sabah yaşanan coşku çabuk bitmişti.

(*) TBMM Lozan Antlaşmasını 24 Temmuz 1923'de değil, 23 Ağustos 1923'de onaylayacaktır.

Birkaç gün sonra Gazi, İsmet İnönü'yü Başbakan ve Ali Fuad Bey'i de Başbakan vekili olarak atadı. Ama Ali Fuad Bey de 9 Eylül 1923 tarihinde "Halk Partisi"nin kurulması ile birlikte- Mustafa Kemal'in "halka politikayı öğretecek okul" diye nitelediği parti -siyasetten çekildi ve askeri kariyerine geri döndü. Böylece Türk direniş hareketinin kazandığı zaferin tüm yoğunluğu ile yaşandığı günlerde Mustafa Kemal en eski iki arkadaşı tarafından terkedilmiş oldu. Ama onları bu kararlarından döndürmek için hiçbir çaba da göstermedi çünkü, vatanın kurtarıcısı mertebesine yükseltilmesinin ve halkın hem maddi hem manevi değerlere duyduğu gereksinmenin de etkisi ile kendisini saran "her şeye kadir" olma duygusu, kendisini eleştiren dostlarını ve yapıcı yönde çalışan muhaliflerini, demokrasinin gerçek düşmanlarından ayırt edebilme yeteneğini zedelemişti.

Milli Ankara hükümetinin, saltanatın yasal halefi olarak uluslararası bir düzeyde ilk kez kabul edilmesi demek olan Lozan Barış Antlaşması birtakım kısıtlamalara karşın yeni Türk Devletinin bağımsızlığı ve egemenliği için en büyük garantiydi. Antlaşmanın önemli noktalarına gelince: Doğu Trakya ile Boğazların girişlerindeki İmroz ve Bozcaada Türklerde kalacak (diğer Ege adaları Yunanistan'a ait); Boğazlar askerden arındırılacak, uluslararası bir komisyon tarafından denetlenecek, bu arada Türkler askeri birliklerini tarafsız bir bölgenin gerisine çekme ve İstanbul'da 12.000 asker bulundurma hakkına sahip olacaklar (Türkiye 1936 yılında Montrö Antlaşması ile Boğazların denetlemesinde tek yetkili olma hakkını elde etti); Suriye sınırı için 20 Ekim 1921 tarihinde Franklin-Bouillion ile imzalanan antlaşmanın koşulları geçerli olacak, İskenderun ve Hatay'ın durumu ilerki bir tarihte yapılacak görüşmelere ya da halk oylamasına göre belirlenecek; (*) halkının çoğunluğunu Türklerin ve Kürtlerin oluşturduğu Musul-İngiliz mandası altında kalacak (daha sonra Irak'a verilmiştir); yabancılara verilen kapitülasyonlar toptan kaldırılacak, Osmanlı borçlarının ödenmesinde kolaylık sağlanacak (I. Dünya Savaşından önce padişahlık hükümetinin yer yer Müslümanlara temlik ettiği vergi gelirleri 1929 yılına kadar yeniden Avrupa bankalarına aktarıldı ve ödemeler 1949 yılına

---

(*) Lozan'a göre İskenderun sancağına "özel statü" verilmiştir. Herhangi bir halk oylaması sözkonusu değildir. Halk oylaması daha sonra 1938'de Türkiye'nin talebi ile gündeme gelecektir.

kadar uluslararası para esasına göre yapıldı). Antlaşma metninde E
menilere ve Kürtlere hiç değinilmemiştir. Ama Türkiye dil, milliyet v
doğum yeri farkı gözetmeden herkesin yaşamının, özgürlüğünün gü
vence altında olduğunu açıklamıştır. Milliyeti Türk ama dili yaban
olan herkes kendi dilini konuşmakta ve hatta mahkeme karşısında bil
bu dili kullanmakta özgürdür. Gayrimüslim Türklere sosyal yardım, di
ve eğitimsel kurumlarını kurmaları için hak tanınmıştır.

Mustafa Kemal'in nüfuzunun ve otoritesinin artmasında büyük e
kisi görülen Lozan Barış Antlaşmasının imzalanmasından sonra, ra
dikal devrimlerinin fazla bir direniş görmeden uygulanabilmesi için a
dığı kararlar, yepyeni bir dönemin başlangıcı oldular. Ülke ekonomi
açıdan büyük bir felaketin içinde bulunduğu halde, Mustafa Kemal'i
diktatörlüğe sapmaması, otoritesini ve yaptırım gücünü toplumun ye
niden şekillenmesi ve ülkenin yeniden tesis edilmesi yolunda ku
lanması ona İngiltere'de bile "Büyük devlet adamı" ününü kazandırd
Anlaşma Devletlerinin askerleri 2 Ekim 1923 tarihinde İstanbul'u terk
ettiler ve 6 Ekim'de milli Türk ordusunun ilk askerleri imparatorluğu
eski başkentine girdiler. Büyük Millet Meclisi 13 Ekim'de çıkarttığı b
yasa ile Ankara'nın yeni başşehir olduğunu açıkladı, 29 Ekim tarihind
ise yeniden gözden geçirilmiş bir anayasaya göre Türkiye'de ha
kimiyetin millette olduğunu ve idare şeklinin ise Cumhuriyet olarak be
lirlendiğini ilan etti. Mustafa Kemal Türkiye Cumhuriyetinin İlk Cum
hurbaşkanı (yüzden fazla milletvekilinin oy birliğiyle) ve İsmet İnön
Türkiye Cumhuriyetinin ilk Başbakanı seçildiler.

Ülkede ve Kendi Evinde İsyan (1924 - 1925)

Yeni bir Türk Devleti kurma rüyasını, Lozan Barış Antlaşmasının nzalanmasından ve Cumhuriyetin ilanından sonra tam anlamı ile gerekleştirmiş olan Mustafa Kemal kendini, devrimlerini hayata geçirme alışmalarına verdi. 29 Ekim 1923 Anayasasını, daha sonraları 9 layıs 1935 tarihinde açıklanan "Cumhuriyet Halk Partisi"nin (*) resmi rogramını ve Şubat 1937 tarihli anayasasının 6. maddesini oluşturan, evrimlerin temel prensipleri şöyleydi: Cumhuriyetçilik (egemenliğin ayıtsız şartsız millette olması), milliyetçilik (çok halklı devlet şeklinin eddi), halkçılık (egemenliğin belli bir politik sınıfta değil, tümüyle miltte olması), devrimcilik (devrimlerin daima uygulanması), laiklik (din e devlet işlerinin ayrılması) ve devletçilik (ekonominin bölgesel olaak devlet tarafından yönetilmesi). Toplumsal yaşama uygulanan deişimlerin temposunda gözlemlenen iniş ve çıkışlar, daha çok uyulayıcısının yapısından kaynaklanan bir şeydi: Mustafa Kemal'i alnızca gerçeklere ve elde edilebilmesi mümkün şeylere yönelten içüdüleri, uygulamaya koyacağı yenillikler için en müsait zamanı sairla beklemesine yol açıyor ama eğer olay ya da aniden patlama nokasına kadar yükselen enerjisi herhangi bir erteleme durumu ile karşı arşıya kalırsa, aldığı ani kararlarla herkesi çok şaşırtıyordu.

İslamcılık, Türkiye'nin Batı dünyasına hiç sorunsuz dahil olmasını ngelleyen bir unsur olarak geçerliliğini korurken Türkiye, devrimlerin tahripkâr yapıcılığı"nın da etkisi ile diğer yandan İslam dünyasına da abancılaştı. İngiliz kadın gazeteci Lilo Linke, Atatürk'ün devrim mucizesini "Allah tahtından indirildi" ismini verdiği seyahat notlarında şöy-

(*) 29 Ekim 1923 Anayasası diye bir anayasa yoktur. Bu tarih Cumhuriyetin ilan edildiği tarihtir. 1937 Şubat'ında da yeni bir anayasa kabul edilmemiş, sadece 1924 Anayasasının kimi maddeleri değiştirilmiştir.

le tanımlar: "Mustafa Kemal'i milliyetçiliği ve güç sahibi olma isteği yönetmektedir ki bunlar da zaten birbirinden hiç ayrılmayan iki motifdir O, halkın içgüdülerine müracaat ederek her zaman gündemde kalmay başarmış ve devrimlerini, yoğun bir direnişle karşılaşacağını bildiğ hallerde bile yerine göre hızlı hareket ederek uygulamaya sokacak cesarete her zaman sahip olmuştur.

Asla hata yapmayan, her zaman adil bir lider olarak sevilip sayılmayı ister; kitlelerin parlak sözcüklerle gözünü boyayan bir hatip olarak değil. Halkı gibi o da belirli bir mizah duygusuna sahiptir ve gerçek duygularının şiddetini herkese göstermekten pek hoşlanmaz. Yaptığı konuşmalar uzun soluklu ve yalnızca gerçeklere yöneliktir. Bu konuşmaların ikna gücünün yüksek olması ise, dinleyicilerin tıpkı onun gibi boş laflara itibar etmemeleri ve kendi deneyimlerinden ona ve onun hedeflerine güvenebileceklerini bilmeleridir."

Cumhuriyet anayasasının güvence altına alınmasından sonra Mustafa Kemal'in hemen uygulamaya soktuğu devrimlerin en risklisi ve aynı zamanda da en gerekli olanı halifeliğin kaldırılması ve tekke, zaviye, medrese gibi kurumların kapatılarak, laikliğe geçilmesiydi. Bu girişim büyük bir risk taşıyordu çünkü, dindar Türkler, tıpkı diğer İslam ülkelerinde olduğu gibi, "din elden gidiyor" düşüncesiyle tepkilerinde aşırı şiddete yönelebilirlerdi. Öte yandan gerekliliği de asla tartışılamazdı çünkü, Halife'nin çevresinde toplanmaya başlamış olan tutucu-dinci güçler kendi ayrıcalıklarına yönelik bir tehdit unsuru olarak gördükleri laik hükümete -Devletin dininin İslam olduğunu söyleyen cümle 1928 yılında anayasadan kaldırılmıştı- karşı saldırıya geçmişlerdi.

Mustafa Kemal, Halife'nin etkinliğinin arttırılmasını talep eden Sünni Müslümanların sayısında artış olduğunu farkettiği anda, bir basın konferansı düzenleyerek, sesini daha geniş kesimlere duyurma yolunu seçti. Halife'nin geleceği ile ilgili sorusuna gazetecilerin büyük bir kısmından olumlu yanıt alınca, onlara kendi görüşlerini şöyle açıkladı: "Öne sürdüğünüz savların hepsi yanlış. Halifelik kaldırılmalıdır ama görüyorum ki, bu konuda hâlâ bazı zorluklar ve kuşkular var. Halife'liğin lağvedilmesi kaçınılmazdır çünkü saltanat artık sözkonusu olmadığı halde, eski geleneklerin anılardan silinmediği apaçık ortadadır.

Eğer Osmanlı hanedanı hâlâ halife adına aynı rolü sürdürmeye devam etseydi, şu anda en fazla ihtiyaç duyduğumuz şey olan vatanın huzuru, iki rakip güç tarafından bozulacaktı." Türkiye dışında üç yüz milyon Müslümanın da gözönünde bulundurulması ve halifelik makamının Türkiye'ye ayrı bir saygınlık ve şeref kazandırdığı yolundaki görüşleri ise kısa bir tarihi ara söz ile yanıtladı: "Üç yüz milyon Müslümanın yalnızca moral nedenlerle Halife'ye bağlı oldukları iddiası hayal ürünüdür. Hintli Müslümanları, I. Dünya Savaşı sırasında düşmanların (İngilizler) yanında bize karşı savaşırken görmedik mi? Halife o savaşı mukaddes olarak ilan edip, tüm Müslümanları bize yardım etmeye çağırmadı mı? Yaptığı bu çağrı herhangi bir olumlu sonuç verdi mi? Halifenin, politikamızı güçlendireceği görüşüne gelince, Balkanlar'da ve dünya savaşında bunun tam aksini yaşamadık mı? Tüm Müslümanların özgürlük çabalarını yürekten selamlıyoruz ama özgürlüklerini halife sayesinde değil, kendi bağırlarından kurban vererek elde edeceklerine de inanıyoruz. Kendi imkânlarımızı kendi vatanımız için kullanmak zorundayız, macera ve fantaziler için harcayacak gücümüz yoktur."

Peygamber Hazreti Muhammed yalnızca dini bir lider olarak değil aynı zamanda bir devlet kurucusu olarak 622 yılında Mekke'den Medine'ye göç ettikten sonra, kilise gibi ayrıcalıklı dini kurumlar açılmamış ve ondan sonraki dönemlerde de devlet ile ümmetin belirli bir bölümü arasında herhangi bir anlaşmazlık yaşanmamıştır. Devlet şeklindeki oluşumu, İslam'ın- Yahudilikte olduğu gibi ve Hıristiyanlığın tam aksinebir yasa dini olması ile ilgilidir: Peygamber'in devlet başkanı olarak yaptığı tüm uygulamalar ilk andan itibaren mukaddes sayılmış, prensip olarak değiştirilmez normlara sahip, ebedi bir geçerlilik kazanmıştır. Hz. Muhammed kendi halefini önceden tayin etmediği için, İslam cemaatini yöneten kişiler, onun en güvendiği adam olan Ebu Bekir'i Halife (Allah'ın elçisi) olarak seçmişlerdir. Halife böylece devletin yönetimini üstlenmiş ama Peygamber'in ya da dini bir başkanın fonksiyonlarına sahip olmamıştır. Yüzyıllardır süren bu uygulama sonunda öyle bir hal almıştır ki, halifeliği ayakta tutan şey, inanç sahiplerinin lütufları olmaktan çıkmış, gerçekte kendi dünyevi erkleri olmuştur.

Bu nedenle ne halifeliğin kaldırılması, ne de laisizmin uygulanmaya konulması kesinlikle din düşmanlığı yapan girişimler olarak görülmemelidir çünkü, halifenin hakimiyet gücündeki azalmadan kaynaklanan moral güç, yeniden dindarlara ve onların vicdanlarına intikal etmiştir. Dini emirlerin uygulanması açısından İslam'da tek bir yol gösterici vardır, o da Kur'andır. İslam dininde Allah ile kul arasında aracı motif yoktur. Bir İslam bilgini bu durumu yazdığı bir şiir dizesi ile en anlamlı şekilde belirtmiştir: "Beni Allah katına bir karınca götürür."

Dini asla küçümsemeyen Mustafa Kemal'in halifeliği kaldırmaktaki amacı, bu makamın politik olarak suistimal edilmesini önlemekti, Peygamber'in "hakkaniyetli" bir biçimde halefi olan ilk dört halifenin, zamanında gerçekten temsil ettiği ahlaki ve dini temel kuralları suistimal etmek değil. Onun yolunu izleyen aydın Müslümanlar da zaten içeriği itibariyle İslam'ı demokrasi ile yakınlığı olan bir din olarak yorumladılar "Öğüt, otoritenin halk tarafından seçilmesi, adalete tam bağımlılık ve dini inançları başka olanlara karşı tolerans." Aydın Müslümanlar arasında geçerli olan bir görüş de, Peygamber zamanının ev, giyim yeme, içme gibi alışkanlıklarının, değişen bir dünyaya ait modern insanları daha fazla bağlayamayacağıydı.

Türkiye'nin İslami geleneklerin katılığından sıyrılıp, Mustafa Kemal'in idaresinde şu ya da bu alanda devrim niteliğinde önemli adımlar atmış olması, peçeli kadınlardan ve kamçılarını şaklatan süvarilerden ibaret oryantal düşlere sahip Batılılar tarafından yeteri kadar takdir edilmedi, halbuki Atatürk devrimleri bir bakıma intiharla eş anlamlıydı. Atatürk'ün ölümünden sonra Türkiye'de zaman zaman reaksiyoner güçlerin başa geçmesi, bu radikal inkılapların trajik sonuçlarından biridir çünkü hedeflenen ve hemen hemen ulaşılmış olan sağlam demokratik temeller, kısmen doğudan, kısmen batıdan kimi zaman övülen, kimi zaman da aşağılanan rakip grupların (askerler, aydınlar, İslamcı köktendinciler, toprak ağaları, liberal orta sınıf) ortak bir çıkış noktası bulamamaları sonucunda sarsılmıştır ve sarsılacaktır. Atatürk'ün vizyonları kimileri için bir beddua, kimileri içinse, kayıtsız şartsız uyulması gereken kurallardır. Onları kesinlikle gerçeğe dönüştürmek için bu ideale yalnızca hayranlık duymakla kalmayıp, Türkiye'ye o yolda eşlik etmeyi de göze alan dostlara ihtiyaç vardır.

Halifeliğin kaldırılmasına ilişkin yasa için ilk gelişme Hindistan'dan Sultan Sir Muhammed Şah'ın Başbakan İsmet İnönü'ye yazdığı bir mektubun yayınlanması ile yaşandı. Ağa Han ünvanının üçüncü sahibi ve 11. yüzyılda kurulan, 19. yüzyılın ortalarında Hindistan'a yayılan ve bugün Pakistan, İran, Suriye ve Doğu Afrika'da yaygın olan İslamcı Nizari İsmailiye mezhebinin lideri olan Sir Muhammed (1877-1957) (*) mektubunda, Müslüman birliğinin ve İslam'ın gücünün korunması amacıyla, halifelik şerefinin kendilerine verilmesini talep ediyordu. Türk toplumu, bu mektuba çok sert bir tepki verdi. Milliyetçiler, kendi içişlerine müdahale olarak algıladılar, Halife'yi tutanlar ise ufukta görünen yeni ümitlerin kokusunu almaya başladılar. Hükümetin ilk işi ise, Ağa Han'ın isteğine olumlu bakan gazetelerin yayınlanmasını durdurmak oldu ve Halife yanlısı olduklarından kuşkulanılan gazeteciler derhal göz altına alındı. Mustafa Kemal içgüdüsel olarak, Büyük Millet Meclisi'nde yeni kanunun oylanması için en uygun zamanın geldiğini anladı.

Milletvekilleri 3 Mart 1924 tarihinde, halifeliğin kaldırılmasına ilişkin yasa tasarısına büyük bir çoğunlukla olumlu oy verdiler. O güne değin İslam dünyasında halife ünvanı ile anılan Abdülmecit Efendi 4 Mart tarihinde yakınları ile birlikte Türkiye'yi terketti. 8 Nisan'da şeriat mahkemeleri kapatıldı, kısa bir süre sonra Şeyhülislamlık kurumu (İslam hukukunun en üst temsilcisi) ve Evkaf Vekaleti lağvedildi ve İçişleri Bakanlığına bağlandı (**). İngiltere Dışişleri Bakanlığında yüksek bir memur olan D.G. Osborne bu köktenci değişiklikler hakkında şöyle yazmıştır: "Kemal her zaman, Osmanlı İmparatorluğu'nun çöküşüne katkıda bulunmuş, her şeyi bir kalemde silip atmak ve yeni Türk Devleti'ne pırıl pırıl, lekesiz ve taze bir başlangıç yaptırmak amacını gütmüştür. Buna bağlı olarak kapitülasyonlar kaldırılmış, Rumlar ve Ermeniler geriletilmiş, Konstantinopol payitaht olmaktan çıkartılmış, saltanatlık kurumu bertaraf edilmişti ve şimdi de sıra halifelik kurumunun ve -aynı derecede önem taşıyan- İslam yasalarının kaldırılmasına gelmiştir.

(*) Burada kastedilen Ağa Han'dır.

(**) Halifeliğin lağvı ve Osmanlı Hanedanı üyelerinin yurtdışına çıkartılması, Dinişleri (Şeriye), Evkaf (Vakıflar) ve Harbiye (Savaş) bakanlıklarının kapatılması ve Eğitim Birliği (Tevhid-i Tedrisat) yasaları aynı gün, 3 Mart 1924'de çıkartılmıştır. Gronau burada biraz karıştırıyor.

Salt barışçı nedenlerin etkisi ile yapılan muazzam bir inkılap. Kemal'in cesaretine, kararlılığına ve devlet adamı yeteneğine hayran olmamak elde değil."

1923 yılının sonbaharından beri Devlet Başkanı olarak yerine getirmek zorunda olduğu görevler, halka hitap eden konuşmalar, parlamentodaki müzakereler ve ilerde hayata geçireceği devrimler için her biri başlı başına bir propaganda niteliği taşıyan yerli ve yabancı gazetecilerle yaptığı röportajlar, asker olarak yaşadığı o uzun yıllar boyunca kendisi için büyük bir rahatlık ve sohbet ortamı yaratan, genç yaşından itibaren süregelmiş asabi yapısını teskin ederek, biraz olsun uyumasını sağlayan uzun sofra sohbetlerine karşı Mustafa Kemal'in içinde büyük bir özlem uyandırmıştı. Çankaya'daki ev hayatı, Latife'nin varlığı ile öylesine büyük bir değişikliğe uğramıştı ki, Nuri (Conker) ve Salih (Bozok) Bey'ler gibi çok eski arkadaşları bile çok ender olarak gelip gitmeye başlamışlardı.

Latife yalnızca odaların dekorasyonunu değiştirmekle kalmamış, babasının evinde alıştığı üzere kendi aile hayatına da toplumsal bir çerçeveden bakmaya başlamıştı. Kocasının kişisel özelliklerini ve alışkanlıklarını asla dikkate almadan, tıpkı sert bir asker gibi resmi etikete ve seremoni yönü ağır basan davranışlara büyük önem veriyordu. Kendi görüşüne göre içine düştüğü bu keşmekeşten, mazbut bir insana yakışan medeni bir yuva yaratma çabasındaydı. Verdiği "akşam davetlerine" canı her isteyen gelemezdi, davetli sayısını yalnızca o belirler, istediğini çağırır, hoşlanmadığı kimseleri ise asla çağırmaz ve beylerden, eşleri ile birlikte bu davetlere katılmalarını isterdi. Herkesin resmi akşam kıyafeti giymesi konusunda gösterdiği titizlik ise ilk denemeden sonra, sonuçsuz kaldı: Uzun tuvaletli kadınların, smokin ceketli erkeklerin toplandıkları, küçük bir oda orkestrasının çaldığı, palmiyelerle süslü kabul salonuna Mustafa Kemal, her zamanki gibi dimdik yürüyerek girdi, özür dilermiş gibi başını salladı ve alaylı bir yüz ifadesiyle konuklarına bu maskaralık konusunda ne düşündüğünü belli etti. Toplum içinde aksilik, sertlik ya da egzantriklikle kamufle ettiği çekingenliği, onun dost çevresinde çok ilgili bir evsahibi olmasına, büyük bir dikkatle herkesle tek tek ilgilenmesine yol açmıştı. Ama böylesine bir şablona zorlanmakla yaradılışının en önemli özelliklerinden biri olan doğallığını kaybediyordu.

Latife'nin eşinin resmi yaşantısına yaptığı müdahaleler ise daha da yıpratıcı olmuştur. Yabancı ziyaretçiler evin reisi ile görüşemedikleri anda, kendisinde Gazi'yi temsilen konuşma hakkı görüyordu. Örneğin bir gazete muhabirine şöyle demişti: "Yaptığım açıklamaları, Gazi'nin kendi ağzından dinlemiş gibi, resmen söylenmiş sözler olarak kabul edebilirsiniz." Ve buna benzer birtakım fırsatlar sonucu öğrenebildiği bazı bilgileri ise ya yanlış anlıyor ya da hatalı bir şekilde yorumlayarak, başkalarına iletiyordu. Çok direndiği halde bir türlü önünü alamadığı "sofra sohbetleri"nin mahremiyetine de yine aynı beceriksizliği ile girme cesaretini gösterebiliyordu. Kendisi içki içmediği halde gece boyunca masanın başındaki yerinden asla kalkmıyor ve konuşma yeteneği ile sofrada bulunanların dikkatlerini kendi üstüne çekmeye çalışıyordu. Çoğu savaş deneyimli askerlerle bile alkole karşı açtığı seferberlik konusunda gereksiz polemiğe girmekten geri kalmıyordu. Bir gece, Mustafa Kemal ve arkadaşlarının rakı sohbetinin geç saatlere dek sürmesinden fena halde sinirlenmiş, yemek salonunun kapısını açıp, öfkeli bir ses tonu ile "Kemal, hâlâ içki mi içiyorsun?" diye bağırmıştı.

Mustafa Kemal daha sonraki bir zamanda neşeli bir tavırla, ileri görüşlü bir mebusun bu evliliğin iyi yürümeyeceğine dair kehanette bulunduğunu şöyle anlatmıştır: "Paşam, bu genç kızı siz mutlu edemezsiniz, o da sizi tabii." Bunun üstüne Mustafa "Nereden biliyorsunuz?" diye sorunca "O, doğuştan çok kıskanç" yanıtını almıştı. Mustafa: "Bunu nasıl anladınız?" Mebus: "Kaşlarının uçlarının aşağıya dönük olmasından."

Aynı oranda inatçı ve egzantrik olan bu ikilinin ilişkisi, Fikriye'nin geri dönmesi ile birlikte daha da zor bir döneme girdi. İsviçre'de gördüğü tedaviden sonra hastalığı bir ölçüde iyileşmiş olan Fikriye, Paşa'sının Latife Hanım ile yaptığı evliliği Münih'te öğrenmişti. Doktorların tavsiyelerine var gücü ile karşı koyarak, derhal yattığı sanatoryumdan ayrıldı ve bir trenle İstanbul üstünden Ankara'ya geldi. Ve gelir gelmez de doğru Çankaya'ya gitti. Latife, Yaver Ali'den Fikriye Hanım'ın geldiğini öğrenince, soluğu derhal şehirden eve yeni dönmüş olan Mustafa'nın yanında aldı: "Geçmişte sana büyük bir özveri ile hizmet etmiş olan bu hanımı daha fazla bekletmeyelim."

Fikriye, karı kocayı karşısında görünce bir heykel gibi donup kaldı ve Mustafa biraz da utançla hiç konuşmadı. Bunun üzerine Latife eski rakibesi karşısında inisiyatifi ele aldı ve onu birlikte yemek yemeye davet etti. Yemek sırasında Mustafa, Fikriye'ye mali açıdan hiçbir sorunla karşılaşmayacağını ve hatta ona İstanbul'da bir ev almak istediğini açıkladı. Ama genç kadın söylenenleri duymuyordu bile, o an için önemli olan rüyalarının erkeği olan bu adamın yanında artık geri plana itilmiş olmasıydı. Çankaya ile vedalaşmasını üç gün erteledi ve bu arada Mustafa'ya karşı fazlasıyla yakın davranışlar sergileyip, Avrupa'da moda olduğu üzere ona "Kemal" diye seslenmeyip, her zamanki gibi "Paşam" demekte ısrar ederek, Latife'nin öfke krizlerine yakalanmasına yol açtı.

Fikriye bir otele geçtikten sonra, evdeki civcivlerle oynayan Mustafa'nın Latife Hanım'a dönüp yanlışlıkla, "Şunlara bak Fikriye, ne sevimli şeyler" demesi başka bir fırtınanın daha yaşanmasına sebep oldu.

Kazara ağzından çıkmış bu sesleniştten, gizli bir sadakatsizlik kokusu alan Latife neredeyse kendinden geçti ve ailesinden Ankara'ya gelmelerini rica etti. Muammer Bey ve karısı bu yardım çağrısı karşısında koşup geldiler ama çok kısa bir süre sonra İzmir'e geri dönerek, yaşanan evlilik krizinin kendi kendine atlatılması taktiğini uyguladılar. Fikriye'nin er ya da geç İstanbul'a döneceği ve orada kendi yaşamını kuracağı yolunda yapılan tahminler, sonunda Çankaya'nın havasını sakinleştirdi.

Bir öğleden sonra kapıya yanaşan bir faytondan, son bir kez elveda demeye gelen Fikriye Hanım indi. Kapıda görevli olan Yaver kendisini tanımadığı için, Gazi'nin yanına yalnızca önceden haberli olan ziyaretçileri sokabileceğini söyleyerek, genç kadını içeri almadı. Fikriye'nin gücü bu yanlışlığı düzeltmeye yetecek gibi değildi. Gerisin geri dönüp faytona bindi ve arabacıdan kendisini oteline götürmesini istedi. Arabanın ardından bakmakta olan Yaver birkaç dakika sonra duyduğu bir silah sesi ile irkildi ve zaten aynı anda da araba yol ortasında aniden durdu. Adam derhal arabaya doğru koştu ve büyük dehşetle az önce kapıda konuştuğu genç kadının cansız bir şekilde arabanın içinde yattığını gördü. Fikriye, "Paşa'sına" kendisini unutmasın diye armağan olarak getirdiği küçük tabanca ile canına kıymıştı. Mustafa Kemal hastaneye koştuğunda, Fikriye'nin bir saat önce tek bir kurşunla yaşamına son vermiş olduğu haberi ile karşılaşmıştı.

Bu trajik olaydan sonra Mustafa Kemal kendine ayırabildiği kısıtlı saatleri, Ankara'ya gelişinin ilk aylarında genelkurmaylık olarak kullandığı tarım okulunun çevresinde geçirmeye başladı. Arzusu üzerine orada kendisine ayrılan küçük bir toprak parçasında ziraatçilik ve fidecilik yapıyordu. 1922 yılında Rauf Bey'e içini dökerken dile getirdiği basit bir yaşam sürme arzusunu şimdi emir veren ve izleyen olarak en azından görsel açıdan gerçekleştiriyordu. Başlangıçta, Anadolu'nun kıraç topraklı bu bölgesinde binbir güçlükle yetişmiş olan her ağaç hakkında tek tek bilgi topladı. Bir keresinde bahçıvanlara şöyle sormuştu: "Burada bir kauçuk ağacı duruyordu, ona ne oldu?" Hiç kimse ne olduğunu anımsayamayınca ve o da bundan ağacın bakımsızlık sonucu kuruduğu sonucunu çıkartınca, şöyle dedi: "Güçsüz, yaşlı bir ağaççıktı ama, yaşıyordu ve ilkbaharda çevreye harika kokular saçıyordu." Ve adamları bundan böyle hiçbir ağacı ihmal etmemeleri yolunda uyardı.

Önceleri, boş zamanlarını değerlendirdiği bir uğraş olarak gördüğü bu araziyi sulama kanalları ile geliştirip modern bir orman çiftliği haline getirtti ve bir İslam ülkesi için son derece alışılmadık bir girişimde daha bulunup, buraya bir bira fabrikası kurdurttu. Yine Gazi'nin isteği üzerine burada Marmara Denizi ile Karadeniz benzeri, fıskiyelerle bezenmiş iki yapay göl oluşturuldu. Ve Mustafa Kemal'in yapacağı bir akşam ziyaretinin şerefine her yer rengârenk ışıklarla donatıldı. Gazi, doğallıkla hiçbir ilgisi olmayan bu manzarayı bir süre hayret dolu bakışlarla izledikten sonra, en acımasız şekilde kendi kendisini eleştiren şu cümleleri sarfetti: "Behey Kemal, sen ziraat mi okudun? Hayır. Çiftçi misin? Hayır. Baban mı çiftçiydi? Hayır. Hiç anlamadığın şeylere burnunu sokmakla, suların bile nasıl alay konusu oldun, şimdi kendi gözlerinle gör işte."

1924 yılının Temmuz ayında Rudolf Nadolyn Alman elçilik müşaviri olarak - ilk temasın yarattığı korkular giderildikten sonra sefir olarak görevine devam etmiştir- Devlet Başkanının Çankaya'daki evine itimatnamesini sunmak üzere bir ziyarette bulundu. Siyasi münasebetlerin iadesi, Afyon ve Dumlupınar savaşları daha yapılmadan önce, 1922 yılında her iki tarafça da karşılıklı olarak istenmişti. Almanya'nın Moskova'daki "geçici" temsilcisi Wiedenfeld 15 Mayıs 1922 tarihinde Dışişleri Bakanlığına şöyle yazmıştı: "Ankara'daki Büyük Millet Meclisi'ne mebus olarak katılmak üzere üç, dört ay içinde Moskova'yı terkedecek olan Türk sefiri Ali Fuad Paşa (Cebesoy) iki gün önce bir veda ziyaretinde bulunmuş ve bu arada -diğer ayrıntıların yanısıra- Almanya'nın Ankara'ya resmi bir temsilci yollamaya ilişkin planları olup olmadığını sormuştur... Ali Fuad Paşa'ya Almanya'nın böyle bir niyetinden haberdar olmadığım şeklinde bir cevap vermekle yetindim; şu anda resmi temsilcilik olarak kabullenilecek bir atamanın gerçekleştirilmesini ben de mümkün görmemekteyim. Ali Fuad Paşa bu kuşkumda haklı yönler olduğunu kabul etmekle birlikte, kendi hükümetinin nezdinde küçük düşmemeye de büyük değer veriyor. Ona şu anda herhangi bir söz vermeyeceğimi açıklayıp, Berlin'le bu konuyu görüşeceğime dair herhangi bir umut vermekten de kaçındım. Benden yine de Berlin'den bu konuya ilişkin bir haber gelirse kendisine bildirmem konusunda ricada bulundu."

I. Dünya Savaşı yüzünden eşit ölçüde kayıplara uğramış bulunan bu iki ülkenin o anki en önemli meseleleri ekonomikti. Bunun ardından, yine her iki ülkenin uluslararası alanda kayıtsız şartsız tanınma istekleri geliyordu. Türkiye silahlı bir direniş hareketi ile Anlaşma Devletlerinin vatan topraklarını işgalini; Almanya ise müzakereler yolu ile buna benzer başka bir işgali önlemişlerdi. Alman Dışişleri Bakanlığının 4 Ağustos 1922 tarihinde yaptığı açıklama şöyledir: "İngiliz Büyükelçisi, şu sıralarda Türkiye'de bir Alman konsolosluğu kurulmasını onaylamayacaklarını bildirmiştir çünkü Anlaşma Devletlerinin askeri güçleri hâlâ teknik olarak Türkiye ile savaş halindedir."

Eylül 1922'de gündeme gelen bir başka olay, Berlin ile Ankara'nın tedbirli adımlarla birbirine yakınlaşmasını gereksiz yere önleyerek, büyük öfkeye neden olmuştur. Milli Türk Hükümeti İzmir'i düşman işgalinden kurtardıktan sonra Almanya'daki bir firmaya ordusu için silah siparişi vermiş ödemeyi peşin olarak yapmış ama malı alamamıştı.

Türkiye'nin yaptığı uyarılar silah tüccarını hiç etkilememiş ve adam şöyle bir açıklama yapmakla yetinmişti: "Bu alışveriş, Versay Antlaşmasının şartlarına uymadığından dolayı, malın yollanması zamana bırakılmıştır." Ne Alman hükümeti bu dolandırıcılığı temizlemeye kalkışmış, ne de politik açıdan yaratılacak problemlerin savaş sonrası müzakerelerinin sürdüğü böyle bir dönemde olumsuz etki edeceğini bilen Ankara hükümeti işin üstüne gitmiş ve olay kendiliğinden kapanmıştı.

Türkiye ile Almanya arasındaki ilişkilerin henüz çok nazik olduğu bir dönemde tatsızlıkla sonuçlanan bir silah alışverişinin durumu gerginleştirmesine iki tarafın da izin vermediği, Lozan Konferansına katılan Alman gözlemcilerden birinin raporundan anlaşılmaktadır. İsmet İnönü durum gereği sertliğe kaçmadan ve aynı zamanda karşı tarafın gururunu da okşayarak şu açıklamayı yapar: "Almanya'nın barış ve politika gibi konularda doğuya ve özellikle de Türkiye'ye karşı asla ilgisiz kalmayacağından hiç kuşkum yok. Türkiye, Alman yardımına bilhassa büyük değer vermektedir. Bundan dolayı, Almanya ile diplomatik ilişkilerin bir an önce başlatılacağı görüşündeyim." 15 Aralık 1923 tarihinde Dışişleri Bakanı Gustav Stresemann bir telgrafla şu açıklamayı yapar: "Alman hükümeti, Türkiye ile Almanya arasında bir Dostluk Antlaşması yapmaya hazır olduğunu Türk hükümetine bildirir."

Türkiye'ye elçilik müsteşarı olarak tayini çıkmadan önce aynı diplomatik statü ile Stockholm'de görev yapmış bulunan ve daha önce Dışişleri bürosunda Friedrich Ebert'in şefi olan 1873 Doğu Prusya doğumlu gazeteci Rudolf Nadolyn ekonomi ve organizasyon konularında belirli bir kaliteye sahip olmakla birlikte, Türk mantalitesine ve İslam yaşam tarzına uyum sağlayabilecek beceriyi pek gösteremedi. Dürüst ve kuralcı davranışları ile özellikle subayların arasında büyük saygınlık kazanırken, insan ilişkilerindeki kuruluğu ve eski Prusya usulü aşırı disiplinli davranışları ile yaşı ilerlemiş pek çok devlet memuruna, I. Dünya Savaşı sırasında daha yumuşak bir ortam yaratabilecek olan eski Alman askeri misyonunun temsilcilerini anımsattı.

Nadolyn İstanbul'daki eski Alman elçilik binasına - 1919'dan sonra geçici olarak İsveç konsolosluğu olmuştu- geçtikten sonra, diğer ülkeler de temsilciliklerini önce İstanbul'da açtılar ve Ankara'daki elçilik binalarının tamamlanmasını beklemeye başladılar. Nadolyn trenle başkente giderken, savaşın izlerini yol boyu kendi gözleriyle gördü: "O zamanlar gece yolculuğu yapılmıyor ve tren ilk gün ancak Eskişehir'e kadar gelebiliyordu. İstasyonda geceledikten sonra ertesi gün yeniden Ankara'ya doğru yola çıkılıyordu. Eskişehir yolu oldukça heyecan verici. Önce İzmit'e kadar deniz kenarından gidiliyor sonra yirmi bir tünelden ve hâlâ onarım çalışmaları süren, Eskişehir'in sekiz yüz metre yükseğinden geçerek, insanın soluğunu tıkayan köprüler aşılıyor. Yolun iki kenarı ve hatta körfezin karşı kıyısı bile savaş artığı lokomotif ve vagon hurdaları ile dolu."

Alman Konsolos Ankara istasyonunda duran kendi vagonunda kalmayı yeğledi çünkü buradaki otellere fazla güven duymamıştı. Ayrıca yapacağı ziyaretlerin sayısı da çok azdı çünkü "tüm hükümet üyeleri sıtmadan yatağa düşmüşlerdi". Bu ateşli hastalığın kaynağı ise istasyon ile şehrin eski kesimi arasında uzanan bataklıklar ve sıtmayı insanlara bulaştıran Anofel sivrisinekleriydi. Bugün kurutulmuş olan bu bataklığın üstünde "Gençlik Parkı" bir stadyum ve bir hipodrom bulunmaktadır.

Nadolyn anılarını kaleme aldığı sıralarda, 1928 yılından itibaren Hermann Jansen, Clemens Holzmeister, Paul Bonatz ve Bruno Taut gibi Alman ve Avusturyalı mimarların yardımı sayesinde büyük ölçüde gelişmiş olan modern kenti de gözardı etmemişti. "Bugün (kırklı yıllar kasdedilmektedir) Ankara ve diğer Anadolu şehirlerine baktığımızda, bu halka büyük hayranlık duymamak mümkün değil. Deyim yerindeyse her şeyi yoktan var ettiler çünkü... İstasyon yenilendi ve yanında muhteşem bir otel yapıldı. Ayrıca Palas Otel ve diğer birkaç konukevini de unutmamak gerek. Şehirdeki küçük evler yıkıldı ve yerlerini kocaman binalara bıraktı. Şehir, Çankaya'ya doğru yayıldı. Oraya giden geniş bulvarların üstüne bakanlıklar, diplomatik misyonların binaları kuruldu ve Elmadağ'ın en tepesine ise Cumhurbaşkanlığı Köşkü yapıldı."

Mustafa Kemal'e yapılan itimatname sunma ziyareti biçimsel olarak herhangi bir farklılık taşımamakla beraber, Latife Hanım ile evli olduğu döneme rastlaması açısından ilginç bir ayrıntıya sahiptir: "Ertesi gün protokol şefi araba ile gelip beni aldı ve Çankaya'ya Gazi'nin yanına götürdü. Evin önüne bir tabur asker dizilmişti ve bir orkestra Alman milli marşını çalıyordu. Gazi'nin Yaveri beni üniforması ile karşıladı. Onunla birlikte kapıya doğru ilerledim ve evden içeri girdim. Normal ölçülere göre küçük sayılabilecek bir evdi burası ama tepeden şehre hakim olan manzara inanılmaz güzellikteydi. Ankara, ilerdeki düzlükte uzanmış yatıyordu. Gazi sivil giysiler içindeydi ama kafasında yün bir kasket vardı. Karşılıklı konuşmalar yaptıktan ve ben itimatnamemi kendisine takdim ettikten sonra birkaç dakika için oturup, sohbet ettik. Gazi bana Ankara'da sefaret binası inşa ettirip ettirmeyeceğimi sordu ve benden olumlu yanıt alınca sevindi (1928 yılının sonlarında bugünkü Atatürk Bulvarında açılan Alman Sefarethanesi Ankara'daki ilk yeni yabancı misyon binasıdır). Kendisine, eşini ziyaret edebilir miyim diye sordum, o da bu isteğimi onayladı ve uygun zamanın bana bildirileceğini söyledi. Gazi'nin Almanlardan pek hoşlanmadığı ve savaş zamanı Bay von Falkenhayn (1917 Suriye) ile birtakım zorluklar yaşadığı söyleniyordu. Buna karşın Liman von Sanders'den her zaman büyük bir saygı ile söz edermiş. Bana, von Sanders'in Türkleri pek sevmediğini ve çok sert bir insan olduğunu söyledi ama, dürüstlüğünü ve bilgisini övmekten de geri kalmadı.

Kısa bir sohbetten sonra Gazi'nin yanından ayrıldım. Yine Alman milli marşının eşliğinde şeref kıtasının önünden geçerek, tepeden aşağıya indim. Ertesi gün maalesef Gazi'nin eşi tarafından kabul edilmeyeceğim haberini aldım çünkü Latife Hanım'ın dişi ağrıyormuş. Daha sonra duyduğuma göre Latife Hanım bu ziyaret sırasında şeref kıtasının yine kapının önünde beklemesini istemiş. Ama bu isteği reddedilince beni kabul etmekten caymış." Cenevre'deki silahsızlanma müzakerelerine katılmak için verdiği aranın dışında Nadolyn 1933 yılına kadar Türkiye'de kaldı; önce İstanbul'da ikâmet etti ve bu sırada Piyanist Wilhelm Kempff, şarkıcı Heinrich Schlusnus ve Kont Eduard Keyserling, Börris von Münchausen gibi yazarları davet ederek, kültürel ilişkilerin gelişmesine katkıda bulundu, sonra da, 1928'den itibaren Ankara'ya yerleşti. Daha sonra ise Moskova'ya sefir tayin edildi. Kemalist bir dış politika izleyen Türkiye'nin tarafsız kaldığı II. Dünya Savaşı sırasında -23 Şubat 1945'de Japonya savaş ilan edince, Almanya Anlaşma güçlerinin anladığı manada barıştan yana olduğunu duyurdu- Hitler rejimi Ankara'da 1939 Nisan'ından, 1944 Ağustos'una kadar Franz von Papen tarafından temsil edildi ama o da, Cumhurbaşkanı İsmet İnönü'yü ve (1938-1950 yılları arasında) hükümetini Almanya ile savaş bağlaşığı olmaya ikna edemedi.

30 Ağustos 1924 tarihinde Mustafa Kemal Dumlupınar zaferinin yıldönümünü kutlamak için o zamanki savaş alanında bir konuşma yaptı ve daha sonra devrimlerini halka tanıtmak amacıyla Latife Hanım ile birlikte on beş günlük bir yurt gezisine çıktı. Cumhurbaşkanı, Bursa dolaylarından bindiği gemi ile Marmara Denizini geçerek, İstanbul'dan -eski başşehirde karaya çıkmayı o an için istemiyordu çünkü muhalifleri orada yoğunlaşmışlardı- ve Boğazdan geçerek, beş yıl önce "Bandırma" vapuru ile yaptığı gibi Karadeniz'e çıktı ve sahil boyunca ilerledi. Daha sonra araba ile kara yolundan Erzurum, Kayseri ve Adana'ya gitti ve Akdeniz kıyısındaki Mersin'i ziyaret etti. Ama Latife Hanım ile Gazi arasında yolculuk boyunca tartışma ve çatışmalar hiç eksik olmadı çünkü halk her yerde Gazi Paşa'sına büyük sevgi gösterilerinde bulunuyor, Latife Hanım ise bu durum karşısında geri planda kaldığını ve ihmal edildiğini düşünerek türlü huysuzluklar yapıyordu.

Mustafa Kemal 1924 yılının sonbaharında yeniden Ankara'ya dönünce, organize olmuş bir muhalefet partisi ile karşılaştı. Ön hazırlıkları İstanbul'da yapılan, Kazım Karabekir, Hüseyin Rauf, Adnan Adıvar (Halide Edip'in kocası) ve Ali Fuad tarafından kurulan "Terakkiperver Fırka"sı kesinlikle anti-cumhuriyetçi değildi. Tam tersine, demokratik bir toplumun gelişmesi için gerekli her türlü savaşı vermeye hazırdı: Devrimlerin tek yanlı ve zaman açısından çok sık aralıklarla dikte edilmesi, kabineden bir danışma mercii olarak yararlanılmaması ve "Cumhuriyet Halk Partisi" üyelerinin Büyük Millet Meclisi'nde ağırlıklı olmaları. Günlük bir Türk gazetesi eleştirileri şu noktada toplamıştır: "Cumhurbaşkanı ismini taşıyan Diktatör, yalnızca kendi keyfine göre hükümet etmektedir."

Partinin, Atatürk'e tepki duyanların biraraya geldiği bir kurum olmakla itham edilmesini haklı çıkartan şey ise "Terakkiperver Fırkası"nın programında yer alan, şeriat ve halife taraftarlarını derhal kendi yanına çeken şu cümleydi: "Parti, vicdan özgürlüğüne ve dini inançlara saygılıdır." Büyük bir şanssızlık eseri olarak üç ay sonra, 1925 yılının Şubat'ında, halkının çoğunluğu Kürt olan Güneydoğu Anadolu bölgesinde, saltanatın ve halifelik kurumunun yeniden geri getirilmesi amacı ile Şeyh Sait İsyanı çıktı. Mustafa Kemal, kendi dostlarının Cumhuriyete indirdikleri bu darbeden etkilenerek, Kasım 1924'de arabulucu nitelikler taşıyan Ali Fethi Bey'i (Okyar) yeni başbakan olarak atamıştı. Ama onun da "Terakkipever Fırkası"nı dağıtmak için herhangi bir girişimde bulunmadığını görünce ve Başbakan, etkisiz politikası yüzünden Mart 1928'de Millet Meclisi'nden güven oyu alamayınca, bu görevi yeniden İsmet Bey'e verdi. (*)

Tıpkı kendisi gibi anti-demokratik güçlere karşı radikal bir rejimden yana olan İsmet Bey'in de desteği ile Gazi milletvekillerini ikna ederek, Kurtuluş Savaşının ilk zamanlarında olduğu gibi, genç Cumhuriyeti saldırılardan korumak amacıyla "Takrir-i Sükun Kanunu"nun çıkmasını sağladı. Bu da basına sansür uygulaması ve parlamentonun da onayı ile "İstiklal Mahkemeleri"nin yeniden harekete geçmesi anlamına geliyordu. Pek çok gazete sahibi imtiyazlarını kaybettiler. Aralarında, ilerde üç ciltlik bir Atatürk biyografisi yazacak olan Şevket Süreyya Aydemir'in de bulunduğu bir dizi yayıncı ve gazeteci mahkemeye çıkartıldılar. "Terakkiperver Fırkası" 3 Haziran 1925 tarihinde kapatıldı ve Haziran sonunda asi Kürtler dizginlendikten sonra, Şeyh Sait vatana hıyanetten Diyarbakır'daki Ulu Camii önünde ipe çekildi. Kürt isyanı ile "Terakkiperver Fırkası"nın kuruluşu zamanlama açısından çatışmasaydı, parti üyeleri ölçülü tutumları ile zaman içinde bu kurumu bir muhalefet partisi olarak kabul ettirebilirlerdi.

İstiklal Mahkemelerinin yeniden gündeme gelmesi ile birlikte pek çok liberal, demokratik ortamın kötüye gideceğinden korkarak eleştiri yapmaya başladılar. Halide Edip bu konuda şöyle yazar: "1925 yılında radikal bir dönüşüm yaşandı, dış dünyanın diktatörlük olarak isimlendirdiği şey gerçekleşti." Buna karşın İngilizlerin resmi bir gözlemcisi, Londra'ya yolladığı yıllık raporunu şu tespitle bitirir: "Birkaç ayın içinde ve bir isyan girişiminin (Kürt isyanı) üstesinden geldikten hemen sonra

---

(*) Fethi Bey'in başbakanlıktan ayrılmasının nedeni sadece "Terakkiperver Cumhuriyet Fırkası" konusundaki başarısızlığı değil, Doğudaki isyan konusundaki pasif tutumudur.

yerleşik olan tüm önyargıları sarsmayı (kılık kıyafet, dini eğitim, kadınların toplumsal statüsü) başaran bu adamın gösterdiği cesarete ancak hayranlık duyulabilir." Mustafa Kemal'in devrimci yönü ve inkılaplarını uygularken güttüğü politika onu çevresinden bir anlamda izole etti. Politik eleştirilerinden dolayı pek çok eski dostunun kendisine ihanet ettiğini düşündüğü için, hâlâ güvendiği kişilerin sayısını kendisi de kısıtlama yoluna gitti. "Sofra sohbetlerine" katılan hükümet üyeleri ile etkili ve yetkili diğer kişiler bir hayli azalmıştı çünkü, kendi görüşlerini ileri süren herkese karşı Mustafa Kemal aşırı hassas tepkiler vermeye başlamıştı. Latife Hanım'dan ayrılması da bir anlamda, iradeli, hür fikirli ve buna bağımlı olarak kendisi için yıpratıcı olan kişiliklerle arasında çıkan çatışmalardan ürkmesinin bir sonucudur.

Evliliğinin bitmesinde bardağı taşıran son damla ise Mustafa Kemal'in muhafız alayından askerlerle her akşam yapmayı âdet edindiği minik sohbetine Latife Hanım'ın gereksiz yere karışmasıdır. Günümüze değin ülkede her yıl çeşitli turnuvaları yapılan ve o yıllarda Çankaya'daki muhafızlar arasında da çok tutulan ata sporu güreşi, Gazi de tıpkı diğer Türk erkekleri gibi çok severdi. Atatürk, bu müsabakalardan birini, şeref konuğu olarak ilgi ile izlerken Latife Hanım derhal duruma el koydu, ona Kemal'e derhal eve girmesini ve askerlere yakınlık göstererek, kendi aile durumunu bu denli küçük düşürmekten vazgeçmesini söyledi.

Mustafa Kemal aynı akşam İsmet İnönü'ye telefonda evliliğini artık bitireceğini açıkladı ve bu haberin gazetelere bildirilmesi talimatını verdi. 1926 yılının Şubat ayına dek Türkiye'de geçerli olan eski İslam hukukuna göre bir erkeğin karısına üç kez "boş ol" demesi ve onun babasının evine geri göndermesi boşanma için yeterliydi. Mustafa Kemal'in bu töreyi uygulamaktan kaçınmış olduğu kesindir. Ama ertesi gün, 5 Ağustos 1925 tarihinde sabahın erken saatlerinde ata binmek üzere evden çıkarken yaverlerinden birini, Latife Hanım'ın bavullarının toplanması ve İzmir'e ailesinin yanına dönmesinin sağlanması ile görevlendirdiği bilinen bir gerçektir.

Latife, Gazi'nin emrine derhal uydu ve ne gariptir ki, o günden sonra ne Gazi'nin eski eşi olarak, ne de kendi adına toplumun karşısına bir daha asla çıkmadı. İstanbul'da Japon konsolosluğunun yakınlarında, Taksim ile Boğaziçi arasındaki eski ve güzel Türk konaklarından birinde oturdu, biyografların ve gazetecilerin evliliği ya da Gazi hakkındaki konuşma isteklerini kesinlikle geri çevirdi. Yalnız ne zaman Ankara'dan bir ziyaretçisi gelse, şu soruyu sormadan yapamazdı: "Paşa nasıl?" Ve her zaman da aynı yanıtı alırdı: "Her zamanki gibi, Latife, her zamanki gibi..." 1975 yılında öldüğünde evi, yanında tam bir Avrupalı kadına, yokluğunda ise tam bir Doğulu kadına has yaşam sürdüğü hayatının erkeğinin resimleri ve fotoğrafları ile dopdoluydu. (*)

(*) Latife Hanım'la Mustafa Kemal'in boşanmaları biraz farklı olmuştur. Mustafa Kemal Latife Hanım'ı bir yurt gezisinden geriye göndermiştir.

Devrimci ve Türklerin Atası (1926 - 1930)

Latife Hanım'dan ayrılan Mustafa Kemal'in, bir zamanlar Fikriye'ye de söylediği gibi, tek bir eşi oldu, o da Türk milletinin kendisiydi. Gittiği yerlerde halkının kendisi için düzenlediği karşılama törenleri, caddelerin bir ucundan diğerine kurulan çiçeklerle süslü zafer takları, Gazi'nin üstlerinde tüm yıllar boyunca dört yüzden fazla konuşma yaptığı, bayraklarla süslü kürsüler ve padişahlara layık barok koltuklu şeref tribünleri ile gerçekten de düğünlerden farksızdı. Latife ile çıktığı yolculuklarda, süslü püslü görkemli koltukları daima basit iskemlelerle değiştirtmiş olmakla beraber daha sonraki yıllarda bu tip sevgi ve saygı gösterilerine müdahale etmemeye başlamıştı. 1936 yılından itibaren kendisini yavaş yavaş terkeden bedensel güçlerinin izin verdiği oranda, sokaklardaki insanlarla ilişki kuruyordu. Milletine "düğün armağanı" olarak sunduğu devrimleri onu kemirmişlerdi adeta ama, onları tek başına da olsa her zaman herkese karşı, özellikle de büyük keyif aldığı ve kişisel çıkarlarının çok çok üstünde tuttuğu bu mutluluğuna zarar vermek isteyenlere karşı savunuyordu.

25 Ağustos 1925 tarihinde Nuri Conker ve birkaç arkadaşı ile birlikte Ankara'nın kuzeyindeki Pontus dağlarında bulunan ve Karadeniz kıyısından doksan kilometre içerde olan İnebolu yakınlarındaki Kastamonu'ya gitti. Hedefi yapacağı bir değişikliği halka doğrudan bildirmek olan bu yolculuk Türkiye'de bugüne değin ününden ve güncelliğinden hiçbir şey yitirmemiştir. Ve belirlenen hedef de tamamen gündelik yaşama yönelik olup, halifeliğin ve şeriat yasalarının kaldırılması gibi soyut bir kavram değildir. Konu, Atatürk'ün ünlü "Şapka devrimi"dir. Ve o, elinde Panama bir şapka ile hiç duraksamadan, doğuştan son derece tutucu olan Kastamonu halkının karşısına çıkıp, din

ve hanedan bağımlılığının belirgin birer işareti olan fes ve türbana ne denli karşı olduğunu, modern Türk insanına bu tip giysilerin hiç yakışmadığını anlatan coşkulu konuşmalar yapmıştır. Bir gün sivil giysilerle, ertesi gün mareşal üniforması ile halkla iç içe olduktan sonra İnebolu'ya geri döndüğünde hemen tüm erkeklerin başında artık fes yerine şapka vardı, üstelik kimse önceden şapka stoklamadığı için yer yer, biçimleri değiştirilmiş kadın şapkalarına bile rastlanıyordu.

Kadınların utanç duygusunu gözönünde bulundurduğu için peçe takmayı, fes gibi 25 Kasım tarihinde resmen yasaklamamasına karşın, konuşmalarında buna da değinmişti. Devlet Başkanlarını önce gri flanel takım elbisesi, sonra da mareşal üniforması içinde karşılarında gören Kastamonu halkına şöyle hitap etti. "Yolculuğum sırasında, can yoldaşlarımız olan kadınları yalnızca köylerde değil, irili ufaklı şehirlerde de yüzlerini gözlerini örtülerin altına saklamış olarak gördüm. Öyle düşünüyorum ki, bu peçeler ve örtüler özellikle şimdiki gibi sıcak mevsimlerde kadınlarımız için büyük bir rahatsızlık ve eziyetin kaynağıdır. Erkek dostlarım! Yoksa bu bir parça da bizlerin egoizminin bir sonucu mu? Sevgili arkadaşlarım! Kadınlarınız hassas olup, tıpkı bizler gibi ateşli bir ruha sahiptirler. Onları moral açıdan iyi yetiştirdikten, ulusal ahlakımızı öğrettikten ve kafalarını doğru bilgilerle donattıktan sonra, egoizmimizin esiri olmaya ne gerek var? Bırakalım, kadınlarımızın yüzünü tüm dünya görsün ve bırakalım onlar da tüm dünyayı inceleme fırsatı bulsunlar. Bu konuda korkacak hiçbir şeyimiz yok."

Mustafa Kemal, Ankara'ya geri dönünce, başkentin hemen her köşesinin Panama şapkalarla dolup taştığını gördü ve ulusun ilk vatandaşları olan kent halkının gösterdiği bu özel dikkate şaşmaktan kendini alamadı. İki gün sonra Büyük Millet Meclisi, fes giyilmesini yasaklamadan önce, bir yasa çıkartarak, dini görevinin başında olmadıkça (cami hocaları ve imamlar kastedilmiştir) insanların kaftan, türban gibi dini giysilerle dolaşmalarını yasakladı. Bunu kısa bir süre sonra tekke, zaviye ve en tanınmışları Mevlevi Bektaşi olan tarikatların yasal olarak kapatılması izledi. İslami geleneklerin bastırılması II. Dünya Savaşından sonra -Gazi artık hayatta değildi ve ülke dış tehlikelerden kurtulmuştu- önemli oranda karşı tepki aldı, Kur'an okulları yeniden açıldı ve müezzinler ezanı Türkçe yerine yine eskisi gibi Arapça okumaya başladılar.

Medeni kanunun kabülü de en az kılık kıyafet devrimi kadar ilerici atılımlardan biridir. Osmanlı hükümdarlığı zamanında bireyin devletle ilişkilerini düzenleyen bir idari kanun ve bireyin diğer bireylerle (evlilik, boşanma, miras) ve Allah'la (Kur'anda yazılı olan şartlara göre yaşamak) olan ilişkilerini düzenleyen bir şeriat kanunu geçerliydi. Daha 1917 yıllarında Jöntürkler tarafından yönetilen parlamento ailenin korunmasına ilişkin liberal yasalar çıkartmıştı. Kurulan bir komisyon bir yıl boyunca yaptığı hukuki ön çalışmaları tamamladıktan sonra, Büyük Millet Meclisi 17 Şubat 1926 tarihinde İsviçre Medeni Kanunu' nun alınmasına karar verdi. Daha sonra Avrupa'da da bu kanundan bazı alıntılar yapıldı ve örneğin İtalya Ceza Kanununu, Almanya Ticaret Kanununu benimsedi. Osmanlı İmparatorluğu'nun çöküş dönemini gözardı etmeyen Devlet Başkanı, oylamadan önce mebusları şöyle uyarmıştı: "Toplumsal yenilikçilerin en büyük ve en amansız düşmanları köhneleşmiş yasalar ve onların gerici savunucularıdır."

Yeni boşanma hukukunun kabul edildiği zamana rastlasaydı belki de bu denli kolay boş kalmayacak olan Çankaya'daki ev yaşamı, "sofra sohbetlerine", askerlerin güreş müsabakalarına ve tarım çalışmalarına karşın yine de Mustafa Kemal'i tatmin etmiyordu. Paşa ikinci kez evlenmeyi hiç düşünmediği için çocuk sevgisinden de mahrum kalmıştı. Eski bir gelenekten esinlenerek, aile kurmaya ve baba olmaya duyduğu özlemi dindirecek bir çare buldu sonunda. Aileleri artık hayatta olmayan küçük kız çocuklarını ya da böyle bir girişimi kendilerine bahşedilmiş bir şeref olarak gören ailelerin kızlarını evlat edindi. Çocuklar Cumhurbaşkanlığı arazisinin üstündeki daha küçük bir evde yaşamakla kalmıyor, aynı zamanda özel yetenekli öğrenciler için orada açılmış olan bir okula da gidiyorlardı. Avrupai tarzda eğitim alarak, modern bir toplumun bireyleri olarak yetiştirilirken, bir yandan da Türk kadınları için iyi birer örnek oluşturuyor, gençlikleri ve eğitim hayatında kaydettikleri başarıları ile manevi babaları için ayrı bir sevinç kaynağı oluyorlardı.

Mustafa Kemal'in evlat edindiği toplam sekiz çocuğun başında Sabiha Gökçen ile Afet İnan geliyorlardı. Her ikisi de ünlü oldular, Sabiha ülkenin ilk kadın pilotu ve Afet tarih profesörü olarak. Afet Hanım, Türkiye'deki kadın hareketleri konusunda yaptığı çalışmaları 1968 yılında bir eser halinde yayınlamıştır. Çankaya'ya geldiğinde on sekiz yaşında olan Afet, bir yandan yüksek öğrenim görürken, diğer yandan da Başkanlık köşkünün bütçesini idare ediyor, Mustafa Kemal'le arasında geçen konuşmaları not ediyor -konuşmalar 1959 yılında Ankara'da "Atatürk'e ilişkin anılar ve dökümanlar" adı altında yayınlanmıştır- ve hatta zaman zaman "sofra sohbetlerine" bile katılıyordu. Bu iki kızı daha sonraları Zehra, ilerde bir polis ile evlenecek olan Rukiye, hukuk eğitimi aldıktan sonra yargıç olan Sabriye, sarışın mavi gözlü İstanbullu Nebile, padişahın yatını kullanmadan önce, Marmara Denizinde gezerek dinlensin diye kendi yatını Gazi'nin emrine tahsis eden bir yat sahibinin kızı olan Bülent ve son olarak da Dolmabahçe Sarayında hayata veda etmeden hemen önce evlat edindiği, bugün hâlâ İstanbul'da yaşamakta olan küçük Ülkü izlediler...

Dış politikaya ilişkin kararlarında son derece dengeli ve asla haşin olmayan Mustafa Kemal -Milletler Cemiyeti çerçevesinde 1926 Haziran'ının başlarında Büyük Britanya, Irak ve Türkiye hükümetleri, Musul üzerine bir anlaşmaya varmışlar; Türkiye 500.000 İngiliz lirasına karşılık Musul'u Irak'a bırakmıştı- ülke sınırları içinde meydana gelen en ufacık bir aksama karşısında bile gereğinden fazla sertleşiyordu; kısmen iki, üç kişiden ibaret olan dar çevresinin içinde izole edilmiş olmaktan, kısmen de henüz hayattayken devrim çalışmalarına hız verip, toplumdaki değişimi tamamlama isteğinin yoğunluğundan. 1926 yılının Mayıs ayı başlarında Akdeniz sahillerine yaptığı bir gezi sırasında, yolculuğun son durağı olarak belirlediği İzmir'de kendisine karşı düzenlenen bir suikastın son anda önlendiği haberini aldı. Üç suikast girişimcisini teknesi ile Yunan Adalarına kaçıracak olan basit bir balıkçı, vicdanının sesine daha fazla kulak tıkayamamış ve suikast planını önceden polise bildirmişti.

Gazi, İzmir'e vardığında, polis bu girişimin ardında kimin gizli olduğuna dair daha belirgin ipuçları elde etmiş durumdaydı. Sözkonusu kişi, Laz kökenli genç bir deniz subayıydı ve Lazların temsilcisi olarak, 1923 yılında Ankara'da öldürülen Trabzon milletvekili Ali Şükrü Bey'in öcünü almak istiyordu. Alınan diğer duyumlara göre, Gazi'nin öldürülmesine karar veren kişinin bir tek bu genç adam olmadığı ortaya çıktı. Bir zamanlar Mustafa Kemal'in en yakın dostlarından biri olan "İkizi" Arif Adana'da onunla işbirliği halindeydi. Yurt dışında da uzun zaman bilmece niteliğini koruyan ve onu böyle bir girişime iten dürtü ise, Çankaya'ya yakın çevrelere dahil olamamaktan dolayı yaşadığı düşkırıklığı ve kendisine söz verildiği halde generallik rütbesine terfi edilmemesinin sonucunda kırılan asker gururuydu. Bu komplonun ardından üçüncü bir ismin daha saklı olduğu ortaya çıktı, sözkonusu kişi Şükrü Bey isimli bir İzmir milletvekiliydi. Şükrü Bey, I. Dünya Savaşı sırasında "İttihat ve Terakki Cemiyeti" üyesi olarak Jöntürk hükümetinde eğitim bakanlığı yapmış ve anti-cumhuriyetçi görüşlerine rağmen 1923 yılında kurulan "Halk Partisi"ne girmişti. Onun nedeni de politikti.

Kürt isyanı ve "Terakkiperver Fırkası"nın muhalefet hareketinden sonra Mustafa Kemal'in içinde gitgide artan güvensizlik duygusu onun, suikastçinin ve olayın ardındaki adamların cezalandırılması konusunda her zaman sahip olduğu düşünce berraklığından ve gerçekçiliğinden uzaklaşmasına yol açtı. Üç haini ve yardakçılarını tutuklattırmakla kalmadı, aynı zamanda diğer karşıtlarından da kurtulmak için bu fırsattan istifade ederek, onları kendisi için hazırlanan komployu önceden bilmekle suçladı ve bunu halka da ilan etti. Mustafa Kemal'in kariyerindeki en karanlık nokta olan bu "temizleme harekâtı" için en uygun yöntem, Kürt isyanının bastırılmasına karşın hâlâ etkinliğini sürdürerek halk arasında bir hayli huzursuzluk yaratan "İstiklal Mahkemesi" idi. Bu "Özel Mahkeme"nin başkanlığını, toplum arasında kendisine gizlice "Cellat" ismi takılmış olan Ali Bey (Çetinkaya) yapıyordu ve üyelerden biri de "sofra sohbetleri"nin ünlü müdavimlerinden Kılıç Ali Bey'di.

Ali Çetinkaya 27 Haziran 1926'da İzmir'de suikastçilere karşı dava açtı. İzleyiciler bölümünde oturan basın temsilcilerinin şaşkınlık dolu bakışları altında, yalnızca suikast düzenleyen kişileri değil, "İttihat ve Terakki Cemiyeti"nin eski üyeleri ile "Terakkiperver Fırkası"nın şimdiki üyelerini de vatan hainliği ile suçladı. Ulusal Kurtuluş Hareketine omuz vermiş, toplumun büyük saygısını kazanmış Kazım Karabekir, Refet Bele ve Ali Fuad Cebesoy davalı olarak duruşma salonuna getirildiklerinde, izleyiciler saygılarını belirtmek için toplu halde ayağa kalktılar ve ertesi günden itibaren gazeteler bu ulusal kahramanlara layık görülen inanılmaz aşağılamayı tüm boyutları ile yazmaya giriştiler. Mustafa Kemal kamuoyunun fikirleri ile oluşturduğu baskıya boyun eğdi ve yalnızca Devlet Başkanından direktif alan İstiklal Mahkemesi, bu üç ünlü askerin suçsuz olduğunu ilan etti. Ali Fuad Bey 1967 yılında yayınlanan anılarında, Mustafa Kemal'in kendisini 1927 yılında yeniden "sofra sohbetleri"ne davet ettiğini, Kazım ve Refet Paşa'ları yalnızca onun yüzü suyu hürmetine affettiği açıklamasında bulunduğunu yazar.

Tıpkı 1918 yılından önce Jöntürklerin kendisine iktidar yolunu tıkadıkları gibi, Cumhuriyeti ve demokratikleşme sürecini yalnızca muhaliflerini susturarak koruyabileceği saplantısında olan Mustafa Kemal, diğer suçluları affetme girişiminde bulunmadı. İzmir'de on üç ölüm kararı alındı ve uygulandı. Arif Adana'nın (*) infaz kararı verilirken Mustafa Kemal en ufak bir tereddüt bile geçirmedi, yalnızca bir an için elinden sigarasını bıraktı ve kararın altına imzasını attı.

İstiklal Mahkemesi 1 Ağustos 1926 tarihinde Ankara'da da kuruldu ve dört hafta süre ile çalışarak, aralarında Enver Paşa'nın savaş kabinesinde Maliye Bakanlığı yapmış olan, pek çok Avrupa hükümetinin affedilmesi için başvurduğu ama Çankaya'nın hiç oralı olmadığı, dahice bir zekâya sahip Cavit Bey'in de bulunduğu üç kişi için daha idam hükmü verdi. Haklarında on iki yıl süre ile Türkiye'den uzaklaştırma yani sürgün kararı alınan kişilerin arasında ise Hüseyin Rauf, Adnan Adıvar ve eşi Halide Edip de vardı. İkinci çalışma sürecinden sonra İstiklal Mahkemesi'nin faaliyetlerine son verildi. "Kel" Ali'nin karşı çıkmasına rağmen, İsmet İnönü'nün yoğun ısrarları neticesinde 7 Mart 1927 tarihinde bu özel mahkeme kurumu resmen lağvedildi. Ulusal devrimlerin "korku istibdatı" böylece son bulmuş oluyordu. Muhalefetin devre dışı bırakılması ile, etkisi bugüne değin süren Atatürk'ün kişiliğine tapınma olgusu için gerekli olan şartların hepsi sağladığından Gazi'nin şerefine yurt çapında anıtlar dikilmeye başlandı. 1926 yılında

---

(*) Ayıcı Arif: Cephede, yanında ufak bir ayı yavrusu gezdirdiği için Ayıcı lâkabıyla tanınan Adanalı asker Arif.

Konya'da ve 1927 yılında Ankara'da iki, İstanbul Taksim meydanında bir tane Atatürk anıtı açıldı.

Otoritesini bundan böyle hiçbir şeyin zedelemeyeceğinden ve ulusunun kendisine olan bağlılığından artık emin olan Mustafa Kemal 1 Temmuz 1927 tarihinde, sekiz yıl önce bilinmeyen bir geleceğe doğru terkettiği ve Latife Hanım ile çıktığı yurt gezisi sırasında orada yoğunlaşmış olan muhaliflerinin karşı gösterilerinden çekindiği için adım atmadığı, saltanatın başşehri İstanbul'a doğru yola çıktı. Yakın dostları Nuri Conker, Kılıç Ali, Salih Bozok, bazı manevi kızları ve daha 1919 yılında kendisini Bandırma vapurunda tedavi etmiş olan özel doktoru Refik Saydam'ın eşliğinde İstanbul'a geldiğinde, öylesine büyük bir insan dalgası tarafından kucaklandı ki, gazetelerden biri insanları biraz olsun akılcı düşünmeye yönlendirmek çabasıyla şöyle yazmak zorunda kaldı: "Gazi de herkes gibi bir insandır. Böyle bir şahsiyetin tarih sahnesine çıkması çok ender görülse bile o, ne bir peygamberdir, ne de insanüstü bir varlık." Gazi'nin İstanbul'a girişi bile aslında etki gücü çok yoğun, akıllardan kolay silinmeyecek bir sahne ile gerçekleşmişti: Paşa ve maiyeti, Ankara'dan trenle geldikleri İzmit'te, bir zamanlar padişahlara ait olan "Ertuğrul" yatına geçmişler ve İstanbul'a yatla giriş yapmışlardı. "Ertuğrul" uzunca bir süre İstanbul Boğazının iki yakası arasında zikzaklar çizerek gelip gitmiş Paşa kıyıda biriken halkın sevgi gösterilerini el sallayarak kabul ettikten sonra yat Dolmabahçe Sarayının karşısına demirlemişti.

Mustafa Kemal, 1853 yılında yapılan ve inanılmaz bir görkeme sahip Dolmabahçe Sarayının devasa kabul salonunda İstanbul'un Belediye Başkanı ve diğer şeref konuklarının karşısında bir konuşma yaptı. Ne iki yüzden fazla odayı tıklım tıklım doldurmuş olan hazineler, ne de padişahlara ait anılardan herhangi bir rahatsızlık duymayan Mustafa Kemal İstanbul'a geldiği zamanlar orada kalmaya karar verdi ve bu kararını o günü izleyen sekiz yıl boyunca yaz aylarında ve hastalık döneminin hemen hemen tamamında uyguladı. "Milletin konuğu olan bir birey olarak burada oturacağım" dedi. Çok ağır ve kalın perdelerin kaldırılmasının ve şahsına ait bazı ufak tefek eşyaların ki aralarında Kurtuluş Savaşına ait pek çok anı eşyasını da bulundurmaktadır, buraya getirilmesinin dışında sarayın, Versay ile Palais Garnier (Paris'teki eski opera sarayı) karışımı ambiansını değiştirecek hiçbir uygulama yapılmadı.

Saray'da geçirilen ikinci gece, halkın Devlet Başkanlarına ve Kurtuluş Savaşının Kahramanına Boğazın suları üstünden görkemli bir sevgi gösterisinde bulunmalarına sahne oldu. Yeniden örgütlenmiş olan Deniz Kuvvetlerine ait gemilerin yanısıra içleri tıklım tıklım insan dolu sayısız irili ufaklı tekne, ellerindeki bayrakları sallayarak Gazi'lerine bağlılıklarını ve sevgilerini belirttiler. İslami yaşam tarzına göre bu saatlerde pek dışarda olmamaları gereken kadınlar bile bu muazzam fener alayına katılmışlardı. Gazi'ye, kendilerini peçe takmaktan kurtardığı, sahip oldukları hakların çerçevesini genişleterek, onları daha güçlü kıldığı ve erkeklerle eşit düzeye getirdiği için teşekkürlerini sundular. Rengârenk ışıklarla donatılmış sarayın önünden geçen teknelerden birindeki bir grup öğrenci ise Paşa'nın en sevdiği marşı hep bir ağızdan tüm yürekleri ile söylediler: "Dağ başını duman almış, gümüş dere durmaz akar..."

Mustafa Kemal İstanbul'da geçirdiği her biri başlı başına bir şölen sayılan o günlerde, kendisini merkez noktası alarak, 1919'un Mayıs ayında başlayan ulusal direniş hareketinin, 1922 yılına dek süren Kurtuluş Savaşının ve daha sonra da genç Cumhuriyetin maruz kaldığı tehlikeleri ve her daim önüne sürülen engelleri anlatan bir söylevin hazırlıklarını yapmaya başladı. Bunların da dışında bu söylevin diğer bir amacı da halka, almak zorunda kaldığı bazı sert önlemleri -İzmir ve Ankara davaları da dahil olmak üzere- bir müdafaname şeklinde sunmaktı ve bu girişimi milletin güvenliği ve milli hakimiyetin sürekliliği için en geçerli çare olarak görüyordu. Ankara'ya geri döndükten sonra kendisini bu çalışmalara öylesine yoğun bir şekilde adadı ki, idam edilmiş olan muhaliflerinin şikâyetçi ruhlarına karşı kendisini bir an önce savunmak ister gibiydi sanki. Rakıyı bıraktı ama buna karşın günde en az kırk, elli fincan kahve ile birlikte hemen hiç aralık vermeden, sabahın erken saatlerine dek sigara içmeye başladı. 15 Ekim 1927 tarihinde "Cumhuriyet Halk Partisi" üyelerinin önünde- Büyük Millet Meclisi'nde değil çünkü, duymak istemediği bazı laflardan kaçınmaya çalışıyor olabilirdi- okumaya başladığı "Büyük Söylev"in ilk cümlesi "Beyler! 1919 senesi Mayıs'ının 19. günü Samsun'a çıktım" diye başlıyor ve Türk gençliğini, Türk istiklalini ve Türk Cumhuriyet'ini ilelebet korumak ve savunmakla vazifelendirerek bitiyordu. Atatürk'ün "Büyük Söylev"ini okuması 20 Ekim'e kadar sürmüş, toplam otuz altı okuma saati tutmuştur.

Mustafa Kemal, geçmişinin hesabını vermenin ve şu anda gerekli yaptırım gücüne sahip olmanın yarattığı rahatlıkla -üçüncü milletvekilleri ve Cumhurbaşkanlığı seçimleri yeniden yapılmıştı- devrim programını uygulamaya kaldığı yerden devam etti. Şapka ve kılık kıyafet devrimi ile dini eğitim ve hukuk sisteminin değiştirilmesinden sonra Gazi, İslam toplumunun alışık olduğu belli yaşam tarzının derinliklerine girdi. Atılan bu adımlar son derece gözüpek girişimlerdi çünkü inançlar ve gelenekler sözkonusuydu: 1928 yılı sürerken Arap alfabesinin yerine Latin alfabesi kullanılmaya başlandı ve Türkçeyi, Farsça ve Arapça sözcüklerden arındırmak üzere bir Dil Kurumu oluşturuldu. Her iki devrim de 19. yüzyılda ve Jöntürklerin iktidarı zamanında gösterilen çabalara benziyordu ama, o zamanlar hiç kimse yeteri kadar kararlı ve ısrarlı olamadığı için köklü değişiklikler sağlanamamıştı. Çünkü medreselerde eğitim veren din hocaları halka bunları "dinsizlik" -Arapça, Peygamber'in ve Kur'an'ın mukaddes dilidir- olarak göstermişlerdi. Mustafa Kemal'in eğitim alanında yaptığı bu değişiklik gerçi o günlerde okuma yazma bilen halkın yalnızca yüzde yirmisini etkilemişti ama, bir anlamda da insanların kendi edebiyatına ve tarihi dokümanlarına yabancılaşmasına da yol açmış ve bunlar daha ilerki zamanlarda ancak Türkçeye çevirildiklerinde geniş kesimler tarafından okunabilir hale gelmişlerdi. Mustafa Kemal'in "Büyük Söylev"inin de daha genç kuşaklar tarafından anlaşılabilmesi için, kullanılan günlük Türkçeye göre yeniden yazılması gerekmişti. 12 Temmuz 1932 tarihinde kurulan "Türk Dil Kurumu", Türkçeyi, milliyetçi duyguların etkisi altında kalarak "arılaştırma"nın yanısıra Farsça ve Arapça konuşan ülkelerden örnek alınarak geliştirilmiş saray geleneklerini unutturmak ya da birtakım değişikliklerle güncellik kazandırmak alanında tek otoriteydi.

Batı tarzında ölçüm sistemi ve miladi takvimle aynı zamanda kabul edilen Latin alfabesinin sağladığı en büyük yarar, Arapça alfabesine göre çok daha kolay öğrenilebilir olması ve daha çok sesli harfler üstüne kurulmuş olan Türkçenin daha geniş kesimler tarafından konuşularak, yeniden canlandırılmasıydı. Yeni alfabe için yapılan hazırlık birkaç ay sürdü ve bu sıralarda Mustafa Kemal bazı seslere tamamlayıcı işaretler eklenmesi için araştırmalar yaparken Ankara'da yaşayan ve bir Türkle evli olan Alman öğretmen Leyla Erkönen (Zernott)'den sık sık yardım istedi. Nasıl Kastamonu'da şapka devrimini şahsen tanıttıysa, bu kez de Latin alfabesini İstanbul'da yine şahsen tanıtma yolunu seçti. Topkapı Sarayı bahçesinin, Marmara Denizine doğru uzanan ucunda, 9 Ağustos 1928 tarihinde, Latin harfleri ile yazılmış bir konuşma metnini gazeteci Falih Rıfkı Atay'a okutarak, Avrupa kökenli bu harfleri okuyabilen Türklerin de olduğunu göstermek istedi. Çok ses getiren harf devrimini halka tanıtma toplantısını ise yine kendine özgü, çarpıcı bir tavırla bitirdi. Ayağa kalktı, devletin birinci adamı olarak elindeki rakı kadehini çevresinde toplanmış kişilerin şerefine kaldırdı ve şöyle dedi: "Geçmişte, ikiyüzlüler bunun yüzlerce kat fazlasını kapalı kapılar ardında içtiler. Ben riyakâr değilim. Ve milletimin şerefine içiyorum."

Hükümetin de emriyle tüm ulus, "Türk vatandaşı olan her erkeğin ve her kadının öğrenci" ve "Ekselansları, Cumhurbaşkanı Gazi Mustafa Kemal'in eğitimci" olduğu kocaman bir okula dönüştü. Yaşı ilerlemiş kimselere bir hayli zor gelen yeni alfabenin yaygınlaştırılması için yalnızca mebuslar değil, Mustafa Kemal de büyük çaba gösteriyordu. Bu amaçla yurt gezisine çıktı, parklarda, bahçelerde ve hatta Dolmabahçe Sarayının büyük kabul salonunda kara tahtalar hazırlatıp, herkese tek tek harfleri tanıttı ve hatta izleyenleri -aralarında gayrimüslim din adamlarına da sık sık rastlanıyordu- öğrendiklerini tahta başında kanıtlamaya davet etti. Latin alfabesi 1 Ocak 1929 tarihinden itibaren resmen kabul edildi.

1928 ile 1929 yılları arasında dünya çapında ekonomik bir gerileme yaşanırken, Türkiye ayrıca bir de Osmanlı borçlarının yükünü omuzlamış olarak, genel bir durgunluğun hakim olduğu bu ortamda devletçilikle kapitalizm arasında dengelemeye çalıştığı ekonomik bir sistemi oturtmak için uğraş veriyordu. Bugüne değin kesin bir çözüme ulaşamamış olan ana sorunlardan biri de orta ve yüksek eğitimde yapılan reformlara karşın uzmanlık alanında yaşanan eksiklik ve buna bağımlı olarak efektif bir altyapı yetersizliğiydi. "Türkiye'nin mali durumu" hakkında Alman bir diplomatın hazırladığı 4 Nisan 1930 tarihli bir rapordan, o günlere ait bazı şeyler öğrenebiliriz: "Türkiye'nin ihracatı, ekonomik ve özellikle tarımsal alandaki yardım yetersizliğinden her yıl biraz daha gerilemektedir, diğer yandan ise devletin üretime yönelik olmayan askeri amaçlı giderleri her yıl biraz daha artmaktadır. Ve üçüncüsü Türk hükümeti örneğin demiryolları gibi bazı tesislerini borçlanma yerine kısa dönemli krediler kullanarak inşa etme yolunu seçmiştir... Türkiye'nin içinde bulunduğu mali kriz kaygı verici bir noktaya gelmiş olmakla beraber, yine de yararlı sayılabilir, hatta tam anlamı ile yararlı olduğunu dahi söyleyebilirim çünkü kazandıkları politik ve askeri başarının sarhoşluğunu yaşayan Türkleri, milliyetçilik coşkusundan, katı gerçeklerin sert zeminine geri getirebilecek bir oluşumdur." Ne Mustafa Kemal, ne de Başbakan İsmet Bey ekonomiden fazla anlamadıkları için, bu konuyu Mahmut Celal'e emanet ettiler -Celal Bayar 1950 yılında Türkiye'nin üçüncü Cumhurbaşkanı seçildi- ama o da bu alanda sahip olduğu yoğun bilgi birikimine karşın beklenen mucizeyi yaratamadı. Halbuki Gazi, zamanında Celal Bey'in gururunu okşayarak şöyle bir iddiada bulunmuştu: "Ben ona bir torba altın verdim, o bundan bir banka kurdu."

Ekonomik alanda yaşanan göz korkutucu zorluklarla birlikte Anadolu'da çetecilik yeniden canlandı ve Sünni Müslümanlar Ankara'da iş başında olanların yüzleri maskeli şeytanlar olduğunu ileri sürmeye başladılar. Bunun yanısıra Avrupa'dan, bu zayıflığa tek partili rejimin neden olduğu, hatta Türkiye'de diktatörlük kurulduğu yolunda sesler yükselmeye başlayınca, Mustafa Kemal muhalefet partisinin sıcak demirini tutmayı yeniden göze alarak, İngiliz parlamentosunu yakından tanıyan Ali Fethi(Okyar)'yi ikinci bir parti organize etmekle görevlendirdi. Böyle bir partinin ekonomik sorunlar ve devrimlerin yerleşmesi konularında kendisine yardımcı olacağını umuyordu. Ali Fethi' yi desteklediğini topluma da göstermek amacıyla kızkardeşi Makbule

Hanım'ın "Serbest Fırka"nın kurucu üyesi olmasını istedi ve bir "sofra sohbeti"nin samimi havası içindeyken, Nuri Conker'e parti genel sekreterliğini üstlenmesi yolunda telkinde bulundu.

İnce elenip, sık dokunarak kurulan ve 30 Ağustos 1930 tarihinde faaliyete geçen, Mustafa Kemal'in bir satranç oyuncusu gibi iki partiyi de yönettiği bu organizasyon, "Terakkiperver Fırkası"nı tarihe gömen nedenlerin aynısı yüzünden gelişemedi. Ali Fethi Bey ilk seçim kampanyası için İzmir'e geldiğinde, on binlerce insan tarafından büyük bir coşku ile karşılandı. Kampanya boyunca diğer yerlerde de aynı durum yaşanınca, anlaşıldı ki bu yeni parti ile yakından ilgilenenlerin büyük çoğunluğunu, reformların hızlı temposunu ya da Gazi'nin tek sesli iktidar stilini beğenmeyenler değil, hilafetin ve İslam hukukunun yeniden geri gelmesini arzulayanlar oluşturmaktadır. Çünkü bu kimseler "Serbest Fırka"nın kurucularını ve sözcülerini artık hilafetin yeşil bayrağı ile selamlamaya, fesin ve Arap alfabesinin geri dönmesi yolunda arzularını belirtmeye başlamışlardı. Parlamenter bir fraksiyon olarak daha henüz tam anlamı ile kökleşmemiş olan reform çalışmalarını aksatacak ve hatta sonunda tehlikeye düşürecek olan radikal devrim karşıtlarının yarattığı büyük düşkırıklığı ile, Mustafa Kemal ve Ali Fethi 17 Kasım 1930 tarihinde partiyi lağvederek, böyle bir girişime son verdiler. Türk halkı ancak 1946 yılında Türkiye Cumhuriyeti Anayasasına saygılı bir muhalefet partisini -bugüne değin farklı gruplaşmalar halinde hâlâ varlığını sürdüren "Demokrat Parti" - hayata geçirebilme olgunluğuna erişti.

Ankara ve İzmir mahkemelerinden sonra yeniden eski esnekliğine kavuşmuş olan Mustafa Kemal, kendi kendine biçtiği "Ulusun başöğretmeni" görevinin de verdiği bilinçle "Serbest Fırka"yı desteklemekle kalmadı, aynı zamanda bazı kişisel özeleştirilerde de bulundu. Örneğin manevi kızı Afet İnan'a şöyle demiştir: "Hayatın mutlu, kolay ve hoş bir şekilde sürüp gittiği bir topluma sahip olmayı herkesin istemesi çok doğaldır. Ama güçlüler, zayıfları pek fazla düşünmedikleri için, yasalar olmazsa uyumlu, güvenli, sakin ve düzenli bir hayat sürmek pek mümkün değildir. Yasalar, insanların birbirine yardım etmesini, birbirleri ile savaşacak yerde karşılıklı saygı içinde olmalarını sağlar, barış getirir. Sınırlarının dışına taşacak şekilde, tanınan hakları yalnızca kendi tekelinde bulundurmak yetkisine hiç kimse sahip değildir."

1930 yılının Ekim ayında bir zamanlar Osmanlı payitahtında imparatorluğun en ürkütücü düşmanı olarak kabul edilen Yunanistan Başbakanı Elefterios Venizelos Ankara'ya bir ziyarette bulundu. O ve Mustafa Kemal birbirleriyle öylesine iyi anlaştılar ki, her iki taraf halkına da büyük acılardan başka bir şey vermeyen geçmişe bir sünger çekmeye karar vererek, 30 Ekim tarihinde iki ülkenin dostluğunu pekişti-ren bir antlaşmanın altına imza koydular. Bir yıl sonra da Türkiye Başbakanı İsmet İnönü, Atina'ya iadei ziyarette bulundu.

1930 yılının sonlarına doğru İzmir'in kuzeyindeki Menemen'de anticumhuriyetçi Halife yanlıları, 1925'de Kürt isyanını da destekleyen Nakşibendi tarikatının üyelerinin de körükleşmesiyle ayaklandılar. Polis ile asiler arasında çıkan çatışmada ordunun bir subayının kellesi kesildi ve yeşil hilafet bayrağının dalgalandığı bir sopanın ucuna geçirildi. Sünni Müslüman grubun tekrar başkaldırmasından müthiş etkilenen Mustafa Kemal, yörenin tamamen yerle bir edilip, yeniden yapılandırılması emrini verdi. Onu yumuşatıp, taşkınlığını engelleyen ve daha mutedil davranmaya yönelten kişi her zaman olduğu gibi yine İsmet İnönü'ydü. Gerçekten de ordu harekete geçerek, isyanı bastırdı, elebaşlarını tutukladı ve bu kez adil bir mahkemeden sonra idamına karar verdi. Mustafa Kemal, Venizelos'un ziyaretinin tatmin edici sonuçlarından ve "Serbest Fırka" deneyimini kazasız belasız atlatmaktan ötürü, devrimlerini daha geniş bir sürece yayarak gerçekleştirebileceği fikrine sahip olmuşken, Menemen olayı başka türlü düşünmesine yol açtı. Artık daha fazla zaman yitirilmemeliydi çünkü "Sınırlarının dışına taşacak şekilde, tanınan hakları yalnızca kendi tekelinde bulunduranlara" karşı ülkede yapacak daha çok şey vardı.

İstanbul - Ankara Arasında (1931-1935)

Devrimlerini kabul ettirmekte büyük başarı kazanan Mustafa Kemal -4 Mart 1931 tarihinde üçüncü kez Cumhurbaşkanı seçilmiştiotuzlu yılların başlarından itibaren özel yaşamında gitgide daha hırçın ve asabi olma belirtileri gösteriyordu. Türk ulusunu yalnızca kendi idealleri yönünde değiştiremeyeceğinin farkında olmasının yanısıra, ev yaşamında arzuladığı özeni kendisine gösterecek kimsenin olmamasından da kaynaklanan bir durumdu bu. Eleştirilere karşı gitgide daha duyarlı tepkiler vermeye başlamış, ulusal kahraman, Devlet Başkanı, dil ve modern yaşam tarzı alanlarında başöğretmen olarak yaptığı yurt gezilerinden kalan bir alışkanlıkla toplum içindeki davranışları da daha hırçınlaşmıştı. Sevimli ve çekici yanlarını yalnızca üstünde hâlâ etkili olabilen birkaç yakını, sanatçılar ve kendisine Fikriye'yi anımsatan bazı kadınlar ortaya çıkartabiliyordu. Yaşamının son yıllarında üstüne belirgin bir yorgunluk çöktü, büyük bir olasılıkla devlet adamı kisvesine bürünen bir askerin duyduğu bıkkınlık da olabilirdi bu. Yine de alışkanlıklarını değiştirme yolunu seçmedi ve her zamanki gibi otellere, restoranlara gidip, Çankaya, Dolmabahçe Sarayı ve Bursa yakınlarındaki termal banyoları ile ünlü olan Yalova arasında mekik dokudu.

Ankara ve İstanbul'da geçirdiği günlerin temposu gündüz saatlerinden, gecenin geç saatlerine doğru belirgin bir kayma gösterdi: Öğleden sonra iki ile dört arasında yataktan kalkıyor sırtında sabahlığı ilk kahvesini içiyor, traş olup, banyosunu aldıktan sonra masaj yaptırıyordu. Bir dilim beyaz ekmek ve bir bardak ayrandan oluşan standart kahvaltısını yaptıktan sonra ziyaretçilerini kabul ettiği ya da Devlet Başkanı olarak işlerini gördüğü ve okuduğu çalışma odasına geçiyordu. Arada sırada “Sakarya” isimli atıyla dolaşmaya çıktığı da oluyordu. Yaveri ile akşam konuklarının listesini görüştükten sonra resmi işlerini yapmak üzere şehire gidiyor ya da ormanda yürüyüş yapıyordu. Gece ona doğru, çoğunlukla on ya da on iki kişiden oluşan konukları gelince, Latife Hanım'ın köşke kazandırdığı yeniliklerden biri olan bilardo odasına giderek, onları karşılıyor ve hep birlikte yemek salonuna geçerek, sofraya oturuyorlardı. Leblebi, zeytin, salatalık peynir gibi mezelerin ardından, ızgara et, salata ve sebzeden oluşan sade bir menünün eşliğinde rakı içiliyordu. Selanik ve annesine ilişkin nostaljik anılar, Mustafa Kemal'in aşçısına sık sık peynirli yumurta gibi Makedonya yemekleri yaptırtmasına yol açıyordu.

Sabahın erken saatlerine dek süren bu "sofra sohbetleri" sırasında, Mustafa Kemal'in belli bir konuda uzman bir görüş almak ihtiyacıyla gece yarısı şehire adam yollatıp dilediği kişiyi köşke getirttiği, ona hem evsahipliği yapıp, hem de merakını giderecek sorular sorduğu da oluyordu. Gecenin geç saatlerinde, hem de kendi iradelerinin dışında zoraki misafirlik yapan bu kişilerin arasında ses sanatçıları da vardı. Hatta fazla güzel olmayan bir şarkıcı hanımın şarkılarını perdenin arkasından söylediği bile anlatılırdı. Nazım Hikmet, Dolmabahçe Sarayından gelen bir gece yarısı davetini, kendisinin o sıralarda ünlü olan gece kulübü şarkıcısı "Nixe Eftalia" olmadığı gerekçesiyle geri çevirmişti. Mustafa Kemal'in Nazım Hikmet'in gerekçesine gösterdiği tepki ise "Büyük şair tam beklediğim gibi davrandı" demek olmuştu. (*)

Şehirlerde ve köylerde Kemalist fikirlere sahip, sade halktan kişilerin Batı kültürüne alışmaları için kurulan halkevlerini (bu evler Atatürk'ün ölümünden sonra kapatıldı) teftiş etmekle görevli olan hükümet müşaviri Reşit Galip 1931 yılında, bir sofra sohbeti sırasında Gazi'ye karşı gelmenin pek tavsiye edilecek bir şey olmadığını bizzat öğrendi. O gece, yine orada bulunan tutucu ve artık bir hayli yaşlı olan bir öğretmene karşı tüm "Halkevleri" için bir tiyatro bölümü kurulması projesini savundu. Sonunda, kişisel nedenlerden dolayı bu tartışmada öğretmeni destekleyen Mustafa Kemal'le de zıtlaşmak durumunda kalarak, büyük bir heyecanla ulusu ilgilendiren bir mesele sözkonusu olduğunda hiç kimsenin kendisini bildiğinden döndüremeyeceğini, buna tüm ulusa ait olan Çankaya'daki bu sofranın da dahil olduğunu söyledi. Bunun üzerine Gazi sert bir hareketle peçetesini masanın üstüne fırlattı, ayağa kalktı ve öfkeyle yemek salonunu terketti. Bir ay

---

(*) Nixe Eftelia, bizde "Denizkızı Eftelya" olarak tanınır.

sonra Mustafa Kemal, Reşit Galip'in Halkevleri hakkında yaptığı ateşli bir radyo konuşmasını dinleyince, onu yeniden yemeğe davet ederek, sürgün haline son verdi ve bir iltifat işareti olarak kendisini Milli Eğitim Bakanlığına getirdi.

Otel lobilerinde ya da İstanbul ve Ankara'daki Batılı tarza sahip kulüplerde genellikle Nuri Conker ve Kılıç Ali'nin refakatinde geçirilen gecelerde de zaman zaman bu tip olayların yaşandığı olmuştur. Bir keresinde Mustafa Kemal dans ettiği genç bir kadının fazla makyajlı olmasına öfkelenmişti. Fikriye'nin solgun cildi her zaman tertemiz olurdu. Orkestranın sustuğu anlardan birinde, genç kadını herkesin yanında kullandığı kozmetik maddelerin kökeni ve bileşimi konusunda bir anlamda "sınava çekerek" utandırdı. Bu "sınava çekme" hali onda artık neredeyse bir saplantı olmuş, ulusunun terbiyecisi kimliği ses tonuna ve davranışlara da yansıyarak, herkeste belli bir rahatsızlık uyandırmaya başlamıştı. Bursa'daki bir otelde verilen bir suare sırasında ünlü şarkıcı Münir Nurettin sahnedeyken, Mustafa Kemal de ona eşlik etmeye başladı. Münir bunu yasaklayınca, fena halde alınan Gazi, geceyi planlanandan önce bitirerek, ünlü sanatçı ile hesaplaştı. Bir süre sonra iki erkek tesadüfen tekrar biraraya geldiler. O geceki yenilgisini unutmayan Mustafa Kemal, sanatçıdan diğer konukların önünde başının üstüne bir rakı kadehi koymasını istedi ve bir tabanca ile bardağın üstünden karşı duvara ateş etti. Olayın ardından Münir Nurettin hiç istifini bozmayarak, bardağı aldı, içindekini bir yudumda içti ve Gazi'nin önünde eğildi. Otoritesini yeniden sağlamanın verdiği rahatlıkla Mustafa Kemal, Münir Nurettin'e döndü ve şöyle dedi: "Cesaretinizin de tıpkı sesiniz gibi güçlü olduğunu kanıtladınız."

Doğulu bir ülkeye ilk kez demokrasi yolunu açan devrimlerin ve zıtlaşma yerine karşılıklı anlaşma bazında yürütülen dış politikanın sayesinde Türkiye, yirmili yılların sonlarına doğru uluslararası alanda gitgide daha fazla saygınlık kazanmaya başlamıştı. 1928 yılında devleti ilk kez ziyaret eden Afganistan Kralı Amanullah'ı, 1930 yılında başbakan Venizelos, 1931 yılında Japon İmparatorluğu Prensi Takamatsu ve 1932 yılında Irak Kralı Faysal izlediler. Amerika Birleşik Devletleri'nde General Douglas MacArthur ise 27 Eylül 1932 yılında genelkurmay başkanı olarak Ankara'ya geldi. Amerikalı generalle yaptığı ve tutanaklarının 1951 yılında yayınlandığı uzun konuşma sırasında

Mustafa Kemal, Avrupa'nın yakın geleceğine ilişkin, o zaman için olasılıktan uzak görünen ama genel bir barış için pek umutlu olmadığını belirten görüşlerini dile getirdi.

Diplomasi gereği çift anlamlı konuşma tarzına hiç iltifat etmeden söylediklerinin arasında şunlar da vardır: "Versay Antlaşması, I. Dünya Savaşına yol açan nedenlerden hiçbirini bertaraf edebilmiş değildir. Tam tersine, rakiplerin arasındaki uçurum düne göre daha da derinleşmiştir. Galip güçler düşmanlık duygularının batağında, üstünlük sağladıkları ülkelerin etnik, coğrafi ya da ekonomik özelliklerini hiç dikkate almadan kendi uygun gördükleri barış şartlarını dikte ettirmişlerdir. Bu nedenle, bugün sahip olduğumuz barış ortamını bir Ateşkes Antlaşması olarak nitelememiz daha uygun olur. Siz, Amerikalı Centilmenler, Avrupa'nın meselelerine karışmaktan vazgeçseydiniz ve Wilson'un programını gerçekleştirseydiniz, bugün hepimiz sürekli bir barışa sahip olabilirdik. Kanımca Avrupa'nın geleceği dün olduğu gibi bugün de Almanya'nın durumuna bağlıdır." Gazi konuşmasının sonunda "aşırı dinamik" diye nitelediği yetmiş milyon Almanın, 1940 ile 1945 yılları arasında İngiltere ve Rusya'nın dışında, tüm Avrupa'yı fethetmek için ordu kurma aşamasında oldukları yolunda bir düşünceye sahip olduğunu söyledi. 1932 yılında iktidarda olan Mussolini içinse, kendisini Sezar zannettiğini, bu nedenle İtalya'nın Avrupa barışına katkıda bulunmasının asla sözkonusu olmayacağını söyledi. (*) Türkiye 12 Ağustos 1932 tarihinde Milletler Cemiyeti'ne girdi.

1933 yılının en önemli devlet konukları Yugoslavya'dan Kral Alexander ile eski Fransız Başbakanı Edouard Herriot'tur. Bir doğu hayranı olan Herriot, Ankara'da geçirdiği günler hakkında şunları yazmıştır: "Gazi, modern bir devlet adamına yakışan tüm davranış kurallarını ve zarafetini benliğinde toplamış. Bir zamanların askeri, her bakımdan mükemmel bir sivil Başkana dönüşmüş. Her şeyden önce dikkat çeken en önemli özelliği, dimdik ileriye bakan pırıl pırıl gözleri ve çelik birer çivi gibi insanın içine işleyen bakışları. Güçlü burnunun altındaki ince dudakları bir an için sahip olduğu otoritenin gücünü gösterircesine kasılıyor ama hemen sonra keyifli hatta çocukça bir gülümseme ile yeniden gevşiyor. Konuşmasını hareketli ama asla yapmacık olmayan jestlerle süslüyor. Onun gibi bir erkeğin sahip olması gereken sertliğe

(*) Mustafa Kemal'in böyle bir beyanat verip vermediği hususu oldukça tartışmalıdır.

sahip ve bu sertliğini yitirmesi de pek sözkonusu değil. Bu nedenle en büyük kişilik zayıflıklarından biri olan riyakârlığa hiç eğilimi yok." Ve başka bir yerde: "Karşısına dikilmiş pek çok engele karşın layık olduğu geleceğe ulaştırmak için uğruna savaştığı ve acı çektiği halkı ile bu denli bütünleşmiş Gazi gibi bir erkeğin tarihte örnekleri çok azdır. Birkaç yıl gibi kısa bir süre içinde muazzam bir reform çalışmasını tamamlamayı başarmış bir kimsedir o. Türk devrimi, lojistik bir planın devamı olma özelliğini taşımaktadır." Mustafa Kemal Cumhuriyetin ilanının onuncu yılı olan 29 Ekim 1933 tarihinde bir konuşma yaparak halkına, bugüne değin elde ettiklerinden dolayı sınırsız bir özgüven ve itimat duymaya hak kazandıklarını söyledi ve düşüncelerini bugün dahi halkın ağzından düşmeyen şu cümle ile formüle etti: "Ne Mutlu Türk'üm diyene."

1934 yılının başlarında Türk hükümeti ilk beş yıllık endüstriyel kalkınma planını hazırladı, bunu 1938'de uygulamaya konulan ikincisi izledi. Her iki planda da otuzlu yılların başlarında Sovyetler'in aldığı hedefler örnek teşkil ediyordu: Devlet sermayesi, devlet tarafından yapılan girişimler ve kontrollarla endüstrinin, tarımın önüne geçirilerek geliştirilmesi. Ülkedeki yaşam standardının düşük olması sonucunda. Sovyetler'in aksine, ağırlık sermaye ve üretim mallarına (örneğin ağır makineler) değil, yerli tüketim mallarına ve devlet parasının mümkün olduğunca çok dağılımını sağlayan kredi bankalarının kurulmasına verilmişti.

1934 yılının diğer önemli olayları ise Yunanistan, Romanya ve Yugoslavya ile imzalanan Balkan Paktı ve soyadı kanununun çıkartılması -Türkiye Büyük Millet Meclisi başka hiç kimseye aktarılmamak üzere, yalnızca Gazi'ye özel olmak kaydıyla ona Atatürk soyadını verdi- ve buna bağlı olarak Osmanlı döneminden kalma tüm unvanların geçersiz kılınması, kadınlara milletvekili seçme ve seçilme hakkını tanıyan yasadır. Mustafa Kemal daha yıl 1923'ken şöyle demişti: "Savunmamızın temelini kadınlarımız oluşturmuştur. Kadınlar ve erkekler sosyal hayatta da birlikte olmalı ve karşılıklı birbirlerine yardım etmelidir."

Doğuda olduğu gibi Batıda da iyi komşuluklar kurmak çabasıyla-1920 ve 1921 yıllarında Sovyetler Birliği ile imzalanan antlaşmalar kuzey bölgeleri için yeterli bir güvenceydi- Mustafa Kemal ve hükümeti İran Hükümdarı Rıza Han'ın ziyaretine büyük bir özenle hazırlandılar. Rıza Han, tıpkı Mustafa Kemal gibi orta sınıftan geliyordu ve yine tıpkı ona benzer şekilde İran ordusunun tümen komutanlarından biriyken bir hükümet darbesinden sonra Başbakan olmuş (1923) ve ardından eski Kaçar (Qajar) Hanedanlığını devirerek, Pehlevi Hanedanlığının tahta geçmesini sağlamıştı. Rıza Han, İran Şah'ı olarak ülkesinin Batı Avrupa modelinde değişmesini gerçekleştirmiş, bu görevi 1941 yılında oğlu Muhammed Rıza Pehlevi üstlenmiş ve 1979 yılında Humeyni'nin liderliğindeki İslami kökten-dinciler tarafından tahtından indirilene dek İran'a hükmetmişti. Dini inançları İslam olan ve endüstriyel açıdan geri kalmış bir ülkenin modernleştirilmesi sorunu 1934 yılında hem Türkler, hem de İranlılar için geçerliydi. Yalnız, Atatürk'ün büyük bir başarı ile uyguladığı devrimler Türkiye'nin diğer ülkeler için iyi bir örnek oluşturmasını sağlıyordu.

Rıza Şah, Trabzon limanında karşılandıktan sonra, I. Dünya Savaşından kalma, eski Alman zırhlısı "Yavuz" ile Karadeniz kıyısında ilerleyerek, kendisi için muazzam bir karşılama töreninin yapılacağı Samsun'a geldi. Ankara'daki ilk karşılaşmalarında Mustafa Kemal, Rıza Şah'ı kucakladı ve ona "Kardeşim" diye hitap etti. İki haftalık ziyaret programının kapsamında ekonomik model teşkil eden işletmelerin gezilmesi, modern Türk toplumunun temsilcileri ile yapılan görüşmeler de vardı. Rıza Şah, Anadolu'yu gezerken Mustafa Kemal Ankara'da kaldı ve özellikle Batılı anlamda bir kültür gösterisinin hazırlıkları ile ilgilendi: Sofya'daki askeri ataşelik günlerinde, Bulgar Çarının da katıldığı bir opera galasını nasıl hayranlıkla izlediğini anımsayarak, Şah'ı da buna benzer bir şölenle etkilemek istedi. Kendi fikirleri doğrultusunda yazar Münir Hayri Egeli'ye bir libretto kaleme aldırttı ve genç kompozitör Ahmet Adnan Saygun'dan ilk Türk operası "Özsoy" için müzik yazmasını istedi. Bu opera ilk kez Ankara'daki Halkevinde -bugünkü opera binası 1944 yılında Paul Bonatz tarafından restore edilmiş eski sergi sarayıdır- 19 Haziran 1934 tarihinde oynandı.

Başrolde ünlü bir aktrist, şarkıcı ve ressam olan Semiha Berksoy vardı. Asil ve Avrupa kültürüne yatkın bir Osmanlı ailesinin kızı olan

Semiha Hanım- annesi, İslami eğilimlerin büyük çapta geçerli olduğu Türkiye'nin ilk kadın ressamlarından biridir- bağımsız, modern bir kadın ve sanatçı olarak kendisini geliştirmiş, ülkesindeki kadın hareketleri ve Atatürk devrimleri için tam anlamı ile mükemmel bir örnek olmuştur. Semiha Berksoy ressam ve heykeltraş olmak için Güzel Sanatlar Akademisinde aldığı eğitimi tamamladıktan sonra ünlü aktör ve rejisör Muhsin Ertuğrul'un yanında aktristliği öğrenmiş ve Müzik Konservatuarını bitirerek şarkıcı olmuştu. Kariyerine 1931 yılında, Paris'de ilk sesli Türk filmi olan "İstanbul Sokakları"nda başrolü oynayarak başladı. Daha sonra İstanbul tiyatrolarında Schiller'in "Hile ve Aşk", Nazım Hikmet'in "Kafatası" ve Gerhart Hauptmann'in "Güneş Batımından Önce", isimli piyeslerinde sahneye çıkarak devam etti.

1934 Haziran'ının başlarında "Tarihin mantosuna sarınmış" olan Semiha Hanım'a Atatürk'ün emri iletilerek, Şah'ın karşısında ilk Türk operasında rol alacağı söylendi. Bu emir üzerine Ankara'ya geldi ve Halkevinin sahnesinde, Özsoy operasının provalarını izlemekte olan Gazi'nin karşısına çıktı. Prömiyerden sonra Semiha Hanım ve diğer sanatçılar Çankaya'nın konuğu oldular. Ünlü Diva, evsahibinin arzusu üzerine Puccini'nin ünlü operası "Madame Butterfly"dan bir arya söyledi. Mustafa Kemal her zaman sahip olduğu o çekici ama biraz da ürkek tavrı ile, tıpkı Sofya'da Miti'nin ya da Pera'dan Corinne'in salonlarında olduğu gibi, genç şarkıcıya iltifat ederek, ona kendi elleri ile servis yaptığı limonatayı sundu. Birkaç gün sonra Semiha Berksoy'a Avrupa'daki ünlü müzik akademilerinden birine Gazi tarafından burslu olarak gönderileceği haberi ulaştı.

Mustafa Kemal'in Avrupa müzik kültürüne ne denli önem verdiğini Sadi Irmak'la -1974-75 yılları arasında başbakanlık yapmıştır- "sofra sohbetleri"nden birinde yaptığı konuşmadan anlıyoruz: "Bir akşam Atatürk bize şu soruyu sordu: 'Hangi devrim en zoruydu?' Çetrefil bir soru. Sıra bana geldiğinde, eski İslam devletinin çağdaşlaştırılmasını en zor mesele olarak gördüğümü söyledim. Gazi aldığı hiçbir yanıttan memnun kalmamış olmalı ki, bir süre sonra müzik devrimini kabul ettirmenin kolay olmadığını çünkü bunun, iç yaşamın yeniden şekillendirilmesi anlamını taşıdığını söyledi. Ardından kısık bir sesle ekledi: 'Çok zordu! Ama yaptık!"

Mustafa Kemal sanat ve bilim alanlarında yeniden yapılanma kararını otuzlu yılların başında almıştı. 1932 yılı boyunca uygulanan üniversite devriminin çerçevesinde en az doçentlik kariyerine sahip Alman ve Avusturyalı bilim ve sanat adamlarını sözleşmeli olarak ülkeye getirtti, bu grubun arasında politik ya da ırkçılık gibi nedenlerle ülkelerinden kaçanlar da vardı. 1933 yılından beri merkezi Avrupa'da gitgide tırmanan gerilime karşın, mültecilere politik maksatlı sınırdışı harekâtının uygulanmadığı Türkiye'de, "Halkevleri"nin gönüllü savunucusu Reşit Galip Bey'in gözetimi altında bazı ünlüler de kendilerine cazip gelen çalışma alanları buldular: Bunların arasında Paul Hindemith'in (1935 ile 1937 yılları arasında birkaç kez Türkiye'ye gelip kalmıştır) fikirlerine göre yaptırılan Ankara Konservatuarına gelen müzik pedagogu Eduard Zuckmayer'i (Drama yazarı Carl Zuckmayer' in kardeşi) ve enstrüman öğretmeni orkestra şefi Ernst Praetorius'u sayabiliriz; aynı şekilde mimar Clemens Holzmeister (aktrist Judith Holzmeister'in babası) ve Bruno Taut da hükümetin emrinde ve İstanbul' daki Teknik Üniversitede öğrenim görevlileri olarak çalışmışlardır. Daha sonra Berlin Belediye Başkanı olan Ernst Reuter ise doçent olarak Ankara'nın şehir planlamasını yapmış ve Carl Ebert rejisör olarak Ankara Operasının şefliğini üstlenmiştir.

Semiha Berksoy 1936 yılında Carl Ebert'in gözetimindeki Ankara Devlet Operasına giriş sınavını büyük bir başarıyla verince Berlin Yüksek Müzik Okulunda öğrenimine devam etmesi için burs kazanmıştır. 3 Şubat 1937 tarihinde Dışişleri Joachim von Ribbentrop'un huzurunda, Türk elçiliğinde çok başarılı bir şarkı gecesi sunmuş, Berlin Senfoni Orkestrasının eşliğinde radyo kayıtları yapmış ve 24 Haziran 1939 tarihinde Richard Strauss'un 75. yaşgünü nedeni ile Avrupa'daki ilk Türk opera sanatçısı olarak "Ariadne auf Naxos"da başrolü oynamıştır. 1942 yılında Carmen'de oynaması için Berlin ve Dresden'e davet edilmiştir. Aynı gösteriyi Doğu Alman cephesinde de sunması kendisinden istenince teklifi kibarca geri çevirmiş ve Ankara'ya geri dönmüştür (1969 yılında bir kez daha Berlin'e gelerek, Galeri Lützow'da son tablolarını sergilemiştir). Semiha Berksoy kadınların seçme ve seçilme hakkını kazanmalarının 50. yıldönümünde

Türkiye'de Opera sanatına yaptığı büyük hizmetlerden dolayı devlet sanatçısı ünvanını almaya hak kazanmıştır.

Mustafa Kemal, kadınlarla eşit haklara sahip olmaya ne denli önem verdiğini Cumhuriyetin kurulmasından ve devrimlerin uygulanmasından çok önce davranışlarıyla kanıtlamıştı. 1921 yılının Şubat ayında Ankara'da yeni kurulmuş olan Öğretmenler Cemiyeti bir çay daveti verdi. Mustafa Kemal salona girdiğinde, sayısız erkeğin yanısıra, bir köşede kendi aralarında oturan birkaç kadın öğretmenle de karşılaştı. Yüzünün aldığı hayret dolu anlam tutucular tarafından, kadınların orada bulunmasından dolayı sinirlendiği şeklinde yorumlandı. Tam bu gafı düzeltme yolunda harekete geçiyorlardı ki, Mustafa Kemal bu kez de onların çok şaşırmasına neden olacak şekilde şöyle dedi: "Neden hanımları yalnız bıraktınız? Lütfen onları da masaya davet edin." Ve cüretkâr bir tavırla hanımların çay servisini kendisi yaptı. Türk kadınları, Atatürk'ü bu jestlerinden ve onlar için gerçekleştirdiği devrimlerinden dolayı bugüne değin hiç unutmamışlardır.

Son Nefesine Kadar Cumhuriyet İçin (1935 - 1938)

Mustafa Kemal'in çalışma programı gitgide genişliyordu; her şeyle şahsen ilgilenmek istediği ve alınacak kararları hiç kimseye bırakmadığı için Çankaya ve İstanbul'daki çalışma masalarının üstü raporlar, anlaşmalar ve yolculuk planları ile tıklım tıklım doluydu. Tekdüze olaylar ise salt bu nedenle tıkanıp kalıyor, acil alınması gereken kararlar gecikiyordu. Modern ve Avrupai bir yaşama doğru yapılan bu dev sıçramanın ardından yaşanan boşluk, aslında belirgin bir yorgunluğun işaretiydi.

Türkiye'de çok partililiğin ancak II. Dünya Savaşından sonra gelişme kaydetmesi, Ankara'daki sivil ve zaman zaman askeri hükümetlerin kendilerini uymakla yükümlü gördükleri Kemalizmin prensiplerine (Cumhuriyetçilik, milliyetçilik, halkçılık, devrimcilik, laisizm ve devletçilik) bağlılıktan çok yapıcı bir muhalefet kavramına sahip olmayan Mustafa Kemal'in kişiliği ile ilgili bir şeydir.

Radikal anti-kemalist muhalefet gruplarının -Türk komünistlerini bu tip bir muhalefet grubundan saymamak gerekir- hayata geçirilememesinin diğer iki nedenine gelince: Türkler, ne kadar temkinli adımlarla uygulamaya konulsalar da yine Osmanlı reformları ve Jöntürklerin aydınlıkçı fikirleri sayesinde Mustafa Kemal'in devrimlerine bir ölçüde hazırlanmışlardı. Ve Hz. Muhammed'in ölümünden pek çok yüzyıl sonra Asya'dan göç ettikleri için İslam dini ile olan ilişkileri Arap halklarına göre daha gevşek sayılırdı. 1931 yılının Nisan ayında "Türk Tarih Kurumu"nun kurulmasıyla birlikte Mustafa Kemal, vatandaşlarına kökenlerinin yalnızca İslam ve Arap-Acem kültür dünyasından gelmediğini, köklerini göç ettikleri topraklarda da aramaları gerektiğini anlatmaya çalıştı. Nüfus patlaması, çevre kirliliği, İslami kökten-dinciliğin hızla yayılması ve yüksek teknoloji ile silahlanma gibi yeni kavramlardan oluşan günümüzün meselelerine ve sorunlarına daha fazla uyum sağlaması açısından bir revizyon geçirmesinin hiç de fena sonuçlar doğurmayacağı Kemalizmin, bugüne değin süreklilik göstermesi hiç kuşkusuz çok hayret verici bir şeydir.

Artık hiç kimsenin kendisine ihtiyaç duymadığını düşündüğü melankolik anlarından birinde Mustafa Kemal, Genel Sekreterine şöyle dedi: "Bir esir hayatı sürüyorum. Gündüzleri hemen her dakika yapayalnızım, herkesin bir işi ya da görevi var, ama beni hiç olmazsa bir saat meşgul edecek bir işim bile yok. Evet, uyuyabilirim belki, uyuyabilirim çünkü eğer uyumazsam okumaktan ve yazmaktan başka yapacak bir şeyim yok. Keşke çevremde daha fazla insan olsaydı ama mutluluğu kimin yanında bulacağım ki? Hep aynı insanları, hep aynı suratları görüyorum ve aynı sözleri duyuyorum. Canım sıkılıyor. Ama neyse, siz bana aldırmayın. Hangi yenilikleri getirdiniz bana bugün?" Cumhuriyet kurulmuş ve çocukları kendi yollarını, kendi serüvenlerini aramanın peşine düşmüşlerdi, Ata'ları ve Başöğretmen'leri yüreklerindeydi her zaman ama artık kişi olarak ona gereksinmeleri yoktu.

Gücünün doruk noktasındaki yapayalnız adamlar, kimselerin anlayamadığı tanrısal bir varlık olarak özel bir cennetin duvarlarının ardına çekilmek için, zamanın sahip olduğu çok daha büyük güçten öç almak istercesine kendi eserleri karşısında hissizleşebilir hatta onu tahrip edebilecek duruma bile gelebilirler. Müslüman sesler kulağına, Halifeliği üstlenirse yalnızca yoksul Anadolu'ya değil, Muhteşem Süleyman'ın sahip olduğu Osmanlı topraklarından çok daha büyük bir imparatorluğa hükmedeceğini fısıldadıklarında, Mustafa Kemal nasıl şeytana uymayarak, elinin tersi ile o muazzam gücü ittiyse, şimdi de aynı şekilde direniyordu. Bu kez kulağına fısıldayan küçük şeytanları ise melankoli, cansıkıntısı, mağruriyet ve verdiği kısa bir aradan sonra 1923 yılından beri hükümet işlerini en güvenilir ve en sadık biçimde çözümleyen, sakin yapılı ve sürekli faaliyet içindeki İsmet İnönü gibi adamlara duyulan kıskançlıktı. (*)

(*) Buradaki "kıskançlık" sözcüğü, biraz abartılmış bir ifade olmaktadır.

İzmir ve Ankara mahkemelerinin çoktan unutulduğu, Hüseyin Rauf ve Refet Bele'nin yeniden Çankaya'ya kabul edildikleri 1937 yılının sonlarına doğru Mustafa Kemal pek çok kişiyi çok şaşırtan bir şey yaptı ve ailesini kendi ailesi gibi sevdiği, hem çalışkan hem etki gücü çok yüksek Başbakanı İsmet İnönü'yü görevinden aldı. Resmi açıklamaya göre İsmet İnönü bu görevde daha fazla kalamayacak denli yorulmuştu. Resmi olmayan açıklamaya göre ise Gazi Başbakanına, kendi ekonomi politikasını eleştirdiği için işten el çektirmişti. Güvenilir çevrelerde anlatıldığına göre ise, İsmet İnönü "sofra sohbetleri"nin müdavimlerinin işine karışmalarından artık yaka silker hale gelmiş ve tüm hayatı boyunca belki de tek bir kez kapıldığı öfke krizi sırasında Çankaya'nın Efendi'sine şöyle demişti: "Ben emirleri yalnızca sofradan alıyorum, benimle asla yüz yüze konuşmuyorsunuz." Bazı kişiler, bu hararetli konuşma sırasında kulaklarına "alkolik" sözcüğünün çalındığını da iddia ettiler. Her neyse, sonuç değişmedi: Gazi en yakın arkadaşını ve kabinenin en iyi adamını görevinden azletti ve onun yerine Maliye Bakanı Celal Bayar'ı getirdi. İki tarafın resmen barıştığını gören olmadı ama, İsmet Bey'in kızı, Atatürk Dolmabahçe Sarayında hasta yatarken babasının ona bir not yolladığını anımsıyor: "Hâlâ kızgın mısın?" Aynı kâğıdın üstüne Gazi'nin karaladığı cevap ise şöyle: "Asla. Sen benim en yakın dostum ve kardeşimsin."

Sık sık kapıldığı sabırsızlık krizlerine karşın -can sıkıntısından ya da "artık gücü kalmadığı için" -Mustafa Kemal yalnızca ülkesinin iyiliğini düşünen bir devlet adamı olarak -1 Mart 1935 tarihinde dördüncü kez yeniden Cumhurbaşkanı seçilmişti- üstüne düşen görevleri asla ihmal etmiyordu. Bu görevlerin arasında en başta gelenler ise yabancı konukların kabulü ve barış antlaşmasından bu yana henüz çözümlenmemiş olan vatan toprakları ile ilgili iki sorunun halledilmesiydi: Boğazların kontrolu ve Suriye sınırlarında olup, Milletler Cemiyeti'nin gözetimindeki Hatay topraklarının Türkiye sınırına dahil edilmesi. İsveç Prensi Gustav Adolf (1950'den itibaren Kral Gustav VI. Adolf), Afganistan'dan Mareşal Mahmut, Yunanistan'dan Başbakan Metaxa, Romanya'dan Dışişleri Bakanı Antonesco ve Alman İmparatorluğu'nun Ekonomi Bakanı Hjalmar Schacht gibi pek çok ünlü devlet konuğunun arasında İngiliz Kralı VIII. Edward, taşıdığı politik önem nedeniyle ön plana çıkmıştır.

Kral Edward aslında sevgilisi Wallis Simpson ile Akdeniz'de bir yaz tatili yapmak istemiş ama, İngiliz Dışişleri Bakanlığı Türkiye ile olan ilişkilerinin biraz cilalanması açısından onun İstanbul'a uğramasında ısrar etmişti çünkü, Avrupa fırtına sinyalleri yollamaya başlamıştı. Londra'dan 4 Eylül 1936 tarihinde kiralık bir yatla gelen bu asil konuk İstanbul'da üç gün kaldı. Atatürk, ünlü konuğunun şerefine Dolmabahçe Sarayında bir ziyafet verdi, Boğazda yapılan yelken yarışlarını padişahlık yatının güvertesinden birlikte izlediler ve ardından baş başa Türk kahvesi içtiler. Daha sonraları Windsor Dükü olarak kaleme aldığı anılarında Edward, Mustafa Kemal ile karşılaşmasını şöyle anlatır: "Bir devlet ziyareti sözkonusu olmadığından dolayı, Atatürk benim için çok katı olmayan bir program hazırlamıştı. Ve böylesi de daha iyi oldu. Beraberliğimiz sırasında, ülkesinde zamanımızın en şiddetli sosyal değişimlerinden birini uygulamış olan bu sert devrimci askeri incelemek fırsatını daha rahat buldum. Karşılıklı Almanca konuştuk. Bana İslam hükümranlığına nasıl son verdiğini, fes giymeyi nasıl yasakladığını, haremleri kapattığını ve Türk kadınını seçme ve seçilme hakkına nasıl kavuşturduğunu anlattı. Atatürk'ün yüz hatları kalemle çizilmiş gibiydi ve bugüne değin gördüğüm en delici bakışlara sahipti." Kralın maiyetinin Balkanlar üzerinden yapacağı dönüş yolculuğu için Gazi, Başkanlık trenini onun emrine verdi.

Bir zamanlar candüşmanı sayılan Büyük Britanya Kralının ziyaretinden iki ay önce İngiltere, Fransa ve Türkiye'nin temsilcileri Montrö'de yeniden gözden geçirilen Boğazlar Antlaşmasını imzalamışlardı. Uluslarası kontrol komisyonunun işine son verilmiş, Boğazların hakimiyeti hem askeri açıdan, hem de yabancı gemilerin geçişi açısından tamamen Türkiye'ye bırakılmıştı. Türk askerleri 1918'den bu yana ilk kez 20 Temmuz 1936 yılında Boğaz kıyılarında yürürlerken, 1914 yılında "Goeben" ismini taşıyan ve kardeş gemisi "Breslau" ile Boğazlara girerken Enver Paşa tarafından hararetle selamlanan "Yavuz" zırhlısının da dahil olduğu Türk Donanması Boğaz sularının üstünde onlara eşlik ediyordu.

Eskiden Osmanlı eyaleti olan Suriye sınırlarının içinde kalan Hatay bölgesinin durumunun aydınlığa kavuşturulması ise biraz daha zor oldu çünkü İskenderun liman şehrine sahip yeni oluşmuş bu sınır bölgesi ve Mekke'ye giden dağlık yolun üstünde bulunan geleneksel hac durağı Antakya için Suriye-Versay Antlaşmalarından beri Fransız manda bölgesi- Fransa, Cenevre merkezli Milletler Cemiyeti ve Türkiye adil bir çözüm arayışı içindeydiler. Fransa 1921 sonunda Ankara'da imzalanan Franklin Bouillion Antlaşması ile ulusal hükümete, Suriye sınırları ile ilgili büyük ayrıcalıklar tanımıştı ve Milletler Cemiyeti şimdi buna dokunmak istemiyordu. 1937 yılının Ocak ayında Cenevre'de Hatay'a özerklik verilmesi önerildi ama 1920 Şubat'ında Türkiye'nin tüm dünyaya sunduğu Misak-ı Milli şartlarına göre bu oluşum sınır bütünlüğü maddesini ihlal ettiğinden ve Fransa Ankara'yla iyi ilişkileri zedelemek istemediğinden, kabul edilmedi. Sonunda iki dost ülke, konuyu bir halk oylaması ile çözümlemeye karar verdiler ve Milletler Cemiyeti de bunu onayladı.

Hatay'daki halk oylamasının bir hayli uzun süren ön hazırlıklarını büyük bir dikkatle gözlemleyen Mustafa Kemal, 1934 Balkan Paktı'ndan sonra bu kez de 1937 Haziran'ında, Ankara'da doğu komşuları Irak, İran ve Afganistan ile bir dostluk ve destek antlaşması imzaladı. Ardından 1927'den bu yana her sene yaptığı gibi serin Boğaz havasını koklamak ve İzmit Körfezinin hemen karşısındaki Yalova'da termal banyoları almak için Cumhurbaşkanlığı treni ile İstanbul'a doğru yola çıktı. Burun kanaması, ateş, başağrısı ve sarımsı bir cilt rengi şeklinde belirtiler gösteren gizli bir hastalığa karşın hâlâ esaslı bir şekilde doktor kontrolundan geçmiş değildi. Gazi'ye bakan doktorlar, tıpkı tüm ulus gibi, onun ebediyen yaşayacağına inanmışlardı sanki. Ve Gazi'nin kendisini de Hatay meselesi henüz çözümlenmemişken, güçlü adam pozisyonunu tehlikeye atıp hasta olduğunu dünyaya yaymak istemiyordu. Depresyonları yeniden başgöstermiş, ancak ikindi vakti yataktan kalkmaya başlamıştı. Gecelerini ise, yüzyılın başlarında şiir ve resim düşlerine daldığı Büyükada'daki (1929'da Sovyetler Birliği'nden sınır dışı olan Leo Trotzki'nin bir süre yaşadığı yer) bir kulüpte geçiriyordu.

Devlet Başkanı ve Cumhuriyet Halk Partisi Genel Başkanı olarak gitgide yoğunluk kazanan görevleri, insanlarla ilişkisini bir hoş sohbet ortamından çıkarıp bir anlamda tekdüzeleştirmiş ve bu da Mustafa Kemal'in çektiği yalnızlığın daha da derinleşmesine yol açmıştı. Onu fazlasıyla üzen iki olay yüzünden her zamankinden daha fazla içine kapandı: 1934 yılında evlat edindiği Zehra, Londra'da yüksek öğrenim gördüğü sıralarda, Türkiye'ye tatil için dönerken Boulogne ile Paris arasında belki de çok özel nedenlerden, trenden atlayarak canına kıymıştı ve Selanik'den beri en yakın dostu olan Nuri Conker 1937 yılının Ocak ayında hayata veda etmişti.

Babası Ali Rıza Bey'in ölümünden sonra annesi ve kızkardeşi ile bir süre yanında kaldıkları dayısının Makedonya'daki çiftliğinden tanıdığı basit yaşam tarzına derin bir özlem duyduğu, Orman Çiftliğindeki arazisi ile her zamankinden daha yoğun bir şekilde meşgul olmasından belliydi. Yaşamının son yıllarından birinde kendi Makedonyalı gençliği ile tesadüfen karşılaşmak, onu derinden etkilemişti. Arkadaşları ile Yalova çevresinde atlı bir gezinti yapmakta olan Mustafa Kemal, genç bir çobana termal bölgesine giden en kısa yolu sorar. Koyun güttüğü ve tarlalardan kargaları kovaladığı günleri anımsadığı için de atından inerek, delikanlının adını öğrenmek ister. Ve "Mustafa" yanıtını alır. Gazi'nin kim olduğunu biliyor musun sorusuna ise hiç cevap gelmez. Mustafa genç çobanı biraz daha konuşturunca, hayatta bir tek annesinin olduğunu ve bu toprakların kiracısı olan bir adamın yanında çalıştığını öğrenir. Bunun üstüne ona ve annesine paraca destek olup, kendisini okula yollamak istediğini söyler. Çocuk önce annesine ve yanında çalıştığı adama danışmak ister, kararını bildirmek üzere Yalova'ya geleceğine dair söz verir. Ayrılırlarken de yaptığı hizmete karşılık kendisine verilen parayı almayı şiddetle reddeder ve hatta avucundaki fındıkları az önce konuştuğu yabancı adama ikram edip, zorla cebine sokar. Yalova'da genç çobanın karşısına bu kez Gazi kimliği ile çıkan Mustafa Kemal sözünü tutar, delikanlıyı okula yollar, sıtmaya yakalandığında İstanbul'da bir hastaneye yatırtır, onu ziyaret etmeyi ihmal etmez ve askeri okula gidip, subay olmasını sağlar. Onu, İsmet İnönü gibi entelektüel ve başarılı bir erkeğe gizlice gıpta ettiren, içinde gizli kalmış bir başka yaşam isteği, Mustafa Kemal'in çoban Mustafa gibilerine yakınlık duymasına yol açmış ve bu duygusu kendisine hiçbir zaman nasip olmayan iç huzurunu başkalarında gördüğünde daha da yoğunlaşmıştır.

1938 yılının Ocak ayında Mustafa Kemal'in bedensel güçsüzlüğü daha da artınca -bir süreden beri Çankaya Köşkünde ve Dolmabahçe Sarayında kendisi için özel olarak yapılan asansörleri kullanıyordu- esaslı bir doktor kontrolundan geçmesi gündeme geldi. Teşhis, karaciğerde büyüme ve fonksiyon bozukluğu oldu, bu da şifası olmayan siroz hastalığı demekti. Tüm umutları yok eden bu teşhisten sonra Çankaya'daki bir "sofra sohbeti"ne katılan gazeteci Falih Rıfkı Atay şöyle yazar: "Atatürk'ün yüzü çok solgundu ama kendisi her zamanki gibi sofranın lideriydi. Fırtınadan sonra sakinleşen deniz gibi bitkinliğinden kaynaklanan bir sûkunet içindeydi. Konuşmakta bile zorlanıyordu. İnce dudaklarının yumuşak ve sıcak tebessümü rüzgârın esintisiyle dağılan bir koku gibiydi." İyice yorgun düşene dek dans ettiği Bursa'daki bir balodan sonra bir de zatürreeye yakalandı. 16 Mart 1938 tarihinde Başbakan da yanındayken ikinci bir kez doktorlar tarafından muayene edildi ve sağlığı hakkında ilk kez ciddi bir bülten yayınlandı. Birkaç gün sonra Türk doktorların arzusu üzerine o sıralarda ünlü olan Fransız bir uzman Çankaya'ya çağrıldı. Doktor Fissinger istirahat eder ve perhiz uygularsa daha yedi yıl yaşayabileceğini söyledi.

Mustafa Kemal kendisine son bir hedef olarak Misak-ı Milli sınırları içindeki tek boşluk olan Hatay'ı ülkeye katmayı seçmişti. Referandum hazırlıklarının olaysız tamamlanması için -Hatay bölgesinde Ermeni ve Arap halkı Türklere göre çoğunluktaydı- Paris ve Ankara anlaşmışlar, seçim bölgesine ortak bir askeri birlik kontenjanı yollamaya karar vermişlerdi. Doktorlarının ve Doktor Fissinger'in tüm uyarılarına karşın Mustafa Kemal 1938 yılının Temmuz'unda seçim taktiğini uygulamaya ve Türkiye'nin güneydoğusundaki bu sıcak bölgeye gitmeye karar verdi. Saatler boyu kızgın güneşin altında kalarak askerleri ile beraber olmak kendisini iyice yıpratmış -Salih Bozok ve Kılıç Ali'nin yardımlarını öfkelenerek geri çevirmişti- ve sağlığının daha da kötüye gitmesine neden olmuştu. (Referandum, Hatay'ın Türkiye'ye bağlanması ile sonuçlanmış ama, bu karar Mustafa Kemal'in ölümünden sonra belli olmuştur.)

Mustafa Kemal Ankara'ya döndükten hemen sonra, o yılın başında Londra'da bir müzayededen aldırttığı yeni yatının kendisini beklediği İzmit'e gitmek üzere yola çıktı. Amerikalı bir milyoner kadın için yapılmış olan lüks "Savarona" yatında kendisini eski moda padişahlık yatı "Ertuğrul"da olduğundan çok daha rahat hissediyordu. Ama artık yürüyemediği için, konuklarının yat hakkında sıraladıkları övgü dolu sözleri dinlemekle yetiniyordu. Dolmabahçe Sarayının karşısında demir atan yattan ayrılmak istemediği için kabine üyelerinin ve "sofra sohbetleri"nin müdavimlerinin yanısıra manevi çocukları da kendisini ziyaret etmek için Savarona'ya geliyorlardı. Çok kısa bir süre önce "ailesi"ne dahil olan küçük Ülkü ile birarada olmak en hoşuna giden şeydi. Henüz beş yaşında olan bu kız çocuğu, bugün dahi hâlâ çok severek yaptığı gibi Gazi ve konuklarının karşısında dans edip onları sevimliliği ile eğlendiriyordu. Atatürk henüz yatağa çakılmadan, yeni Türkiye hakkında dokümanter bir film çeken Amerikalı bir kameraman, İstanbul'daki Florya sayfiye evinde onu ve Ülkü'yü filme aldı. Atatürk çekimi tamamlanan filmi değerli bazı pullarla birlikte, meraklı bir pul koleksiyoncusu olan Başkan Franklin D. Roosevelt'e yolladı ve ondan her iki armağan için de teşekkürlerini bildiren ve en kısa zamanda görüşme isteğini dile getiren bir mektup aldı.

Mustafa Kemal, bedensel olarak daha iyi bakım şartlarına gereksinme gösterdiği için 1938 yılının Ekim ayında Dolmabahçe Sarayındaki yatak odasına getirildi. 29 Ekim'de son derece berrak bir zihinle Cumhuriyetin on beşinci yılı münasebetiyle yapılan radyo konuşmalarını dinledi ve kendisi için "Dağ başını duman almış..." marşını söyleyen bir öğrenci grubuna yatak odasının penceresinden el sallamak üzere camın önüne getirilmesini istedi. Ali Fuad Cebesoy hastalığı hakkında teselli edici bir konuşma yapmak isteyince, ona şöyle engel oldu: "Bu gereksiz bir teselli. Gerçeği olduğu gibi görmek lazım." 9 Kasım günü önce saatin kaç olduğunu sordu ve ardından bir daha uyanmamak üzere komaya girdi. 1938 yılının 10 Kasım günü, saat 9.05'de hayata gözlerini kapadı. O günden bu yana Türkiye'de aynı günün aynı saati her yıl bir dakikalık bir saygı duruşu ile anılır.

KAYNAKÇA

Abadan-Unat, Nermin (Hg.): Women in Turkish Society. Leiden 1981

Adıvar, Halide Edib: Memoirs of Halide Edib. New York 1926

- The Turkish Ordeal, London 1928

-Turkey Faces West, New Haven 1930

Alp, Tekin: Le Kémalisme. Paris 1937

Armstrong, Harold Courteney: Mustafa Kemal. Paris 1933

Arzık, Nimet: Atatürk et son oeuvres dans la poésie turque d'aujourd'hui. Ankara 1981

Atatürk, Mustafa Kemal: Die neue Türkei 1919-1927. Rede vom 15. bis 20. Oktober 1927. Bd.I (Der Weg zur Freiheit 1919-1920) und Bd. II. (Die nationale Revolution 1920-1927). Leipzig 1928

Atatürk and Turkey of Republican Era. Aufsatzsammlung Hg. von der Union of Chambers of Commerce of Turkey. Ankara 1981

Aziz Hanki Bey: Turcs et Atatürk. Kairo 1939

Benoist-Méchin, Jacques: Mustafa Kemal-Begründer der neuen Türkei. Düsseldorf 1955

Bischoff, Norbert von: Ankara. Eine Deutung des neuen Werdens in der Türkei. Wien 1935

Boratav, Korkut: Die türkische Wirtschaft im 20. Jahrhundert (1908-1980). Frankfurt a. M. 1987

British Documents on Atatürk (1919-1938). Hg. von der Gesellschaft für Türkische Geschichte (Türk Tarih Kurumu). Ankara 1973

Davison, Roderic H.: Turkey.A Short History. Huntingdon 1988

Farrére, Claude: Turquis ressuscitée. Paris 1922
Gantizon, Paul: Mustapha Kémal ou L'Orient en marche. Paris 1929
Georges-Gaulis, Berthe: Angora, Constantinopel, Londres. Paris 1921
- La question turque. Paris 1931
Geschichte der Türkischen Republik. Hg. Von der Gesellschaft zur Erforschung der Türkischen Geschichte. İstanbul 1935
Gökalp, Ziya: Turkish Nationalism and Western Civilization. New York 1959
Goltz, Colmar von der: Denkwürdigkeiten. Berlin 1929
Haslip, Joan: Der Sultan. München 1968
Herriot, Edouard: Orient. Paris 1934
Hussein, Kadria: Lettres d'Angora la Sainte - Avril-Juin 1921. Rome 1921
Irmak, Sadi: Atatürk. Leben und Werk des Schöpfers der neuen Türkei. İstanbul 1981
Jevakhoff, Alexandre: Kemal Atatürk. Paris 1989
Kili, Suna: Kemalism. Istanbul 1969
Kinross, Lord: Atatürk. The Rebirth of a Nation. London 1990
Klinghardt, Karl: Angora - Konstantinopel. Ringende Gewalten. Frankfurt a. M. 1924
Kral, August Ritter von: Das Land Kemal Atatürks. Wien 1937
Krikorian, Mesrob K.: Armenians in the Service of the Ottoman Empire (1860-1908). London 1978
Landau, Jacob M. (Hg.): Atatürk and the Modernization of Turkey. Leiden 1984
Lausanne Conference on Near Eastern Affairs 1922-1923. Records of Proceedings and Draft Terms of Peace. Protokollsammlung. London 1923
Liman von Sanders, Otto: Fünf Jahre Türkei. Berlin 1920
Linke, Lilo: Allah Dethroned-A journey Through Modern Turkey, London 1937

Loraine, Percy: Kemal Atatürk. Edinburgh 1948
Loti, Pierre: Turquie agonisante. Paris 1913
Mikusch, Dagobert von: Gasi Mustafa Kemal. Zwischen Europa und Asien. Leipzig 1929
Nadolyn, Rudolf: Mein Beitrag. Erinnerungen eines Botschafters des Deutschen Reichs. Köln 1985
Neumark, Fritz: Zuflucht am Bosporus. Deutsche Gelehrte, Politiker und Künstler in der Emigration 1933-1953. Frankfurt a. M. 1980
Olivero, Luigi: Turkey without Harems. London 1952
Palmer, Alan: Kemal Atatürk. London 1991
Papen, Franz von: Der Wahrheit eine Gasse. München 1952
Papers and Discussion. Symposium 17.-22. Mai 1981 über Atatürk. Ankara 1984
Pomiankowski, Joseph: Der Zusammenbruch des Ottomanisches Reichs. Wien 1926
Rémond, Georges: Aux Camps Turco-Arabes. Paris 1913
Rill, Bernd: Kemal Atatürk. Reinbek 1985
Ronart, Stephan: Die Türkei von heute, Amsterdam 1936
Roux, Jean-Paul: La Turquie. Paris 1953
Roy Gilles: Abdul-Hamid. Le Sultan Rouge. Paris 1936
Rustow, Dankwart A.: Politics and Westernization in the Near East. Princeton 1956
Scipio, Lynn A.: My thirty years in Turkey. Rindge (New Hampshire) 1955
Sforza, Le Conte: Les Bâtisseurs de le'Europe moderne. Paris 1931
Shaw, Stanford J. / Ezel Kural Shaw: History of the Ottoman Empire and Modern Turkey, Bd. 2. London 1977
Sherrill, General: Mustafa Kemal. Paris 1934
Sonyel, Salâhi R.: Atatürk, -The Founder of Modern Turkey. Ankara 1982
Villalta, Jorge Blanco: Atatürk. Ankara 1982
Volkan, Vamik D./Norman Itzkowitz: The Immortal Atatürk. A Psychobiography. Chicago 1984

Wallach, Jehuda L.: Anatomie einer Militarhilfe. Düsseldorf 1976
Werner, Ernst / Walter Markov: Geschichte der Türken. Von den Anfangen bis zur Gegenwart. Berlin (Ost) 1979
Widmänn, Horst: Exil und Bildungshilfe. Die deutschsprachige akademische Emigration in die Türkei nach 1933. Frankfurt a. M. 1973
Wilhelm, Kronprinz: Erinnerungen. Berlin 1922
Windsor, Herzog von: Eines Königs Geschicthe. Berlin 1952
Zia Bey: Evolution de la femme turque. Nizza 1927

İÇİNDEKİLER

SADUN TANJU

ASİL KAN

"Ümmet olmaktan, ulus olmaya giden dokuz altın yıl"

...Muhtaç olduğun kudret damarlarındaki Asil Kan'da mevcuttur.

K. Atatürk

LORD KINROSS

ATATÜRK

"Bir Milletin Yeniden Doğuşu"

"Bu kitap çağdaş Türkiye'yi yaratan ve tarihin akışını değiştiren büyük önder hakkındaki birçok bilgi eksikliğini giderecek bir araştırma ürünüdür."